# LES SEXES DE L'HOMME

# LES SEXES DE L'HOMME

Jean Belaisch
Raphaël Brossart, Marc Chabot
Geneviève Delaisi de Parseval
Jacques Durandeaux
Roger-Henri Guerrand
Agnès Oppenheimer
Thomas Trahant, Patrick Valas

SOUS LA DIRECTION DE
GENEVIÈVE DELAISI DE PARSEVAL

Éditions du Seuil
27, rue Jacob, Paris VIe

ISBN 2-02-008898-3.

# Nouvelles images de la sexualité masculine

*Geneviève Delaisi de Parseval*

Plusieurs terrains fournissent des repères nouveaux, propres à cerner les changements actuels dans les représentations sur la sexualité masculine.

L'importance, d'abord, de l'homosexualité, qui véhicule une image nouvelle de l'identité masculine. La décision (1974) de l'Association psychiatrique américaine de ne plus considérer l'homosexualité comme un trouble mental constitue, par exemple, un acte symbolique qui marque ce changement de valeurs. Le mythe de l'homosexualité, pour reprendre l'expression de Ph. Ariès, présente celle-ci comme « une sexualité à l'état pur, et par conséquent, une sexualité pilote * ». Dans notre ouvrage, le texte de Th. Trahant reflète bien cette nouvelle image de l'identité masculine.

Pour se référer à notre propre Histoire, l'exemple de l'homosexualité à Rome est intéressant à considérer : Rome, société « machiste », acceptait fort bien l'homosexualité, à condition qu'elle soit active, mais poursuivait de son mépris, en revanche, les homosexuels passifs qui signaient leur manque de virilité (cf. les travaux de Paul Veyne). L'homme d'aujourd'hui n'est sans doute plus tout à fait ce *vir* romain, mâle agressif, prenant l'initiative, faisant la conquête du partenaire sexuel, prenant du plaisir virilement, et c'est en ce sens que

* Voir *infra*, p. 13.

la diffusion de la masculinité par l'homosexualité a contribué au changement de cette image de la virilité agressive, pourtant fortement ancrée dans les mentalités. L'homme, le *vir,* qu'il soit hétéro- ou homosexuel, est moins enfermé dans un système de représentations où la tendresse, la « passivité », la faiblesse signifiaient autant d'éléments antimasculins. Le texte de J. Durandeaux, dans cet ouvrage, propose une réflexion originale sur l'identité masculine dans un système de représentations qui n'est plus celui en vigueur du temps des Romains. Le texte de R.-H. Guerrand, quant à lui, montre un des chaînons intermédiaires entre Rome et l'époque actuelle : les représentations qu'avait le XIXe siècle de la sexualité masculine.

La révolution contraceptive des années soixante est capitale, elle aussi, pour comprendre les changements de la masculinité. Elle a à la fois permis de dissocier parfaitement sexualité et procréation, mais, en même temps – et c'est ce point qui est pertinent pour notre propos –, elle a permis aux femmes de « gérer » la procréation, d'avoir le contrôle de la filiation de deux individus, pouvoir qui, depuis toujours, était celui des hommes. Les hommes ne font plus d'enfants à leurs femmes, comme le disait l'expression populaire, ce sont les femmes qui en font à un homme..., même quelquefois sans lui demander son consentement! Changement radical, évolution des mentalités qui s'inscrivent évidemment dans le mouvement pendulaire du féminisme vis-à-vis de la procréation. Résumons-le en deux temps :

– dans les années soixante, la revendication féministe tourne autour du slogan « Du travail, pas d'enfants » et « Des hommes, si ça nous plaît »;

– dans les années soixante-dix, le slogan devient « Un enfant, si je veux, quand je veux, avec qui je veux, sans homme si je veux »; c'est l'époque de la valorisation de la maternité célibataire, tardive, etc., et de la revanche prise sur l'homme par les femmes qui se donnent le droit de l'utiliser comme « étalon » seulement, parfois même à son insu. D'où la peur des hommes qu'on « leur fasse un enfant dans le dos », fantasme symétrique de celui des femmes quelques décennies auparavant de « se faire mettre enceintes ».

C'est ainsi que, depuis une quinzaine d'années, il y a beaucoup à comprendre dans l'articulation paternité/masculinité *. Parallèlement au fait que les hommes ont été de plus en plus sollicités par les femmes, et sur le plan sexuel (image de la nouvelle femme « demandeuse », prenant l'initiative), et au plan de la paternité (leurs compagnes leur demandant de s'impliquer davantage dans l'expérience d'enfantement, et de ne plus se contenter seulement du rôle de fournisseurs du sperme fécondant), dans le même mouvement de l'histoire des idées, les scientifiques, plus précisément les biologistes de la reproduction, ont cerné de mieux en mieux les mécanismes de la spermatogenèse, très mal connus encore il y a vingt ans. C'est ainsi qu'a été, non pas découverte, mais affinée, la preuve clinique de la stérilité masculine. On sait maintenant que la stérilité de couple, lourde charge dont les femmes étaient depuis des siècles rendues « responsables », provient de l'homme dans la moitié des cas environ. Il est clair que cette découverte a eu des conséquences à la fois sur l'*identité paternelle* et sur l'*identité masculine.* L'exemple de l'insémination artificielle par donneur est typique du changement des mentalités dans ce domaine : un homme stérile peut, par l'IAD, demander à la médecine – si sa compagne est d'accord – que celle-ci soit inséminée avec le sperme d'un autre homme de façon anonyme : l'anonymat et le circuit médical garantissent à l'homme stérile la paternité de son futur enfant, comme s'il avait participé à son engendrement. Dans ce cas précis, c'est *à la fois* de la procréation, de la paternité et de la filiation que la sexualité masculine est dissociée. Non seulement l'homme, ici, ne fait plus d'enfant à sa compagne, non seulement c'est

* Telle est la démarche de l'auteur de ces lignes.

cette dernière qui en fait un pour lui; mais encore c'est avec le sperme, le « vecteur de la procréation », d'un autre homme que cet enfant sera conçu. Images très fortes qui illustrent de façon frappante le fait que, dans le domaine de la sexualité procréative, l'homme court maintenant le « risque » d'être utilisé par les femmes. Il est également intéressant de remarquer que, dans le système de l'IAD, l'autre homme, le donneur de sperme, est, lui aussi, utilisé par les femmes, mais en tant qu'objet partiel seulement, un peu à la manière dont les prostituées livrent à leurs clients l'usage de leur seul sexe. Dans cet exemple, on peut en outre constater que la traditionnelle équation virilité/fertilité a pris un sérieux coup de boutoir : en témoigne le fait que les hommes partie prenante de ce système ont parfois du mal à conserver sans dégâts l'image de leur identité sexuelle, obérée par le poids de la stérilité.

Un autre registre, particulier lui aussi, mais très révélateur, est celui du cas des *transsexuels masculins* qui veulent, par la chirurgie, devenir des femmes (cas étudié dans ce livre par Agnès Oppenheimer) : ce n'est pas tant, en effet, devenir des femmes que ces hommes veulent, dit l'auteur, que *se débarrasser des attributs sexuels masculins.*

Patrick Valas, pour sa part, développe, en partant de Lacan, un point de vue personnel sur la perversion chez l'homme.

Autres éclairages sur les représentations de la sexualité masculine.

La naissance de la sexologie, « science de l'orgasmologie », selon l'expression d'A. Béjin, offre le troisième lieu de compréhension des changements dans les images de la sexualité. Née au premier quart du siècle, la sexologie a pris son visage moderne dans les années soixante avec les méthodes de Masters et Johnson dont l'idéologie principale est, non plus le droit à l'orgasme, mais *le devoir d'orgasme pour tous,* femmes et hommes (cf. les travaux d'A. Béjin). Cet impératif orgasmique a pris la forme d'une nouvelle norme dont le poids se manifeste clairement par les demandes d'ordre sexologique que certains patients viennent apporter au sexologue, au psychanalyste, ou à tel ou tel médecin somaticien. Ainsi voit-on maintenant des hommes venir consulter pour éjaculation précoce, impuissance, absence de désir, anorgasmie. La sexologie a-t-elle seulement permis à ces demandes de s'exprimer ou les a-t-elle créées en partie en induisant les individus à percevoir des « ratées du plaisir », au regard de la norme? C'est cette ambiguïté, liée à la spécificité ou non de ce type de symptôme et à l'objet manifestement très défensif de ces demandes, que la table ronde de cet ouvrage tente de lever.

Quelle qu'en soit la réponse, il est sûr que les plaintes des hommes qui s'expriment au cours de ces consultations révèlent une fragilité de la sexualité masculine qui n'avait peut-être pas le moyen d'être entendue dans les décennies précédentes. Le discours médical encore récent, de la même manière qu'il occultait la stérilité masculine, accentue quelque peu l'image du corps sexué masculin comme « corps-machine », qui, s'il fonctionne bien, doit se conformer à l'équation : désir → érection → « éjaculation-décharge » → jouissance. Or l'écoute de ce que les hommes disent quand ils viennent consulter pour des troubles de la sexualité fait apparaître qu'il n'y a pas de relation simple entre désir et érection, ni, non plus, entre éjaculation et plaisir. Il existe une *certaine misère sexuelle masculine* qui n'a rien à envier à ce qu'on disait, il y a peu de temps encore, de la frigidité des femmes. On découvre, en outre, à cette occasion, une demande nouvelle des hommes : celle de pouvoir se représenter leur corps tout entier comme « zone érogène », et non plus seulement leur seul sexe, revendication qui n'est pas sans évoquer le stéréotype sur la sexualité féminine (tout est érogène chez les femmes, pas plus le sexe que d'autres parties du corps)...

Bref, les nouveaux diktats du discours sexologique jouent peut-être seulement un rôle pseudo-libérateur.

Le texte de Marc Chabot illustre – dans cet ouvrage –,

sous forme de témoignage, l'itinéraire de la sexualité d'un homme qui « ne suit pas la ligne droite d'une érection, ni même les grisailles d'une hétérosexualité blessée par le féminisme », comme il l'écrit (p. 41).

Les questions de la « pauvreté » d'expression de la sexualité masculine, autant que le rôle de l'imaginaire dans la fantasmatique des hommes, sont éclairées par les textes des psychanalystes J. Durandeaux et R. Brossart. Le Dr J. Belaisch décrit, pour sa part, le fonctionnement d'un homme ainsi que les étapes de développement de l'*homo* du genre sexuel *vir*.

Nous ne voulons pas clore cette présentation en laissant le lecteur penser qu'existe une sexualité spécifiquement masculine, radicalement distincte d'une sexualité spécifiquement féminine. Seule existe « la sexualité », comme le montre excellemment le *Théorème* de Pasolini. Tout qualificatif constitue un clivage, une amputation. D. Braunschweig et M. Fain écrivaient à propos de l'unicité de la sexualité : « Elle n'est pas seulement un album de figures érotiques et tendres, mais aussi la structuration secondaire adulte d'une incompréhension fondamentale et réciproque de la sexualité infantile du partenaire hétérosexuel. »

Ajoutons que tant les travaux des historiens des mentalités dans notre propre histoire, que ceux des ethnologues dans d'autres sociétés en disent long sur la nature... peu naturelle de la sexualité humaine. Citons, pour terminer, ces quelques lignes de Paul Veyne, à propos de l'homosexualité à Rome : « Vivre avec un homme, préférer les garçons aux femmes, est une chose : c'est une question de caractère, de complexe d'Œdipe et de tout ce qu'on voudra, et ce n'est sûrement pas le cas majoritaire ni d'ailleurs très minoritaire. En revanche, à peu près tout le monde peut avoir des relations physiques avec son propre sexe, et avec plaisir; ajoutons : en éprouvant exactement le même plaisir qu'avec le sexe opposé; si bien que la plus grande surprise qu'éprouve un hétérosexuel qui fait l'expérience pour voir est de constater qu'il n'y a pas de différence et que le voyage est décevant... », et : « Les hommes ne sont pas des animaux et l'amour physique n'est pas chez eux dominé par la distinction des sexes : comme disait Élisabeth Mathiot-Ravel, les conduites sexuelles ne sont pas sexuées. »

## RÉFÉRENCES DES OUVRAGES CITÉS

Les citations de Philippe Ariès, d'André Béjin et de Paul Veyne sont tirées de *Sexualités occidentales,* dirigé par Ph. Ariès et A. Béjin, *Communications,* n° 35, 1982, repris dans la coll. « Points », Paris, Seuil, 1984.

D. Braunschweig et M. Fain, *Éros et Antéros* (Réflexions psychanalytiques sur la sexualité), Paris, Petite Bibliothèque Payot, 1971.

G. Delaisi de Parseval, *La Part du Père,* Paris, Seuil, 1981; *L'Enfant à tout prix* (Essai sur la médicalisation du lien de filiation), Paris, Seuil, 1983 (en collab. avec A. Janaud).

# 1. Histoire

# Le temps des castrés

*Roger-Henri Guerrand*

« Une femme honnête ne jouit pas », affirmait la reine Victoria – et beaucoup d'auteurs plus savants avec elle –, mais son mari? Consultons l'un des meilleurs spécialistes de cette terrible question en cette fin du XIXe siècle où la discipline bourgeoise atteint son acmé. Le Dr G. Surbled, dans un ouvrage plusieurs fois réédité, même après 1914, a exactement indiqué comment les choses doivent se passer : « La femme doit s'efforcer, surtout quand elle est froide, de se montrer accueillante, chaleureuse, se gardant de toute action, de toute parole qui viendrait troubler son mari; elle doit surtout subir l'opération sans se laisser aller à des mouvements brusques qui pourraient rompre les relations ou blesser gravement l'organe viril en le tordant ou en le contusionnant [1]. »

Donc, passivité totale pendant cet acte répugnant où « l'âme humaine s'abaisse ou plutôt semble éprouver une sorte d'éclipse », comme l'assure encore le bon docteur. D'ailleurs, l'épreuve sera brève, toujours d'après Surbled : « Le rapport vigoureux et court est certainement le meilleur : il suffira à satisfaire les sens, à assurer la fin du mariage et est hygiénique. » C'était déjà l'avis du père J.-C. Debreyne, religieux de la Grande Trappe, mais également, signe des temps, docteur en médecine. Dans son célèbre traité de théologie morale [2], publié cinquante ans avant les travaux de Surbled, il écrivait : « La délectation organique, quoique honnête et tolérable au point de vue théorique, est souvent pleine de danger dans sa pratique, à moins qu'elle ne soit de très courte durée. »

Un jeune mâle gesticulant maladroitement tandis qu'immobile son épouse, éperdue de honte, murmure son chapelet, telle se présente, pendant tout le XIXe siècle, l'union conjugale idéale en Occident, avec la bénédiction des autorités religieuses, morales et scientifiques.

Semblable absurdité a son explication. Nous la faisons remonter au prétendu siècle des Lumières, le XVIIIe, qui a vu une nouvelle classe accéder au pouvoir : la bourgeoisie. Elle a sécrété ses propres maîtres à penser, au premier rang desquels se trouve le Dr Tissot, celui qui déchaîna sur l'Europe un vent de folie antimasturbatoire dont les effets ne sont pas encore tout à fait calmés aujourd'hui.

Médecin lausannois, Tissot fut l'auteur, en 1760, d'un ouvrage constamment réédité jusqu'en 1905 et qui porte un titre sans équivoque : *l'Onanisme, dissertation sur les maladies produites par la masturbation* [3]. Avec ces pages terrifiantes, s'ouvre l'ère de la condamnation « scientifique » des pratiques solitaires. Jusqu'alors, l'onanisme n'était qu'un péché, certes mortel mais effacé par la confession. Voici maintenant qu'il accédait au statut de maladie extrêmement grave et ce en un temps où le discours scientifique prétendait l'emporter sur celui, complètement dépassé, des théologiens.

Selon Tissot, le sperme est l'huile essentielle, peut-être même l'« esprit recteur » dont la dissipation laisse les autres humeurs affaiblies et, en quelque sorte, éventées. La gaspiller affaiblit l'organisme et le rend vulnérable aux agents pathogènes. A partir de cette doctrine aberrante – déjà soutenue dans l'Antiquité –, va se développer une littérature médicale dont l'extravagance a été rarement égalée. Elle fourmille de tableaux cliniques dramatisés où excelleront de nombreux praticiens, parfois non des moindres, qui séviront en France et ailleurs jusqu'à la Deuxième Guerre mondiale.

Le terrible portrait du voluptueux, renouvelé de Bossuet, de Bourdaloue ou de Lacordaire, était un classique des manuels de piété et de morale. Les médecins le reprendront et, sous leur plume, il apparaîtra naturellement plus convaincant. Qu'on en juge par celui-ci, dû au Dr C. Bouglé : « Qui n'a vu, au moins une fois dans sa vie, de ces ruines d'hommes qu'a dévastés la volupté, et où l'on ne saurait plus apercevoir aucun vestige des nobles facultés qui y habitaient autrefois? Qui n'a vu errer, comme des spectres sortis de leurs tombeaux, de ces cadavres dont le regard éteint, la bouche vide de sourire, les traits fanés ne peuvent plus fleurir sous un rayon de joie et de bonheur, dont les membres alourdis ne se prêtent qu'avec peine aux plus simples mouvements et dont le corps tout entier paraît affaissé sous le poids des iniquités qui chargent leur vie [4]? »

Cependant, Bouglé ne descend pas jusqu'aux détails physiologiques, tout de même importants. Plusieurs de ses confrères se sont heureusement chargés de cette tâche indispensable si l'on veut frapper durablement les imaginations. L'une des premières recensions des désordres physiques qui atteindront sûrement les masturbateurs nous semble avoir été établie par le Dr Rozier : « Les personnes livrées à des habitudes pernicieuses secrètes présentent plus ou moins promptement des symptômes de la consomption dorsale. Elles n'ont point dès l'abord de fièvre; cependant, quoiqu'elles conservent de l'appétit, leur corps maigrit et se consume; il leur semble que des fourmis leur descendent de la tête le long de l'épine. La marche, de simples promenades même, surtout dans les routes difficiles, les essoufflent, les affaiblissent, leur occasionnent des sueurs, des pesanteurs de tête et des bruits d'oreilles; il survient des maladies du cerveau et des nerfs, de la stupidité et de l'imbécillité. L'estomac se dérange, les personnes deviennent pâles, engourdies, paresseuses. Celles qui sont jeunes prennent l'air et les infirmités de la vieillesse, leurs yeux se cavent, leurs corps se courbent, leurs jambes ne peuvent plus les porter; elles ont un dégoût général; elles sont inhabiles à tout; plusieurs tombent dans la paralysie [5]. »

On composerait une belle anthologie avec des textes analogues. Nous citerons encore celui dû au père Debreyne, dont nous avons déjà signalé l'importance : son autorité fut incontestée, au XIXe siècle, sur tout ce qui avait trait aux péchés de la chair. Dans son traité, il a écrit une page entière qui complète la description que nous venons de présenter. En voici l'essentiel : « Palpitations, diminution de la vue, maux de tête, vertiges, tremblements, crampes douloureuses, mouvements convulsifs, comme épileptiques, et même assez souvent l'épilepsie véritable; douleurs générales dans les membres ou fixées derrière la tête, à l'épine dorsale, la poitrine, le ventre; grande faiblesse dans les reins, quelquefois un engourdissement presque universel. » Toujours sous Louis-Philippe, le Pr Lallemand, l'une des gloires de la faculté de médecine de Montpellier, publiait une somme unique dans la littérature médicale. En trois volumes comprenant 1 784 pages [6], il révélait tout, absolument tout, sur les « pertes séminales involontaires ».

Cette obsession du « déficit » est une nouvelle valeur inventée par la bourgeoisie. Sa lutte contre toute forme de sexualité non ordonnée à la génération entrait dans sa volonté d'« économie » : elle l'opposera pendant tout le XIXe siècle à l'« imprévoyance » ouvrière. On doit tenir compte aussi de sa peur devant des pulsions pouvant se révéler incontrôlables et entraîner la ruine d'une « maison », la « faillite », ce mal suprême pour M. Prudhomme.

Dans ce combat pour l'instauration d'un ordre rationnel du Sexe, la bourgeoisie deviendra l'alliée objective de l'Église catholique : celle-ci s'est repliée sur la conquête des âmes puisque le domaine social lui a été enlevé par les révolutionnaires. La vertu de chasteté se trouvera confortée par les avis médicaux, qui appuieront les anathèmes lancés par les théologiens contre les « débauchés », type d'hommes également insupportables à ces hommes noirs que sont le prêtre et l'industriel raisonnable. Cette osmose doctrinale finira, pour l'Église, en trahison. Reniant une tradition millénaire, certains de ses théologiens n'hésiteront pas à proclamer la « sainteté » de l'argent et à présenter la propriété comme garante de l'ordre social.

Rien n'a été laissé au hasard dans la lutte contre la moindre manifestation d'une sexualité « déréglée » : les lycées et les collèges du XIXe siècle ont donné autant d'importance à la lutte contre la « spermatose » qu'à l'enseignement. L'arrêté portant règlement général des lycées du 21 prairial an II institue la fonction de censeur, en précisant bien que la question des « mœurs » était de son ressort :

– article 13 : Le censeur surveillera la conduite, les mœurs, le travail et les progrès des élèves;

– article 18 : Il examinera tous les livres, dessins et gravures qui entrent dans le lycée et écartera ceux qui pourraient être dangereux pour les mœurs.

L'Université napoléonienne conserva le censeur – en lui interdisant le mariage, ainsi qu'à tous les chefs d'établissements [7] –, et revint intégralement aux dispositions interdisant aux femmes de pénétrer dans les maisons d'éducation, ce qui était la règle sous l'Ancien Régime. Ce règlement, étonnant témoignage d'une misogynie pathologique, fut en vigueur au moins jusqu'au second Empire. Le code universitaire de 1846 ne laisse aucun doute sur ce point : « Les dispositions qui interdisent à toute personne du sexe l'entrée dans l'intérieur du prytanée et des lycées sont applicables aux femmes, parentes et domestiques femelles des directeurs et chefs d'enseignement, proviseur, censeur, professeurs et autres employés du prytanée, des lycées, des écoles secondaires communales et autres maisons d'éducation nationale.

« En conséquence, il est expressément défendu aux femmes desdits employés et à toutes autres de résider dans les bâtiments affectés à ces diverses écoles et d'y entrer sous quelque prétexte que ce soit. La buanderie, la lingerie et l'infirmerie, si elles sont confiées à des femmes, seront placées dans des corps de logis isolés dont l'entrée et la sortie n'auront aucune communication avec l'intérieur de l'établissement. »

Encore à la fin du XIX^e siècle, le proviseur d'un lycée parisien devra se justifier auprès de son recteur parce que des parents se sont plaints d'avoir aperçu des « dames » dans les couloirs et les cours de l'établissement. Ce sont les maîtresses de musique, explique l'administrateur, et on ne peut pas tout à fait les dissimuler aux yeux de nos jeunes gens parce qu'elles doivent réglementairement aller chercher les enfants et les reconduire ensuite dans leurs classes.

Comme l'internat devient la règle dès la 6^e, même si l'établissement scolaire se situe dans la ville de résidence des parents – cette mesure dans le but avoué de mater les enfants le plus tôt possible –, on va commencer tout de suite à tenter d'« endormir » certains organes. Veillons d'abord aux lits! « Pour des raisons de salubrité, et pour rendre la surveillance plus aisée, ils ne doivent pas être entourés de rideaux; ils ne doivent être ni trop doux ni trop chauds, car il faut éviter tout ce qui tend à favoriser l'afflux du sang vers les organes dont le développement précoce peut hâter le moment de la puberté. Voilà pourquoi la toile est préférable au coton pour les draps; voilà pourquoi il serait bon d'avoir des matelas de laine et de crin mélangés, et même de faire coucher sur des matelas de crin, sans aucun mélange de laine, les élèves auxquels on soupçonnerait de mauvais penchants; précautions que l'on pourrait et qu'il conviendrait même de prendre à leur insu. »

Ce très beau texte d'un économe de lycée du début du

XIXe siècle a-t-il été suivi d'effet? On peut le supposer car toutes les mesures prises dans le même esprit forment une parfaite cohérence. Par exemple, au sujet de la tenue nocturne des élèves. En 1827, le Dr Pavet de Courteille – attaché au collège royal Saint-Louis, à Paris – écrit : « Il serait bon, je crois, de faire porter, la nuit, des chemises qui descendraient au-dessous des pieds, à certains enfants soupçonnés de se livrer à de funestes habitudes. Il serait nécessaire que ces chemises fussent munies intérieurement d'une coulisse que l'on devrait serrer le soir après avoir fait satisfaire les besoins d'excrétion [8]. » Attention également aux latrines, endroits périlleux par excellence! Selon P. de Courteille, chaque loge doit être séparée de sa voisine par une cloison de plâtre montant du sol à la charpente. On prendra la précaution de couper les portes en haut afin que du dehors on puisse voir la tête de l'élève.

En tout état de cause, les jeunes gens convaincus d'habitudes solitaires ne doivent s'attendre à aucun ménagement. L'ordonnance royale du 28 août 1827, qui ne fut jamais abrogée, et qui est le seul règlement du code universitaire concernant la vie sexuelle, ne connaît que l'exclusion : « Il n'y a pas dans les collèges de punitions pour les fautes graves contre les mœurs. Le coupable est immédiatement séquestré pour être rendu à sa famille, avec tous les ménagements convenables », ce qui est aussi l'avis du Dr de Courteille.

Étroitement surveillé, le malade sera soumis à un traitement spécial, recommandé par le père Debreyne. D'abord, obligation de se coucher sur le côté, jamais sur le dos; manger et boire froid le plus possible, absorber même de la glace pure. Ensuite, des applications réfrigérantes locales seront faites au moyen d'une vessie renfermant de la glace pilée, de la neige ou de l'eau très froide salée avec du sel de cuisine. Pour les cas rebelles, le Pr Lallemand n'a qu'une méthode : cautérisation de la portion prostatique du canal de l'urètre au moyen de nitrate d'argent. Du début du XIXe siècle – P. de Courteille en témoigne – jusqu'en 1914, on vendra en France des bandages contre l'onanisme, que viendront acquérir des pères de famille ou des chefs d'établissements. On fabriquait naturellement sur mesure, selon l'âge des sujets.

Dans cette lutte fanatique, tous les enseignants « laïques » du XIXe siècle déploient le même zèle acharné que leurs collègues congréganistes. Comme l'a parfaitement démontré Paul Gerbod, leur premier historien [9], ces maîtres étaient des fils du peuple ayant renoncé, dans leur ensemble, à contester la société qui leur imposait des modèles. « Stagiaires de la bourgeoisie », ils furent avant tout préoccupés d'ascension sociale, et leur conformisme moral n'avait d'égal que leur docilité au pouvoir. Bien dressés depuis l'enfance – ce sont d'anciens prix d'excellence –, ils adoptent sans discuter l'ordre sexuel de la classe dominante. « Corrompus », « vicieux », « pervers » sont les adjectifs dont ils usent quand il s'agit de qualifier les élèves coupables de « délits sexuels » : les rapports qu'ils ont rédigés à ce sujet le prouvent à l'évidence [10].

Pour ces puritains, les *Contes* de La Fontaine, *Manon Lescaut, les Feuilles d'automne,* sans parler de quelques rares manuels d'éducation sexuelle, d'ailleurs terrifiants étant donné l'accent qu'ils portent sur les maladies vénériennes, sont des ouvrages de haute pornographie dont la possession mérite l'exclusion immédiate : on en informe aussitôt le recteur d'académie quand ce n'est pas le ministre lui-même.

Dans une telle ambiance, les collégiens étaient tentés par toutes les « déviations », à la stupéfaction hypocrite de leurs « éducateurs » qui ont enquêté à plusieurs reprises sur l'« état moral » des établissements secondaires. Ainsi, cet inspecteur d'académie s'exprimant au sujet d'un lycée de province : « Le relâchement de la discipline, le manque de surveillance ont porté une grave atteinte à la moralité générale. Dans la cour des grands, des élèves se couchant les uns sur les autres; d'autres s'essayant à des danses ignobles; d'autres enfin fredonnant, à la dérobée, des chansons de mauvais lieux. Dans la cour des moyens, des élèves s'embrassant, se donnant des noms de tendresse. Dans la cour des petits, les jeunes enfants eux-mêmes s'adressant des billets, se donnant des rendez-vous. Tel est le tableau affligeant que le nouveau proviseur a eu tout d'abord sous les yeux; telles sont les habitudes qu'il a eu à combattre et à réprimer. L'impunité encourageait jusqu'ici ces déplorables tendances qu'il est difficile, partout, d'extirper radicalement. Désormais, une surveillance minutieuse, incessante, empêchera au moins le mal de faire des progrès et le guérira autant que possible. »

Sur le chapitre des « amitiés particulières », dont Roger Peyrefitte a donné une description désormais classique dans son célèbre roman, l'attitude des « laïques » était rigoureusement identique à celle de leurs collègues du privé : la circulaire ministérielle du 15 juillet 1890 rend un son tout ecclésiastique : « Mais qu'on se défie du mal qui va son chemin d'autant plus sûrement qu'il s'opère insensiblement et sous le couvert même de la discipline et du bon ordre. Dans une cour où le temps des récréations se passe régulièrement en promenades à pas comptés et en causeries monotones, un surveillant même très attentif ne trouve peut-être rien à reprendre. Ce calme même a cependant tout sujet de nous inquiéter et il est par lui-même un grave symptôme, si l'on songe que dans ce désœuvrement prolongé le corps peu à peu s'anémie et s'étiole et que, dans l'ennui qui est la suite, les caractères finissent par s'aigrir et s'énerver. En pédagogie, non moins qu'en économie politique, “ ce qu'on ne voit pas ” a souvent des effets aussi graves que “ ce qu'on voit ”. »

Mais s'ils sortent de l'internat, les élèves sont soumis à un bombardement effrayant d'images licencieuses : « Je voudrais qu'ils puissent constater, comme je le fais tous les ans, les ravages de cette imagerie immonde sur le cœur des adolescents qui sont au seuil de la puberté. Ils recularaient d'épouvante, s'ils se penchaient sur ces âmes au fond desquelles fermentent déjà d'inavouables convoitises. Un vent de mort s'y lève qui emportera bientôt toutes les pensées généreuses, tous les nobles sentiments. Leur intelligence s'obscurcit, leur cœur s'atrophie, leur caractère s'aigrit, leur langage, leurs manières perdent toute distinction, toute retenue. A l'activité, à la pétulance, à la vie qui fait le charme de leur âge succède une langueur morbide, une bonace, sinistre présage des ouragans qui dévasteront leur âme. La vision des images impures entrevues aux vitrines des libraires hante sans cesse leur imagination, et ils attendent avec impatience d'être affranchis de toute surveillance, de toute tutelle, pour s'assouvir aux sources empoisonnées de la luxure. » Cette effarante tirade n'est pas extraite d'une homélie d'un chanoine de province ayant trop pratiqué les sermonnaires du XVII^e siècle. Elle porte la signature d'un professeur enseignant dans un lycée parisien célèbre, et elle date de 1913.

Concernant les jeunes filles, ces petits anges futiles qu'il importe de préparer à l'état de renoncement et de sacrifice qu'est alors le mariage, la bourgeoisie ne manifestait pas plus d'indulgence qu'envers ses fils. Le père Debreyne sait que les femmes possèdent un organe fatal, source des plus ignobles tentations, c'est leur clitoris. Pénis en réduction, il ne sert qu'à la volupté. Or celle-ci n'est nullement nécessaire à la procréation. En conséquence, si le clitoris se révèle une source d'excitation permanente, on doit le considérer comme malade et son ablation devient licite.

Une attitude aussi extrême, jusque-là sans exemple depuis les origines du christianisme, n'est nullement isolée à cette époque. La clitoridectomie a été préconisée en Europe, au XIX^e siècle, pour remédier à ce qu'on ne craignait pas de dénoncer comme « la trop grande lubricité des femmes ». Les plus hautes sommités médicales s'y sont prêtées sans hésitation. Un praticien au moins n'a pas hésité à s'expliquer complètement sur cette opération.

Il y a un peu plus de cent ans, en 1882, *l'Encéphale*, journal des maladies mentales et nerveuses, publiait un copieux article du Dr Démétrius Zambaco, médecin d'Istanbul, intitulé « Onanisme avec troubles mentaux chez deux petites filles [11] ». Dans le cas de ces malheureuses enfants, « l'aberration morale avait atteint des limites si avancées qu'elles s'ingéniaient pour inventer des moyens d'excitation et de satisfaction étonnants et inouïs ». L'aînée, surtout, se manuélisait sans cesse malgré les châtiments corporels et la camisole de force. Il fallut se résoudre à la clitoridectomie : « Il est rationnel d'admettre, écrit Zambaco, que la cautérisation au fer rouge abolit la sensibilité du clitoris, qu'elle peut entièrement détruire, un certain nombre de fois répétée. L'orifice vulvaire, qui constitue le second point génésique sensible, étant émoussé lui-même par la cautérisation, on conçoit facilement que les enfants, devenues moins excitables, soient aussi moins portées à se toucher. »

Le Dr Zambaco peut sembler un personnage « exotique » : il dispose en réalité de répondants de poids derrière l'autorité desquels il s'abrite. Il avait lu les observations du Pr J.-B. Fonssagrives, hygiéniste renommé tout autant qu'adversaire déclaré des « habitudes vicieuses [12] », et rencontré à Londres le Dr Jules Guérin, de l'Académie de médecine : ce dernier lui avait affirmé avoir guéri plusieurs jeunes filles affectées d'onanisme en brûlant leur clitoris au fer rouge.

On opérait avec le bistouri, les ciseaux ou le couteau galvanocaustique. Sans aller aussi loin, le Dr Pouillet, en 1894, conseille de cautériser avec un crayon de nitrate argentique toute la surface de la vulve [13]. Après cette intervention, n'importe quel frottement procure une très vive douleur. Ainsi la femme est-elle mise dans l'impossibilité de se manuéliser. Pouillet préconise également la camisole de force et lance un appel pour l'invention d'une « ceinture contentive » : « Un appareil léger et bien conditionné qui boucherait hermétiquement l'orifice vulvaire, tout en écartant un peu les cuisses et en ménageant une petite ouverture pour le passage de l'urine et des menstrues, rendrait, je pense, un signalé service aux masturbatrices. »

Si les jeunes bourgeois ont été encasernés, dès l'âge le plus tendre, dans des établissements secondaires publics ou privés, il fallut quelque temps, au XIXe siècle, pour que les autorités sociales s'intéressent au sort des filles, jusque-là abandonnées aux ordres féminins qui avaient fondé des pensionnats où il s'agissait surtout de patienter en attendant que les familles aient trouvé un prétendant convenable. En 1867, le ministre de l'Instruction publique, l'historien Victor Duruy, décidait de créer un embryon d'enseignement secondaire pour les jeunes filles. A vrai dire, il ne s'agissait que de conférences sur des sujets pris dans les programmes de l'enseignement secondaire spécial des garçons – la fameuse section sans latin créée par le ministre en 1865. Dans un but évident de protection, cet enseignement présentait une disposition unique : les élèves ne seraient pas interrogées oralement à cause de l'intimité qui aurait pu naître avec le professeur.

Malgré cette sage précaution, tous les évêques attaquèrent aussitôt cette innovation avec la dernière violence. Mgr Dupanloup, qui avait pourtant maintes fois critiqué les pensionnats tenus par des religieuses, fit marche arrière et s'emporta contre les projets en cours : « Ne forçons pas les jeunes filles, déclara-t-il, dans des examens publics faits par des hommes, à paraître en s'exaltant jusqu'à la hardiesse, en s'intimidant jusqu'au trouble et – cela s'est vu – jusqu'à l'évanouissement... Les jeunes filles sont élevées pour la vie privée, dans la vie privée; je demande qu'elles ne soient pas conduites aux cours, aux examens, aux diplômes qui préparent les hommes à la vie publique. Je demande qu'on ne forme pas pour l'avenir des libres penseuses. » En manière d'encouragement, le pape Pie IX lui écrivit une lettre où il s'indignait « que le ministre de l'Instruction publique favorisât les desseins de l'impiété par des mesures nouvelles et inouïes et mît impudemment la dernière main à la ruine commencée de l'ordre social ».

L'expérience échoua. Il fallut attendre le projet Camille Sée – adopté par la Chambre le 21 décembre 1880 – pour que l'enseignement secondaire des jeunes filles fût institué. Il ne s'agissait, bien entendu, que d'un enseignement au rabais : personne n'avait envisagé de le faire déboucher sur le baccalauréat. Il était limité à cinq ans; la matière noble entre toutes, le latin, y figurait seulement en dernière année et à titre facultatif. Destiné à une clientèle bourgeoise, suivant des instructions expresses de Jules Ferry, il ne visait qu'à former de bonnes maîtresses de maison, pouvant comprendre leur mari et bien élever leurs enfants. Le vote de la loi ne fut pourtant pas acquis sans une rude bataille au Sénat : la droite invoqua Jeanne d'Arc, Jeanne Hachette et autres héroïnes illettrées. Elle avait tort de s'inquiéter : en 1910, soit trente ans après le vote de la loi, l'enseignement secondaire féminin public ne groupait que 35 446 élèves.

Surtout, l'atmosphère morale dans laquelle étaient élevées les premières élèves de nos lycées et collèges féminins avait de quoi enthousiasmer les tenants les plus traditionalistes de la famille bourgeoise. Une étude des discours de distribution de prix l'a déjà prouvé. Citons un extrait de celui prononcé par l'avocat Victor Dubon, le 28 juillet 1905, au lycée d'Amiens. Ce personnage, soulignons-le, est une sorte de chargé de mission officiel : avec toute la confiance de l'ex-président de la République Casimir-Perier, il parcourt la France en qualité de propagandiste de l'Alliance d'hygiène sociale. Voici donc, selon lui, quelle doit être l'attitude d'une jeune femme vis-à-vis de son mari : « Il faut que sa maison soit correcte et bien tenue, que son service soit attentif et discret, que sa lingerie fleure bon, qu'il ne manque jamais un seul bouton à une seule de ses chemises, que sa table soit bien servie et sa cuisine finement faite, que vous sachiez vous taire quand il veut qu'on l'écoute, parler et l'intéresser quand il veut garder le silence;

s'il est fatigué, triste ou aigri, trouver le morceau de musique qui l'apaise, la fleur qui l'éjouisse, le mot qui le ranime et la douce caresse qui le console. Il faut, par-dessus tout, qu'il ait l'impression d'être le maître impérial, absolu et naturellement sans partage, du cœur de Madame sa femme et Madame sa femme, pour tout dire et pour conclure, il faut qu'elle soit appétissante comme une friandise, embaumée comme une fleur, bonne comme le bon pain, fine comme une mouche et, par-dessus tout, pure comme ces eaux cristallines dont les pires tempêtes peuvent violer la surface mais ne troublent jamais la transparente limpidité. »

Admirable tableau dont tout commentaire affaiblirait la portée. Victor Dubon le complétera dans une conférence prononcée à Lille, le 17 février 1907. Il s'adresse encore aux jeunes filles, mais il lui est impossible de concevoir leur rôle en dehors de celui de leur futur maître : « Qu'il soit fier de sa femme, qu'il sente qu'elle est brillante sans vouloir briller mais pour le satisfaire, pour lui faire honneur, pour contenter sa fierté d'homme qui voit, dans sa femme, une partie de lui-même et, dans les succès de sa femme, sa propre parure de gloire. Pour cela, ne cherchez pas à en savoir plus que votre mari; et, quand vous en saurez autant sur certains sujets, laissez-lui l'illusion d'en savoir davantage. Intéressez-vous aux choses du métier ou de la profession de votre mari; non pas comme quelqu'un qui cherche à rivaliser mais comme une bonne élève avide d'initiative; avec, pour récompense enviée, l'honneur de devenir une petite collaboratrice en sous-œuvre. »

A près d'un demi-siècle de distance, c'est exactement le même esprit qui animait Mgr Landriot s'adressant, en 1863, aux femmes du monde : « Le mari verse dans l'âme de la femme l'intelligence, la lumière, la vigueur et le conseil. La femme, de son côté, ombrage la tête de son époux avec une couronne de fleurs gracieuses; elle lui donne, comme un arbre fécond, la fraîcheur et les fruits de l'âme aimante. Elle le dédommage des peines de la vie, elle essuie ses larmes, elle glisse dans ses veines une huile de joie et de bonheur. »

Cette charmante idylle ne sera jamais plus précise : les augures avaient tout de suite prêté grande attention au programme prévu de sciences naturelles. Là-dessus, M. Mascarel, l'un des dirigeants de l'enseignement libre, avait tenu à donner son avis : « Il conviendrait, je crois, d'écarter du programme des sciences naturelles pour le cours de jeunes filles tout ce qui touche au problème de la vie, à la manière dont elle commence, dont elle se développe, dont elle se termine. Autant de questions qui risquent de flétrir cette fleur délicate que les pères et les mères s'appliquent à conserver avec un soin jaloux, craignant avec raison de la ternir par des clartés prématurées. »

Précisons que les confesseurs n'ont tout de même aucune illusion sur les fortes inclinations de la femme au péché : « Vous avez du divin en vous, Mesdames, s'écrie Mgr Dupanloup, mais vous avez en même temps cette faiblesse intime qui vous a été léguée par la faute de votre première mère, et qu'il vous faut surmonter au milieu de toutes les sollicitations qui cherchent à l'ébranler. » L'évêque d'Orléans, qui s'est souvent adressé aux femmes, ne leur a jamais parlé des problèmes sexuels. Le père Debreyne, en médecin qu'il est, se permet de se montrer plus net : « La femme, écrit-il, est l'être le plus impressionnable de la nature vivante. Trop souvent, chez elle, le sentiment érotique ne se borne pas au sens génital; il saisit tout son corps et domine tout son être physique et moral. De là, souvent, l'érotomanie ou plutôt la nymphomanie ou la fureur utérine. »

Si la famille s'aperçoit à temps de cet état, au XIXe siècle, c'est la clitoridectomie ou la maison de santé : elle ouvre facilement ses portes aux demandes des familles respectables avec un certificat médical de complaisance obtenu pour protéger l'honneur d'un nom. Catholiques ou libres penseurs, tous les médecins sont d'accord, leur unanimité ne souffre aucune faille quant à la nocivité d'une vie sexuelle vite jugée déréglée dès qu'elle franchit des limites fixées de la façon la plus arbitraire, justement parce qu'elles expriment, non des exigences scientifiques, mais celles d'une idéologie de classe.

Un postulat se trouve posé et répété à l'envi dans tous les traités médicaux s'engageant dans le sillage de Tissot, c'est celui de la haute dangerosité de l'acte sexuel pour la santé de l'homme : « L'agitation, les contractions involontaires des muscles, les spasmes dont ils sont pris au moment de l'éjaculation, le sentiment général de douleur, de brisure, de faiblesse qui suit le coït avec une fatigue toujours plus prononcée dans les lombes et les parties inférieures du corps indiquent assez l'impression profonde que la moelle épinière éprouve d'un acte aussi perturbateur [14]. » Même les nerfs des cuisses sont affectés, ajoute le Dr Belliol, ce qui amène la sciatique et bientôt la paralysie.

Dans ces conditions, un homme dans tout son éclat, dans toute sa force, doué d'une excellente constitution, ne doit s'approcher de son épouse qu'une fois tous les trois jours. Plus faible, une fois par semaine et même seulement deux fois par mois. Vers soixante ans, il convient de s'abstenir tout à fait, surtout après les repas : tous les organes, le cœur, les poumons, le cerveau, sont, pendant la digestion, dans un état de turgescence, de congestion sanguine qui s'accroît encore sous l'influence de l'excitation vénérienne.

Peut-on être plus clair? Les ouvrages de cette encre se comptent par dizaines et ils se répètent tous, jusqu'en 1914. Invoquons-en un autre, dû au Dr Louis de Séré : « La déperdition des forces, allant parfois jusqu'à une véritable prostration qui oblige l'homme au repos après l'accomplissement de l'acte sexuel, ne peut être sérieusement attribuée qu'à la perte de la liqueur séminale. On sait d'ailleurs à quel degré d'affaiblissement progressif sont amenés ceux qui abusent des plaisirs de l'amour, ainsi que ceux qui sont affectés de pertes séminales involontaires [15]. » Pour Séré également, il faut dételer dès cinquante ans : ceux qui tentent de se forcer empoisonnent leurs dernières années et abrègent la durée de leur existence.

Même un adversaire déclaré de l'Église catholique comme le Dr A. Lutaud peut écrire : « L'homme sage ne doit jamais répéter le coït sans avoir laissé entre chaque acte sexuel un intervalle dont la durée varie de un à plusieurs jours selon son âge et sa constitution [16]. »

Lui fait écho le très catholique G. Surbled, déjà cité, dans un ouvrage exclusivement destiné au clergé [17]. Pour lui, comme pour tous ses confrères, l'abus du coït est à l'origine de nombreuses maladies et il ne s'agit pas des affections proprement vénériennes. En dehors des premiers temps du mariage et de circonstances exceptionnelles, les rapports peuvent se borner – d'une façon générale – à cinq ou six par mois. En fait, écrit Surbled, l'ovulation étant mensuelle, le coït ne semblerait indiqué qu'une fois par mois, en dehors des époques de grossesse et de lactation. Mais on doit noter, d'une part, que très peu de fécondations résultent d'un seul rapport, de l'autre, que la concupiscence ne se sépare pas de notre nature et rend en tout temps les relations possibles et quelquefois fatales. Le père Debreyne se montre un peu plus dur en soutenant que l'usage du mariage pendant le flux menstruel est un péché véniel, ainsi d'ailleurs que dans l'état de grossesse, puisque l'acte se voit privé de sa fin légitime : « Le but d'éviter l'incontinence n'est qu'accessoire et secondaire. Il peut être atteint par d'autres moyens, tels que la prière, le jeûne, les macérations, des mortifications corporelles, des pratiques hygiéniques, etc. »

Et nous n'avons pas parlé des fraudes qui augmentent encore la nocivité du coït. Le Dr Bergeret, dans un traité célèbre, les a dénoncées dès 1868 : « On est généralement disposé à penser que ces odieux calculs de l'égoïsme, que ces raffinements honteux de la débauche, se rencontrent presque uniquement dans les grandes villes et dans les familles riches, que les petites localités, les communes rurales, présentent encore en grande partie, sous ce rapport, la simplicité de mœurs que l'on attribue à ces temps primitifs où les pères de famille étalaient avec orgueil leur nombreuse descendance. C'est une erreur : je veux démontrer que ceux qui ont confiance dans les habitudes patriarcales de nos campagnards et de nos petits citadins se font la plus complète illusion. Aujourd'hui, les fraudes sont pratiquées par toutes les classes de la société [18]. » D'après ce médecin – il n'est pas le seul –, le *coitus interruptus* ou « retrait » semble la méthode la plus couramment employée, sans préjudice du coït anal par lequel « d'ignobles sodomites conduisent de magnifiques villageoises au dépérissement ».

Le Dr Bergeret n'hésite pas à rendre la « fraude » responsable des plus terribles maladies. Son ouvrage est rempli de prétendues observations tout à fait capables d'impressionner des lecteurs déjà convaincus par le clergé du caractère honteux de la sexualité. Nous lisons par exemple le cas suivant : « Femme de trente-deux ans, belle et de vigoureuse constitution, très lascive. Mari vigoureux et amant libertin. Tous deux fraudeurs. Elle meurt de cancer galopant. » Génératrices de douleurs effrayantes, les fraudes prédisposent au cancer utérin car l'organe a été prématurément usé. Le cœur se voit lui aussi menacé par les « spasmes cyniques » d'orgasmes répétés qui le déchirent. A en croire Bergeret, les hommes de son temps se partagent entre des « libertins à figure bestiale possédés par les instincts de la brute primitive » et des « vieillards au faciès abject, vrais pourceaux d'Épicure », tous acharnés à faire subir à des malheureuses – dont certaines n'hésitent pas à se suicider pour leur échapper – des approches frauduleuses jusqu'à dix fois par jour.

Si quelques âmes pures ont succombé aux ignobles tentations de la chair, voici le déplorable état de leur conscience : « Un jeune homme d'une excellente éducation, doué de sentiments délicats, et qui avait été entraîné à la pratique des fraudes avec une maîtresse, me disait qu'après ces relations immorales, il se sentait confus, humilié, comme s'il eût commis un infanticide. »

Passé 1900, les mêmes rengaines continuent d'être chantées par un corps médical de plus en plus inféodé à une classe qui a fini par l'admettre, après l'avoir quelque temps tenu en lisière. L'idéologie de la contrainte tient toujours, l'abstinence reste la règle d'or en matière sexuelle. Ainsi s'exprime le Dr Serge-Paul, qui considère par ailleurs la femme comme un être d'une physiologie inférieure [19]. Les époux ont tort de regarder le plaisir vénérien comme un plaisir qu'on peut prendre sans mesure, parce qu'il est permis par les bonnes mœurs, la religion et les lois. Beaucoup de maladies nerveuses sont dues à des rapports sexuels trop fréquents. Les intellectuels, surtout, doivent faire attention : l'éréthisme de leurs facultés les porte à abuser de ces plaisirs qui les épuisent. La même année, le Dr A. Nystrom, de Stockholm [20], n'est pas non plus très large pour la fréquence du coït, d'une à deux fois la semaine; deux-trois fois par mois, ce serait encore mieux. Bien entendu, ce spécialiste ne manque pas de citer des cas frénétiques aboutissant à l'angoisse, aux douleurs de dos, aux vertiges, à la paralysie de la moelle épinière...

Une femme parfois mutilée dans son sexe par le médecin de famille lui-même tandis que son partenaire a été entraîné, dès l'enfance, à considérer la moindre érection comme un phénomène anormal, peut-on considérer ce couple autrement que comme des castrés? L'éducation sexuelle du jeune homme se bornera à quelques étreintes furtives avec des prostituées [21] : sans accueil confiant de sa femme, totalement inhibée, il aura hâte d'en finir. D'ailleurs, Madame va très vite déployer toutes sortes de manœuvres pour éviter la corvée – on le lui conseille dans certains ouvrages –, avant de faire définitivement chambre à part dès que la descendance sera assurée. Cela dans le milieu bourgeois, qui a des facilités de logement. Mais la sexualité populaire de ce temps n'est pas plus libérée : la propagande néo-malthusienne de Paul Robin et de son groupe ne mordra que sur une petite frange d'anarchistes [22]. La femme ouvrière, elle aussi, sera victime du modèle dominant pour lequel le concept de « jouissance » n'a qu'un sens défavorable. Le plaisir sexuel, les mâles de toutes les classes sociales essaieront d'aller le prendre furtivement dans les maisons d'illusions, tavernes orientales ou autres établissements de prostitution qui prolifèrent au XIXe siècle. Là, des professionnelles, en fonction d'un tarif précis, leur procureront le faux-semblant d'un orgasme partagé.

Il faudra attendre 1912 pour que les discussions du cercle psychanalytique de Vienne aboutissent à considérer la masturbation comme normale pendant l'enfance et l'adolescence, ce que l'Église catholique n'a pas encore admis en 1985. Il faudra attendre 1937 pour qu'un théologien allemand ose affirmer que la conjonction sexuelle joue un rôle important, indépendamment de la génération [23]. L'audacieux sera vite condamné par le Saint-Office, mais ses idées alimenteront un courant de pensée qui resurgira dès la fin de la guerre, malgré des résistances dont les raisons sont à rechercher dans l'histoire sociale du XIXe siècle.

Les nouvelles générations, rejetant, comme le souhaitait Marcuse, la séparation féroce entre la sphère intellectuelle et les instincts, parviendront-elles enfin à concilier la vérité de l'épanouissement physique avec les exigences de la vie sociale?

NOTES

1. *La Vie à deux. Hygiène du Mariage,* 1896.
2. *Essai sur la théologie morale considérée dans ses rapports avec la physiologie et la médecine,* 1842.
3. Sur Tissot, voir Th. Tarczylo, *Sexe et Liberté au siècle des Lumières,*

Paris, Presses de la Renaissance, 1983. *L'Onanisme* a été republié par les Éd. du Sycomore en 1980.

4. *Les Vices du peuple,* suivis de l'histoire et du traitement des maladies vénériennes, 1888.

5. *Des habitudes secrètes ou des maladies produites par l'onanisme chez les femmes,* 1825.

6. Parus en 1836, 1839, 1842.

7. Décret impérial portant organisation de l'Université, titre XIII, article 101.

8. *Hygiène des collèges et des maisons d'éducation.*

9. *La Condition universitaire en France au XIXe siècle,* étude d'un groupe socioprofessionnel, professeurs et administrateurs de l'enseignement secondaire public de 1842 à 1880, 1965.

10. Cf. notre ouvrage, *Le prof ne rit pas,* 1964.

11. Réédité en 1978 par les Éd. Solin.

12. *Entretiens familiers sur l'hygiène,* 1867.

13. *De l'onanisme chez la femme.*

14. Dr J. Belliol, *Conseils aux hommes affaiblis.* Traité des maladies chroniques, de l'impuissance prématurée ou épuisement nerveux des organes générateurs suite des excès de la jeunesse et de l'âge mûr, 1877 (12e éd.).

15. *La Virilité et l'Age critique chez l'homme et la femme,* 1885.

16. *Manuel des maladies des femmes,* 1891.

17. *La Morale dans ses rapports avec la médecine et l'hygiène,* 1891, 2 vol.

18. *Des fraudes dans l'accomplissement des fonctions génératrices.* Ce livre fut réimprimé huit fois jusqu'en 1881.

19. *Physiologie de la vie sexuelle chez l'homme et chez la femme,* 1910.

20. *La Vie sexuelle et ses lois,* 1910.

21. A. Corbin, *Les Filles de noce,* 1978.

22. Cf. notre ouvrage, *La Libre Maternité,* 1971.

23. Doms, *Vom Sinn und Zweck der Ehe,* 1937.

# 2. Témoignages

# Esquisses pour un tableau de mes amours

*Marc Chabot*

« Nous n'avons pas mal aux reins, nous avons mal à l'âme. »
RÉJEAN DUCHARME

## 1

Je peux difficilement imaginer ma sexualité autrement que comme un itinéraire tortueux et ambigu. Elle ne suit pas la ligne droite d'une érection, ni même les grisailles d'une hétérosexualité blessée par le féminisme. C'est un chemin changeant.

## 2

Qu'est-ce que je veux quand je fais l'amour? Jouir, comme tout le monde. Ressentir du plaisir, comme tout le monde. Donner du plaisir, comme tout le monde (enfin je le suppose). Mais de plus en plus, rire. Apprendre à rire de moi, de l'autre, de nous, de tout.

## 3

Je voudrais avoir une sérénité grande comme notre lit. Jouer à toutes les heures où nous pouvons disposer de nos corps pour autre chose que le travail, la vie quotidienne ou les innombrables courses à travers la ville. Jouer pour que nous puissions nous offrir le repos dont nous avons besoin. On me demande souvent : « Où prends-tu ton énergie? » J'ai souvent le goût de répondre : « Au fond de notre lit. » Nous dormons peu, nous nous touchons beaucoup. Nous laissons nos peaux engager de longs échanges sur leur humeur respective.

4

Le pire dans l'idée de « faire l'amour », et, je crois, pour tous les corps et tous les sexes, c'est de s'obliger, de se sentir obligé de le « faire ». De s'imaginer que l'acte dit tout. D'essayer de tout dire par les gestes. Voilà l'erreur rationnelle qui obstrue nos sens. Les gestes sont des signes, mais tous les signes ne sont pas des gestes.

5

Je suis nu dans le lit. Je ne te touche pas. Voilà l'odeur de ton corps qui entre par tous les pores de ma peau et ça grouille en moi. Attention. Pas d'énervement. Apprendre la lenteur et les rythmes du corps. Si je me jette sur toi je fais disparaître tout ce qui est suggéré, tout ce qui est là et qui ne peut pas se dire.

6

On a dit : il y a la pénétration puis, si vous voulez y parvenir, considérez les « préliminaires ». Pour moi, tout cela, c'est de la bouillie pour les chats. Je veux ne plus en finir avec les préliminaires. Je veux effacer ce mot du vocabulaire amoureux. Tous les gestes d'amour que nous posons sur nos corps semblent être faits pour préparer un acte, « un événement plus important » (dit le *Petit Robert*). C'est pas sérieux. Je ne veux plus de la pénétration comme finalité de l'acte amoureux. Je veux profiter de chaque moment où ta main frôle mon corps. Je veux caresser le tien sans but.

Tu montes sur moi et tes mains viennent s'étendre sur mon corps. Tes seins prennent mille formes différentes, ton ventre s'étire. Je glisse sur le drap, j'ouvre les bras, nous avons des ailes.

7

Il faut déboussoler la sexualité masculine. Le pénis indique le nord. Il est au centre du lit comme un phare. Mais c'est au sud de l'amour qu'il nous faut aller. Je veux perdre le nord. Les hommes n'ont pas à mettre le pénis en dehors de leur vie. Ils n'ont pas besoin de le cacher ou de l'affubler d'une centaine de sobriquets. Ils ont surtout besoin d'investir ailleurs.

8

Ne pas confondre les plaisirs de l'autosexualité (masturbation) avec ceux qu'on retire d'une rencontre. Voilà bientôt dix ans que nous nous sommes retrouvés (hommes et femmes) dans nos corps, nous ne chantons plus que le plaisir solitaire. Une bonne chose de faite. Mais reste encore à rencontrer l'autre, à cesser d'avoir peur. A se préoccuper de « nous ».

9

Une femme écrit : « Pourquoi attendre d'un homme son plaisir? Moi, mon plaisir à la limite je le lui prends, je le lui arrache. Je n'attends pas qu'il me pénètre, je prends son sexe et je le mets et je mets sa main où je veux *. » Et je pense qu'il n'y a rien de neuf dans une telle affirmation sinon le fait que le sexe féminin fait ce que le sexe masculin a toujours fait. Je ne suis pas fâché, je pense que tout cela est inévitable mais que la tristesse continue, la tristesse s'agrandit d'un bout à l'autre de nos corps. Nous pourrions penser autrement. Nous pourrions chercher autrement la jouissance. Je sais que chaque homme et chaque femme peut arracher de la jouissance à l'autre. Mais je ne suis pas convaincu que c'est l'idéal.

10

C'est l'idée de solitude qu'il faut combattre en tout premier lieu. L'idée qu'il n'y a que moi qui peux jouir de moi et qui peux connaître la jouissance que je veux. Cette fermeture à l'autre, elle me blesse tout autant qu'elle blesse l'autre.

11

Il y a tellement de plaisirs que je ne connaissais pas, tellement de gestes que tu m'as fait découvrir, tellement de douceur quand ta main se sait libre, quand ta main n'est pas dirigée, orientée sur mon plaisir.

12

J'aime faire l'amour avec une femme que j'aime et elle le sait. Nous nous répétons souvent que nous nous aimons. C'est banal. Nous avons pourtant besoin de cette répétition. Nos

* *Cahiers du Grif*, nº spécial : *Jouir*.

mémoires sont sources. Quelque part en nous il y a la peur que l'autre se lasse, que l'autre parte. Nous essayons de faire ceux qui le savent, mais nous nous refusons maintenant de nous en servir pour négocier quoi que ce soit.

13

Ça me fait du bien de te voir en sueur après l'amour. Ça me fait du bien que tu saches que tu m'as épuisé. Nous nous buvons. Nous portons énormément d'attention à nos humeurs, à nos fatigues. Je ne fais plus l'amour pour me débarrasser d'un désir en moi qui soudainement est monté. Je ne veux plus réduire cette rencontre à un cérémonial du désir, c'est trop peu.

14

Peu importe l'orientation sexuelle des hommes ou des femmes, je constate que l'idée d'accouplement dépasse joyeusement la sexualité à proprement parler. En fait, elle ne nous abandonne pas. Et ça peut se faire sans y accoler l'idée traditionnelle de « possession » de l'autre. Au-delà de ton corps, au-delà de l'épiderme, il y a toi, il y a l'autre que tu es. Je sais que je ne pourrai jamais tout savoir (c'est d'ailleurs merveilleux de savoir cela), mais je sais que ce que je sais de toi ne peut pas être seulement le corps que tu abandonnes au plaisir. Ton corps n'est pas la limite de ce que je peux connaître de toi.

15

Je sais qu'on a beaucoup dit aux hommes et aux femmes de « dire leur sexualité » depuis quelques années. Je sais aussi que c'est d'abord à soi qu'il faut être capable de la dire. Il ne m'est d'aucune utilité d'en parler avec tout le monde si les idées que j'en ai ne sont pas les miennes. Celui qui a le moins parlé jusqu'à maintenant, c'est l'hétérosexuel mâle. Son silence est salutaire. Il permet à tous les autres de dire enfin ce qu'ils sont. On voudrait tout de même qu'il ouvre quelquefois la bouche – pas seulement pour dire qu'il a mal, qu'il se sent seul, qu'il est triste et qu'il ne peut pas vivre sans les femmes. Dans mon cas, j'aime bien savoir que ce que je dis n'est plus LA VÉRITÉ. J'aime la douceur des petites propositions négociables. J'aime la joie des mots que nous nous échangeons. J'aime la liberté que me confère enfin la déstabilisation de ma sexualité.

16

Peu m'importe ce qu'est devenu le féminisme comme discours maintenant. Peu m'importent ces charges contre les hommes, contre LA sexualité des hommes. Il a contribué à me changer, à m'obliger à tenir sur ma vie réelle un discours plus ouvert. Il m'a sorti d'une solitude dans laquelle nous sommes tous plus ou moins enfermés. Ça ne m'empêche pas de demeurer un homme, ça ne me donne pas le goût de devenir une femme. Ça ne m'empêche pas d'avoir des désirs, des fantasmes, ni d'imaginer une révolution dans les rapports hommes/femmes. Mais je ne parlerai plus jamais d'une « révolution sexuelle » parce qu'une telle aventure à la vue courte ne m'intéresse plus. La révolution sexuelle c'est comme la révolution informatique : ça nous laisse l'impression que tout va changer, puis ça nous déçoit quand nous nous apercevons que nous ne savons pas plus communiquer entre nous.

17

Je sais que ce n'est pas juste d'utiliser le « nous », qu'il faut dire « je », revenir à son petit moi, le tordre dans tous les sens devant les autres pour avoir l'air sincère. Ce « nous » pourtant, on peut l'employer sans vouloir cacher une déception personnelle. C'est tous ensemble que nous voulions révolutionner la sexualité : seuls, nous n'y serions pas arrivés, nous n'aurions jamais pu pousser si loin l'illusion. C'est collectivement qu'il faut penser, car c'est collectivement que nous posions des gestes. Il y en avait même qui pensaient faire l'amour pour les générations à venir... Peut-être faut-il donc à l'occasion revenir à ce « nous ». Notre génération voulait faire l'amour à la terre entière!!!

C'est pas toujours très drôle de se faire dire par ceux et celles qui suivent que nous étions naïfs et enfantins. Il m'arrive d'avoir le goût de me défendre, de m'inventer des justifications, de me refuser à l'idée qu'à ma manière (qui est souvent une certaine forme de passivité) j'ai contribué à la poussée de la pornographie, à l'engourdissement d'une réflexion sur les valeurs, à l'étalement de la sexualité comme marchandise.

18

Autour de moi, il y a toutes sortes d'hommes qui vivent avec toutes sortes de femmes des sexualités qu'ils ne saisissent pas toujours très bien. Il y a des hommes qui n'interrogent rien, qui ne voient pas le sexisme autour d'eux, qui mettraient des années à changer; et, si jamais cela arrivait, on en douterait encore. A l'autre bout, il y a des hommes qui me disent ne plus jamais vouloir faire l'amour à une femme. Ils ne se fient plus à ce qu'ils sont. Ils agissent ainsi par « honnêteté politique » pour le féminisme. L'homme étant encore et toujours dominant, ils combattent le phallocrate en eux en refusant d'agir. Tant pis s'ils paient pour les autres, tant pis si c'est difficile, tant pis s'ils piétinent à l'occasion des désirs non macho. Ils ne peuvent plus se faire confiance. Leur sexualité sera ce que femme veut qu'elle soit. Puis, il y a ceux qui se contentent de clamer que toute la sexualité de l'homme n'est pas dans l'éjaculation ou la pénétration. Ceux qui veulent faire jouir les femmes, ceux qui veulent jouir avec les femmes, ceux qui veulent jouir des femmes. Ceux qui cherchent la mère dans leur compagne, ceux qui croient souffrir d'un manque à être qui vient de l'enfance, ceux qui continuent de croire au « phallus symbolique » de la psychanalyse. Ceux qui ne savent plus dire « je t'aime » lorsqu'ils font l'amour, ceux qui ne veulent dire que cela. Ceux qui passent sur les femmes aussi vite qu'avant, ceux qui s'attardent sur l'idée de jouissance pendant des heures avant de pouvoir jouir concrètement. Ceux qui ont peur de faire peur, ceux qui se trouvent laids, ceux qui regrettent le passé, ceux qui regrettent d'être nés trop tôt.

Ça fait beaucoup de monde. Et chaque homme peut être cinq ou dix de ceux-là, et plusieurs en même temps. C'est bien drôle de nous voir, hommes et femmes, tenter de nous expliquer là-dessus, tenter de nous rejoindre dans notre lieu. Nous nous cherchons. Nous nous attrapons parfois par le bout d'une idée et nous tenons ensemble quelques jours ou quelques années.

## 19

Mais si on y pense un peu, si je regarde attentivement ma nomenclature, je finis par me dire qu'il est impossible de parler de la sexualité comme d'une entité indépendante. Ce n'est pas la sexualité qui fait problème, c'est l'idée que j'ai de la sexualité qui m'empêche de rejoindre les autres. Il y a des sexualités masculines, je pense que j'ai eu plusieurs vies sexuelles différentes et ce n'est pas simplement une question d'âge, c'est tout autant une question de réflexion.

## 20

L'homme qui jouit des femmes sans se poser de questions, comment l'atteindrons-nous? Comment lui expliquerons-nous qu'on peut être un autre homme que celui-là? Comment se transformera-t-il si personne ne lui dit qu'il sème parfois de la haine et du dégoût autour de lui? Combien de femmes me disent souvent désespérer de ce type d'homme? Combien de femmes nous demandent à nous (les autres hommes, ceux qu'on dit différents!), qui sommes parfois des compagnons de luttes, d'intervenir? Au début, on se dit : nous sommes des hommes, nous les rejoindrons plus facilement, nous dirons « en homme » ce qu'il faut dire, nous pourrons faire ainsi avancer les choses. Nous devenons alors des militants de la « nouvelle condition masculine », nous partons avec quelques vérités sous le bras qui devraient être en mesure de détrôner la « virilité ancienne ».

Ce n'est pas rien. Ce n'est pas tout à fait inutile, mais c'est souvent s'illusionner sur la force qu'a le discours et faire fi des conditions sociales dans lesquelles chaque homme investit sa sexualité. Je suis toujours prêt à faire ma part, mais il m'est arrivé fréquemment de me retrouver avec des hommes qui me ressemblaient, qui voulaient changer, qui cherchaient tout comme moi et qui finalement ne faisaient que s'échanger des recettes pour y parvenir. Je n'abandonne pas l'idée que de nouveaux rapports entre les hommes et les femmes doivent naître, je ne nie pas que le terrain politique soit essentiel, mais je veux vivre aussi ces changements, non pas simplement les annoncer ou les attendre.

## 21

Je me suis souvent demandé si, d'une quelconque façon, les hommes et les femmes n'avaient pas une nostalgie de la vérité telle qu'elle existait il y a encore peu de temps. Nostalgie qui ne nous fait pas renoncer à l'envie de posséder une grille d'explication qui rendrait compte du fonctionnement de la sexualité masculine dans son ensemble. Pourtant la position contraire, quoique plus difficile à tenir, est plus intéressante. La variété des sexualités masculines et féminines, la profusion d'images contradictoires sur la manière dont elles devraient être vécues, l'immensité de la fragilité de chacune de nos propositions nous ramènent parfois à un silence qui n'est pas loin d'être le seul moyen de communiquer quelque chose aux autres. Un silence, un « je ne sais pas », un « je ne sais plus » qui, sans être une ignorance, sans être un refus d'entendre, sans être un repli sur soi, préparent probablement des bouleversements que nous n'imaginons même pas.

## 22

Nous avons tellement palabré sur l'importance du sensible, du corps, du toucher, de la peau, de la jouissance physique que sans le vouloir nous avons rendu toutes ces expériences inintelligibles et même incommunicables. En s'éloignant sans cesse du langage au profit du corps, le risque est de plus en plus grand de retrouver au bout de nos expériences des déceptions tout aussi amères qu'à l'époque où nous n'osions pas dire le corps. Il faut voir avec quelle sophistication nous parlons maintenant de l'érotisme. Il faut voir jusqu'à quel point nous réussissons quand même à intellectualiser le plaisir.

23

La tendresse doit être sentie, c'est évident, mais elle peut se dire aussi. Elle ne s'imprime pas sur la peau simplement parce que nous possédons de nouvelles techniques pour la faire advenir.

24

L'érotisme ne supporte pas d'être objet de marché. L'appel à la tendresse et à la douceur des gestes, les cris du cœur des femmes sont souvent des coups au corps de l'homme. En demandant à grands cris une nouvelle sensualité, il n'est pas certain qu'on ne soit pas en train de démontrer que nous sommes (hommes et femmes) encore pleins de maladresse. La pornographie, les violences sur le corps des hommes et des femmes, la dégradation du message à communiquer sont le signe que nous n'avons pas encore été aussi loin que nous l'imaginions dans l'égalité et l'échange. Car il n'est pas tout de poser l'égalité en principe, de poser la jouissance comme droit inaliénable, de revendiquer des orgasmes communs; encore faut-il faire l'apprentissage de ces possibles plus imaginés que réalisés. Tant et aussi longtemps que les hommes et les femmes penseront savoir et réclameront un « savoir » sur la sexualité de l'autre sexe, nous continuerons de penser la sexualité comme nous faisons nos classes, nous continuerons de faire des tests sur le corps de l'autre.

25

Le « savoir », qu'il soit sexologique, psychanalytique, sociologique, biologique, littéraire ou cinématographique, masquera toujours l'art érotique. Nous posons trop rapidement que seul le corps peut être intelligible. Nous sacrifions l'idée de l'intelligibilité de l'être entier au profit du corps. Comme s'il était le « seul objet » pour la pensée qui puisse nous dire quelque chose. Nous ne cessons pas de vouloir le toucher, le palper, l'étirer. Nous voudrions le voir s'étendre sur tous les autres corps du monde, comme si ce contact allait nous révéler la vérité sur la jouissance. Combien d'hommes refusent de penser une déception sexuelle et préfèrent encore réinvestir dans une autre expérience plutôt que de s'adonner à une réflexion sur la place qu'ils font à l'intelligible dans une relation? Le corps comme « machine désirante », comme « laboratoire » commence à nous écraser.

L'érotisme, malheureusement pour nous, les maniaques de l'écriture (mais heureusement aussi), sera toujours du côté de la suggestion.

26

Je me retrouve à trente-trois ans avec un désir plus fort que jamais : celui d'aimer. La valorisation de la chair nous a fait perdre beaucoup de temps. La révolution sexuelle a été décevante. Le féminisme m'a obligé à des remises en question inattendues et inédites. Je ne suis pas amer. Je ne regrette rien, mais je ne réponds plus aussi rapidement à l'appel du corps – et ce n'est pas pour redonner à la sublimation une place qu'elle a perdue.

27

On a reproché bien des choses à la sexualité masculine. On a fait le procès de l'hétérosexuel mâle. On lui a dit qu'il fallait laisser parler les autres. Maintenant on le cherche. Les hommes qui aiment les femmes ne parlent plus beaucoup. Je sais, on dira qu'il y a encore des « machos »; partout dans la rue ils font leurs ravages. Mais le macho est en train de devenir une pièce de collection au musée des horreurs du XXe siècle. S'il y a encore des hommes qui ne pensent la sexualité qu'à travers la trilogie érection/pénétration/éjaculation, tant mieux pour eux. Tant pis pour l'amour.

28

Les sexualités masculines ont aussi des douceurs et des tendresses dont on ne sait pas encore très bien parler. Mais les commencements ne sont jamais des lieux de savoir. Une chose est certaine : nous aurons besoin de mots, nous devrons inventer les mots qui diront nos amours. Rilke écrivait au début du siècle : « L'amour ne sera plus le commerce d'un homme et d'une femme, mais celui d'une humanité avec une autre. » Nous n'y sommes pas encore, je le sais. Mais plutôt que de m'en attrister, je dois me réjouir que cela soit déjà dit. Je dois en faire une idée importante. Je veux accueillir cette idée en moi, même si nos guerres sexuelles (entre hommes et femmes, entre hétérosexuels et homosexuels) ne prennent jamais fin.

29

Dans un tel contexte, je préfère penser qu'un témoignage sur la sexualité masculine, sur ma sexualité, n'est rien d'autre que la production d'une série d'énoncés qui ne sont pas des vérités mais des esquisses pour un tableau interminable. Ce que je constate maintenant, c'est que l'ensemble des sexualités que j'ai pratiquées reposait sur des idées fragiles, reliées plus ou moins bien à d'autres idées sur les hommes, les femmes, la fidélité, la liberté et l'égalité.

Je sais que nous pouvons très bien refuser de faire des liens, prétexter que les jouissances sont possibles et viables sans faire intervenir une « morale » ou des responsabilités individuelles. Le désir, on le sait, n'a que faire de la morale. Mais cette manière de voir conduit au solipsisme, à la masturbation, le corps de l'autre n'étant plus qu'un instrument, un objet menant au plaisir. Tout cela, c'est pensable. Tout cela, c'est encore ce que vit une bonne partie des hommes et des femmes. C'est du moins ce qu'on nous propose quotidiennement. Je ne nie pas qu'il y ait une jouissance sexuelle qui se passe très bien de « pacte idéologique » entre un homme et une femme. Je ne suis pas aveugle. Le marché du sexe est là.

## 30

Dans une société où la règle est l'échange libre des marchandises, ce n'est rien de faire des corps des marchandises, ce n'est rien de poser que tout peut s'acheter et se vendre. Nous avons ainsi la liberté de voler l'autre, même dans son intimité la plus secrète. Dans une telle société, c'est même un droit de le faire. Mais ne nous étonnons pas de la montée de la violence, de l'air de frustration qui nous ravage parfois, de cette sorte d'obsession qu'il nous manque toujours quelque chose, de la déception intérieure qui nous mine peu à peu. Ne cherchons pas simplement dans l'enfance nos maux : nous ne nous faisons pas une fois pour toutes entre trois et cinq ans. Nous nous refaisons aussi quotidiennement, et nous pouvons tous jeter un regard sur les centaines de personnes que nous avons été depuis notre naissance.

31

Je sais très bien qu'il y a un « moi sexuel » que je ne veux plus être, que j'espère avoir liquidé. Celui qui à quinze ans rêvait d'une femme qui lui donnerait tout ce dont il avait besoin. Celui qui confondait les rôles d'une personne et son sexe. Celui qui ne connaissait rien du corps des femmes et qui pensait pouvoir le leur révéler. Celui qui avait peur des retards des menstruations de son amie, mais qui ne se préoccupait pas du problème de la contraception. Tous ces personnages sont loin. Tous ces hommes-là qui furent un peu moi ont pris définitivement des distances. Ils ont été remplacés par d'autres plus ou moins bien. Par quelqu'un qui refuse de penser la sexualité comme un morceau d'histoire solitaire. Par quelqu'un qui ne veut plus être seul devant sa jouissance, par quelqu'un qui accepte qu'on puisse lui révéler des choses sur sa sexualité.

32

La sexualité masculine hétérosexuelle, comme toute la vie des hétérosexuel(le)s, ne peut pas être sans l'acceptation de l'idée que l'autre sexe détient sur mon sexe des « idées » qui me transformeront et m'ébranleront. La sexualité masculine hétérosexuelle ne peut pas se passer du discours de l'autre sexe. Elle ne peut pas procéder par exclusion mais par inclusion, avec toutes les ambiguïtés et les difficultés que cela peut comporter. Les risques d'erreur sont énormes, les résultats sont lents à venir, mais c'est peut-être que nous continuons à faire l'amour sans nous demander d'où nous vient ce plaisir des différences, sans nous demander ce que, dans la femme ou dans l'homme, il y a de si beau pour provoquer de tels chambardements intérieurs.

Ce n'est pas tant l'être masculin sexué qui manque de radicalité pour se penser. C'est l'hétérosexuel en général qui refuse l'idée de se penser comme dépendant de l'un et l'autre sexe. C'est l'hétérosexuel qui pose trop tôt son existence comme la « normalité », sans la penser. Finalement, si les hommes ont quelque chose à changer, c'est bien cette manière qu'ils ont depuis des siècles de s'imaginer à eux seuls capables de penser l'hétérosexualité. Voilà, c'est ma seule véritable affirmation.

# De quelques homosexuels

*Thomas Trahant*

La forêt. Une route nationale aux bas-côtés de terre battue. De place en place, des allées, qui dans l'intérieur du bois se recoupent en étoiles autour de poteaux. Des barrières les interdisent aux voitures. Sur le côté de la nationale, une Simca de la région – le conducteur est seul – s'arrête; il écoute le communiqué en fumant une cigarette. Vient se placer un peu devant un camion venu de la frontière belge; le chauffeur déjeune – larges tranches de pain –, puis descend promener le chien qui lui tient compagnie. C'est un homme d'une trentaine d'années : collier de barbe noire, cheveux longs, allure sportive. Il avance lentement entre les arbres, au rythme des aller et retour de son chien. Il ne se retourne pas. Le premier homme – quarante ans, un peu gras, mi-paysan, mi-commerçant, sans doute un artisan des environs – descend, le suit. Critère décisif : le chauffeur s'enfonce (ou non) dans le sous-bois, se plie au passage sous des branches basses, écarte des herbes mouillées. Peut-être même il a glissé une main le long de son sexe. Détail décoratif : au moment où l'artisan va à son tour quitter l'allée, au loin passe un garçon en short blanc qui fait du jogging; hommage à Bob Wilson. Le camionneur s'est arrêté contre un arbre; un instant d'incertitude encore, tout peut réussir – ou échouer. Une phrase aussi banale que possible, triomphe du stéréotype, dans le genre : « On se promène? » Et voilà. La partie est gagnée? Pas du tout. Tandis que tous deux (et le chien) s'enfoncent un peu plus avant dans la forêt, le commerçant demande : « Qu'est-ce que tu aimes? – Et toi? (Garder le secret le plus longtemps possible.) – Me faire baiser. – Ah! Moi aussi. » C'est fini. Ils se quitteront presque immédiatement, avec un « Dommage », voire sans un mot, et rejoindront la nationale par des chemins différents.

J'ai connu Armand à l'issue d'un concert où je jouais en trio. Il est venu me trouver à la sortie. Nous nous sommes promenés pendant plus de deux heures, arrêtés deux ou trois fois dans un café, il m'a raconté sa vie : études de mathématiques, mariage, ménage à trois avec un garçon fin mais velléitaire qu'il avait rencontré dans la salle d'attente de son psychanalyste et qui s'est bientôt joint au couple; au bout d'un an, chacun des trois est parti de son côté. Sous la conversation – parfaitement authentique – courait une drague : nous devions nous retrouver le lendemain, nous nous sommes manqués sans qu'on ait jamais bien compris pourquoi, et je n'ai plus revu Armand pendant des mois.

Je l'ai retrouvé un soir (ou plutôt, c'est lui qui m'a aperçu) dans la « ficelle » de la Croix-Rousse. Armand est un garçon assez remarquable : esprit universel, aussi curieux de Planchon que de Brahms, des objets fractals que de Singapour, ou d'Yves Klein, il séduit par ceci qu'il est présent à son corps. Militant d'extrême gauche bouclé (je parle des cheveux), imberbe et rose, rieur et tendre, ayant bien de la peine à trente-cinq ans à adopter d'autres conduites (et d'autres tenues) qu'à vingt-cinq, il s'éprend de jeunes hommes élancés, dessinés, moulés, aussi canoniquement parfaits que possible encore qu'à l'occasion un peu efféminés. Il les photographie sans fin (il lui arrive aussi d'aborder des hétéros en leur demandant de poser pour lui; on serait étonné d'apprendre que, flattés, ils acceptent presque toujours : conduite dont on ne me fera pas dire qu'elle est sexuellement transparente). Il y a chez Armand une telle poursuite du corps-idéal que sans doute elle efface quelque peu pour lui l'importance de la réalisation du désir : partie dans laquelle il peut jouer tous les rôles, l'essentiel étant, semble-t-il, que cela ( : le beau) soit entre ses bras.

On aurait tort d'en conclure que sa pratique se fait rare ou puritaine : l'autre jour, il est tombé, au sous-sol d'un sex-shop, sur un « plutôt hétéro » qui visionnait un film homo; il est entré dans sa cabine et l'autre – après avoir déclaré que « c'est difficile, de bander avec un homme » – l'a baisé là : c'était un ouvrier du quartier, marié; en sortant, Armand a dragué devant une vitrine un jeune homo qui l'a emmené chez lui – un appartement bourgeois où le garçon fait couple avec un ami qui devait bientôt rentrer –, et cette fois c'est Armand qui a pris son partenaire; comme, le soir venu, il arrivait aux Brotteaux, il a rencontré un ancien camarade avec lequel je ne dirai pas ce qui s'est passé la nuit par simple honnêteté : je l'ai oublié. Don Juan qui ne manque pas de succès, Armand ne peut – pas plus que l'autre – arrêter vraiment sa poursuite, parce que le nombre est pour lui l'envers d'une perfection par essence rêvée.

J'allais oublier : comme tous les divorcés de son intelligente génération, Armand est en excellents rapports avec sa femme : amicaux, affectueux, confidentiels. Et c'est un père exceptionnel : un de ses fils – qui savent tout de sa vie – m'a dit un jour : « Mon père? C'est un père le plus père des pères. » Quant à lui, c'est le préadolescent le plus épanoui, le plus rayonnant – donc, un des plus beaux aussi – qu'il m'ait été donné de rencontrer. Le seul qui m'ait fait comprendre la pédérastie.

Je lis *le Monde* dans un café proche des facultés : comme toujours, il y a foule d'étudiants de toutes nationalités. A ma gauche, une table vide, puis une autre occupée par un Marocain (je l'apprendrai), barbu, aux cheveux très noirs, non pas bouclés mais ondulés; il n'est pas grand; il a l'air très vivant. Après un temps assez long, nos regards se croisent : large sourire de sa part (je n'oserais dire que je sois, moi, très expressif). Je sors une cigarette, il me tend du feu. Resourire, large et complice. Retour au *Monde*. C'est un long moment après que je relève les yeux, sans qu'il en fasse autant. Je paie. Un peu plus tard, il en fait autant. Nouveau sourire, où passe une gentillesse dépourvue de toute défense à l'occidentale. On se dit bonjour, il enchaîne : « Pars, je te rejoins », et je m'en vais sous la pluie.

Nous sommes sur un trottoir des quais. Omar est de Marrakech, venu ici pour apprendre le français (chez lui, il parle arabe et espagnol). Il travaille plusieurs nuits par semaine pour payer ses études. Il a une copine à Paris : mariée, et qui vient le voir de temps en temps. Il a obtenu un « F3 ». Visage un peu ridé pour ses moins de trente ans. Il est vingt heures, et je dois dîner chez des amis; il me donne rendez-vous à vingt-trois heures trente dans un café voisin (pas celui de tout à l'heure, il y tient) pour passer la nuit ensemble.

Je n'arrive qu'à minuit : il m'attend. Sous la pluie, toujours. Quel intérêt puis-je bien avoir pour ce garçon plus beau que moi, plus jeune aussi, avec qui il m'est difficile de parler tant son français reste gauche? Nous ne savons trop de quoi converser pendant le trajet. Selon un geste maghrébin toujours émouvant, il sort et me tend sa carte d'identité (comme pour s'assurer lui-même qu'il est bien qui il est).

Dès qu'arrivés, nous nous couchons. Il n'y a pas cinq heures que nous nous connaissons, nous n'avons pas passé une heure ensemble, et la tendresse immédiate avec laquelle il m'enlace, la fraternité complice de ses mots et de ses mains, sur ma poitrine, sur mon dos, c'est ce qui ne cesse de m'émerveiller dans l'homosexualité. Deux destins, fût-ce pour une seconde, se consolent sans détour.

Après, pendant ce qui sera à bien peu près une nuit blanche (je ne suis pas en train de faire le malin : cela ne m'est pas arrivé si souvent), nos deux narcissismes trouveront chacun leur compte dans une entente sexuelle qui ne se démentira à aucun moment. Omar me dira plusieurs fois : « Toi, tu as besoin d'un homme », me pénétrera presque immédiatement et demeurera en moi, sans ressortir, plus d'une heure et demie; c'est moi qui, n'en pouvant plus, lui demanderai d'arrêter. J'ai encore la sensation de son poids, léger, sur mon dos, et de sa barbe, douce, dans mon cou. Peu après que nous avons décidé de dormir enfin, il m'encastre en lui, sur le côté, mais je me remets sur le ventre; il en conclut que je suis « privé, vraiment », et sa main va me parcourir très longtemps, surtout entre les cuisses, entre les fesses, s'arrêtant de préférence en haut de celles-ci pour ce que je ne doute pas d'être une habitude du clitoris (ce qui ni ne m'excite ni ne me gêne : notre rapport est bien celui de deux garçons, sans ambiguïté). Ses ongles – l'y ai-je provoqué? – se feront plus coupants, plus déchirants et sa main fera plusieurs fois résonner mes cuisses.

Au matin, nous nous retrouverons tels que nous nous sommes quittés : nous partagerons café, croissants, Omar se douchera longuement, nous nous embrasserons et il me donnera rendez-vous « pour passer la nuit ensemble » jeudi prochain. Il ne m'a pas demandé mon nom.

Bernard représente bien sa génération. Guère plus de vingt ans. Il est très (presque trop) fin, le visage étroit, avec un menton marqué, petit, osseux, on dirait qu'une presse l'a resserré de part et d'autre; les cheveux plaqués. J'ai su tout de suite qu'il était homosexuel (les homosexuels se repèrent très bien sur quelques signes physiques : quand on a fait l'amour avec quelqu'un qui ressemble au nouveau venu, on peut être sûr que ce sera possible avec ce dernier).

Bernard porte blue-jeans et baskets, chemisette de couleur. Il est télégraphiste. Après avoir longtemps vécu à Vénissieux, il a trouvé une chambre derrière Saint-Potin. Bernard drague tant et plus : sur les quais, dans les jardins, dans les boîtes, au cinéma, dans les saunas. Et comme tout un chacun, il trouve – chaque fois qu'il veut bien. Car parfois, au fond, il ne veut pas. Il arrive à Bernard de faire l'amour sur les quais de Saône, la nuit; il rentre chez lui effrayé. Dans les bars, il recherche les moustachus-cuir mais refuse de consommer sur place; l'autre soir, un garçon (professeur d'histoire, et prétentieux, paraît-il) voulait l'entraîner en bas, dans le *back room :* Bernard a refusé, il est déjà las de ce genre de facilités. Quant aux saunas, outre qu'il n'a guère de quoi se payer l'entrée, Bernard a sur eux un regard objectif : ces dizaines de garçons, tous jeunes, et beaux en général, qui errent le long des couloirs, nus ou une serviette en guise de pagne, pourraient servir d'emblème à la société de consommation. A poil, ils ont encore l'air d'être habillés par Cardin. C'est un monde nu moralement : seule l'ampleur du sexe y fait prime, et il faut avoir vu cette scène cent fois répétée : un garçon s'est couché dans la pénombre d'une cabine, un autre pousse la porte, avance, le premier le regarde, ne le trouve pas à son goût, et le repousse du pied, sans un mot; ou bien, c'est l'entrant qui n'a rien trouvé d'excitant, qui, aussitôt la porte entrebâillée, la referme en la claquant. Il faut, pour avancer le long des couloirs sombres, écarter des groupes compacts de voyeurs amassés près d'une porte entrouverte : dans une cabine, un sportif blanc, assis sur le lit, est en train de se faire sucer par un grand Noir. Dans les salles de vapeur, ou devant la télévision, les groupes se font et se défont, nombre de rapports s'ébauchent, presque aucun ne s'achève. Bernard sait que, du moins, on sort du sauna libéré du trop-plein du désir.

Bernard a vécu pendant un an avec un ami, que je n'ai pas connu, qu'il disait « mignon ». Il l'aimait bien plus qu'il ne croyait, s'inquiétait à chacune de ses absences, à chacun de ses retards. Anxieux, Bernard ne cessait de s'interroger, de l'interroger, sur l'authenticité de leur relation; l'autre a commencé par en souffrir, puis s'est lassé, et c'est lui, pour finir, qui a laissé tomber Bernard. S'en est suivie une scène de vaudeville : un soir, en me quittant, Bernard n'y a pas tenu et est retourné chez Pierre (il avait toujours la clé de l'appartement), s'est déshabillé, l'a attendu dans son lit. Pierre est arrivé avec une amie de bureau à qui il voulait montrer son appartement. Tête des deux, trouvant un jeune homme nu dans le lit.

Bernard, c'est la génération du *Gai-pied* (et pour Paris, de *Fréquence Gaie*). Petites annonces et cinéphilie (Bernard est imbattable sur Bresson et Duras). Mais Bernard n'est pas heureux. A l'aise pour draguer, il est mal à l'aise en société. Consciencieux, il n'arrive pourtant pas à s'investir dans son travail. Et voici qu'après plusieurs blennorragies, plusieurs syphilis, Bernard se dit – a dit l'autre jour au médecin – que, décidément, il en a assez des conséquences d'aventures dont il ne sort même pas content. Quand il s'attache à un partenaire (il y a eu un Japonais, un Australien), c'est l'autre qui au bout de quelques semaines décroche; quand un autre s'attache à lui, Bernard finit toujours par le mettre à la porte. Tout est possible, mais rien n'est ça.

Un homosexuel, c'est quelqu'un qui, dans l'autobus, le train, l'avion, au cinéma, cherche à s'asseoir à côté d'un autre homme. Et bien des choses sont là en jeu.

Lorsque deux mains s'effleurent plusieurs fois, avant de se recouvrir (ou non), sur un accoudoir; lorsque deux cuisses se rencontrent, dont l'une s'écarte aussitôt (ou bien revient, et cherche à se glisser entre les genoux du partenaire resté debout); lorsque la main qui tient un livre frôle au gré d'un cahot un pantalon, pour constater aussitôt (ou non) une érection – ce qui se passe n'est pas seulement ce qu'un psychanalyste appelait joliment la chasse au phallus dans le métro. En vérité, le monde social est en cet instant l'objet d'une découpe : il y a « nous » et « les autres », selon une frontière beaucoup plus pure que dans les boîtes, par exemple, où le choix repasse en travers du « nous ». En cet instant-là, il existe une communauté – clandestine – homosexuelle à deux, à quoi l'environnement et le secret donnent une intensité singulière. La jouissance peut en être aussi forte (et souvent plus émouvante) que celle d'une éjaculation.

Ainsi ai-je poursuivi, lorsque j'étudiais au Conservatoire à Paris, une étrange relation muette avec un garçon qui, dès qu'il me voyait monter dans le métro, à six heures, toujours dans la même voiture, venait contre moi et ouvrait sa braguette; et pendant trois stations (il partait ensuite vers la gare du Nord) je le caressais. L'affaire se compliquait de la présence non moins obstinée d'un franciscain (mais oui) à l'air pervers et méchant, dont j'avais repéré qu'il pratiquait plusieurs fois de suite une boucle Opéra / Réaumur-Sébastopol / Strasbourg-Saint-Denis / Opéra; il était de toute évidence conscient de ce que nous faisions. A la fin, nous nous sommes parlé, le garçon et moi, et donné rendez-vous pour aller à l'hôtel; ce n'était pas alors facile, et nous n'en avons pas trouvé qui veuille nous accueillir. Sans doute ne le désirions-nous pas vraiment. Revenons à aujourd'hui : Martin – seize ans – m'a raconté sa première expérience, qui date de l'an passé; il revenait de se baigner, en août, du côté de Saint-Cyr-au-Mont-d'Or, avec sa mère, ses deux sœurs et son petit frère; tous s'étaient assis, lui restait debout sur la plate-forme. Un homme qui tenait à la main un paquet de gâteaux s'est approché de lui et s'est laissé cahoter contre son ventre; quand Martin est arrivé à Lyon, il avait joui. Je le répète, ces expériences qui, du dehors, peuvent apparaître dérisoires, sont essentielles pour ce qu'elles créent de complicité. Deux mondes se séparent là, deux fratries.

La seconde, autre fait essentiel, est celle de l'hétérosexualité, pas celle des femmes. A l'égard des femmes, les homosexuels ont les relations les plus variables et je ne vois aucune généralité à établir. Jean-Luc, professeur à l'École vétérinaire, « n'en veut rien savoir ». Mais il est d'une autre génération. Parmi les plus jeunes, l'existence d'une confidente – à l'occasion, maîtresse aussi – est fréquente; elle apporte une stabilité, une relation calme, au fond sororale. Raymond, comptable, marié, père (et bon père, semble-t-il) de quatre enfants, drague tous les jours au retour du bureau, et ses deux vies font, si j'ose dire, bon ménage. Bien entendu, il faudrait s'arrêter à ce que sont les filles qui cherchent les homosexuels, et pourquoi (contre quoi) ils les rassurent : les putains, elles, les détestent. Mais encore une fois, la seule vraie frontière, c'est celle des deux sexualités (les « bisexuels » sont tous, en dernier ressort, d'un côté ou de l'autre) : le désir est ici un mot de passe, la voie d'accès à une société.

Pour être exact, il existe des sous-classes. Les « vrais » S/M se sentent aussi étrangers aux autres homos qu'aux hétéros. Je ne suis pas près d'oublier André me disant (en se trompant sans doute) : « Mais alors, tu es l'un d'entre nous! »

Puisque j'en suis à parler de la reconnaissance entre homosexuels face à l'« autre » hétérosexuel, il faudrait dire un mot de la situation où la barrière vacille : l'amour entre un homo et un hétéro. Relation bien plus fréquente qu'on ne croit, et qui n'est certainement pas neuve, mais sans doute beaucoup plus souvent assumée par les deux partenaires, aujourd'hui. Pas plus facile à régler pour autant.

Michel, cinquante ans, « depuis toujours » homosexuel, et Patrick, vingt-cinq ans, « grand courseur de nanas », se sont rencontrés par hasard, chez un copain. Michel, géographe, évoquait un voyage universitaire au Japon ; Patrick, saxo de jazz, parlait en l'occasion *disco.* Tout semble prouver que c'est Patrick qui le premier a basculé affectivement vers Michel; paradoxalement mais non par hasard : l'écoute attentive, attirée – mais, a-t-il assuré, sans arrière-pensée – que lui donnait Michel, aucun hétéro ne la lui eût même prêtée (et une femme eût été attentive tout autrement). Ainsi naissait la première relation où Patrick se sentît vraiment « reconnu », tandis que Michel se réjouissait d'être celui – seul – qu'on prend – comme l'absolu – à témoin.

Entre le chercheur à lunettes, nez aquilin, moustache brune, et le musicien bouclé, élancé, aux yeux bleus, mains le plus souvent enfoncées dans les poches-revolver, les choses étaient dès lors en place pour la passion-projection de l'homme de bibliothèque dans le *jogger* rayonnant, du jeune homme encore fruste dans le maître à penser; réciproque admiration; identification – pour son rituel –, absences insupportables, lettres, téléphone; Patrick se mit à théoriser la musique, on vit quelquefois Michel dans des caves : d'un côté comme de l'autre, c'était ouverture imprévue, lézarde dans un monde d'habitudes; tous deux en sont sortis enrichis – pour sa gestualité aussi –, baisers, étreintes : Patrick alla jusqu'à s'imposer la discipline, qui lui coûtait, de se montrer nu à Michel. Je ne sais si celui de nos contemporains qui fut le premier à oser dire qu'il n'y a pas, au plus vrai, de rapport sexuel, touchait juste cet autre jour où il déclara qu'il n'y a d'amour qu'homosexuel. Mais je sais que certain soir où j'entendis Patrick et Michel dialoguer à mi-voix, je ne pus manquer d'évoquer ce sublime deuxième acte où Richard Strauss fait chanter en duo Sophie et le Chevalier à la rose.

Reste qu'au sortir de scène le *Kavalier* est une soprano; et que le moment est venu où, devant la progression naturelle des gestes de Michel – il y a un *crescendo* de la passion qui ne comporte pas d'alternative –, Patrick n'a pu que faire tomber la sentence : « pas de désir ». C'était près de chez Patrick, un matin, tôt, dans un café des nouveaux quartiers de la Part-Dieu; Michel ne peut repasser par là sans revoir avec horreur le bord du trottoir que, pour se tenir à quelque chose, il fixait du regard, obstinément. J'ai rencontré Michel ce jour-là dans une allée de la Tête-d'Or : comme égaré, probablement parce qu'il s'était laissé entraîner jusqu'à croire qu'il serait aussi le seul homme à toucher la peau de Patrick : c'est de n'être pas aimé *à ce point* qu'il souffrait. Quant à Patrick, il se sentait surtout coupable, coupable de n'avoir pas dit – pas su – ce que la censure, jusqu'en ses étreintes, lui interdisait; il faut ajouter sans doute : censure qu'un partenaire plus jeune eût pu lever; mais ce partenaire-là, il ne l'eût pas aimé. Quoi qu'il en soit, c'est la peur désormais qui chez lui dominait.

L'échec d'un amour partagé hanté par la différence de sexualité a quelque chose d'inéluctable et d'absurde comme la mort. Si c'est Michel qui devait le plus, et longtemps, en souffrir, c'est Patrick qui avait le plus à y perdre : une possibilité d'*entièreté* qu'il ne pourra pas retrouver ailleurs.

Comme ni Patrick ni Michel ne sont médiocres, ils sont demeurés témoins attentifs l'un de l'autre, toujours prêts à se venir en aide, solidaires. Mais la musique, elle, s'est tue.

Il y a chez les homosexuels deux types de rapport au temps. Les uns (et c'est souvent assez ridicule) gardent le regard fixé sur l'époque où leur mère avait vingt ans; ce qui les fait rétro par vocation. Les autres (mais ce peut être les mêmes) tirent de la marginalité de leur place une inventivité toujours en éveil. Ce qui explique sans doute ce trait remarquable : l'existence d'*inventions* dans la pratique érotique même. Il y a bien eu des variations dans l'histoire de l'hétérosexualité (quand ce ne seraient que celles de l'idéal féminin, pour ne pas parler des déplacements de l'image idéale que l'hétéro a de lui-même), mais certainement pas au rythme et sur le terrain où, en vingt-cinq ans, j'ai vu la pratique homosexuelle se transformer.

Quasi-disparition de la masturbation réciproque (liée, il faut dire, à la suppression policière des occasions qu'à places régulières la rue lui offrait : cela date très exactement du ministère Mendès France); développement, en contrepartie, de l'exhibitionnisme (surtout dans les forêts et saunas). Substitution, dans la mythologie et la pratique, des camionneurs aux marins. Faits de société très généraux, sans doute. A mettre dans le même registre, le développement d'une sexualité de groupe très crue, favorisée par la multiplication des boîtes jusque dans les plus petites villes de province (et jusque dans des villages de campagne) avec l'innovation des *back rooms* (peut s'y substituer un café de bourgade, avec un second bar au premier étage : tout un récit serait à faire sur le redoublement rural des mutations urbaines; disons seulement que, là, c'est la bisexualité qui prévaut).

Mais il y a plus : l'expression de toute une série de conduites qui veulent faire référence au sadisme, avec la panoplie des signes d'hypervirilité dans le style motard-loubard. Encore faut-il là-dessus s'entendre : sur dix garçons en uniforme que vous rencontrerez dans une boîte-cuir, huit au moins ne seront que des déguisés dérisoires; passons. Reste qu'autour de ce groupe sont nées des manières de faire proprement inédites : usage des *poppers, fist fucking* (introduction du bras) qui marquent, autant qu'on sache, une date dans l'histoire de l'érotisme – matière en laquelle on croyait peut-être un peu vite que tout avait été dit (et accompli).

Que celui qui voudra se scandalise. Il est plus intéressant de noter que la fascination de tenter autre chose, d'essayer plus, d'aller aux limites, conduit sans doute la sexualité à sa vérité. Et que la relation homosexuelle, où ces accomplissements-là sont plus faciles, aurait matière à s'en vanter.

Alain est d'abord un petit-bourgeois. Employé dans un atelier de montage de télévision, il habite, dans la montée de Caluire, un de ces petits immeubles de la fin du XIXe siècle, à escalier de bois tournant et étroit, où, sur un palier minuscule, ouvrent deux portes précautionneusement munies d'un œilleton. Celle de ses voisins est précédée d'un paillasson sur lequel est inscrit *Bienvenue,* mais généralement placé à l'envers, de sorte qu'on ne peut le déchiffrer que de l'intérieur. Chez Alain, deux pièces : on le trouve toujours installé sur le sofa du salon, un sofa garni de coussins ternes, à quelques mètres d'une table basse dans le genre faux ancien, sur laquelle, devant la fenêtre, marche sans cesse une minuscule télévision qu'Alain commande à distance. Aux deux murs latéraux, des buffets Henri III, garnis de vagues souvenirs de voyage : bibelots colorés, cartes postales, un aquarium. En travers de la fenêtre, une plante verte. Alain, trente-cinq ans, collier de barbe poivre et sel, fort accent du Midi, des yeux brillants, un corps musclé, porte toujours chez lui un tee-shirt blanc et un short mauve ultra-court, fendu sur les côtés, que son sexe est près de faire craquer.

Alain est, aussi, un violent. Passionné : je l'ai vu, amoureux malheureux, ivre mort à plusieurs reprises. Exigeant : s'il accueille ses visiteurs dans son short mauve, c'est qu'il entend bien porter leur bouche à son sexe dès la porte passée. Davantage : la sexualité d'Alain est brutale, et il faudrait faire ici la part entre la méthode – Alain range dans une de ses armoires une corde dont il use volontiers – et l'emportement – Alain reconnaît sans ambages qu'il ne sait pas toujours jusqu'où il va. Qu'on ne s'y trompe pas : Alain est un homme parfaitement droit, un ami drôle, en même temps qu'affable, et d'une grande gentillesse; mais il y a en lui une impulsivité qu'il n'a pas les moyens – caractériels et intellectuels – de contrôler. Dans les limites, du moins, de ce que son milieu et sa moralité tolèrent. A son partenaire de savoir jusqu'où il veut, dans ce cadre, le guider.

Hors de chez lui, on ne rencontre jamais Alain sans Pierre. Ce sont deux amis inséparables : ils dînent ensemble avant de partir, ensemble, draguer. Ils partagent le même goût pour le vin de Provence, et les mêmes opinions – de droite. A plusieurs degrés près, ils doivent avoir le même type de sexualité.

Pierre, qui contrôle quelque chose dans la distribution du *Progrès,* joue dans leur association la partie de la mesure et du sage bon sens. Ces amis-là ne sont pas des amants, ne l'ont jamais été : ils ne se sont même jamais vus nus, et quand il arrive à Pierre de dormir chez Alain, il ne couche pas dans sa chambre mais sur le sofa du salon. J'ai, bien entendu, fait la connaissance des deux ensemble; c'était dans une boîte au public assez plat, un peu marqué, un peu quartier (mais contrepartie : sans gigolos), où la vitalité d'Alain faisait tache. Pierre avait sa voiture : il nous a conduits chez Alain – qui s'était assis à côté de lui et me caressait la jambe par-dessus la banquette – et, sans descendre, est reparti. Je n'ai fait l'amour qu'une fois avec Pierre : c'était un jour où les outrances d'Alain l'avaient exaspéré.

Marc est ingénieur en Arabie Saoudite : autant dire seul, parqué à l'écart du milieu, sans autres rapports que professionnels, et surtout pas sexuels. D'où l'importance – directe et métaphorique – que les lettres ont prise dans sa vie.

L'affaire s'est nouée à la première « permission » de Marc, un soir qu'il se promenait en compagnie de Christophe sur les quais de l'Isère, ces mêmes quais où Sade situe une scène de *Justine.* Jusque-là, entre Marc et Christophe, contremaître dans l'entreprise que Marc représente, les rapports tenaient plutôt de l'exploration réciproque incertaine. C'est sans doute le poids de l'éloignement qui fit surgir l'idée d'un contrat : l'exigence ne devrait pas être moindre dans la mise en œuvre du sexe que dans celle de l'esprit. L'œuvre commune, exigeant autant de l'un que de l'autre, devrait se hausser dans le faire de l'un sur l'autre.

Le lien, pour un témoin, n'allait pas sans paradoxe. Si tous deux sont très jeunes, Christophe est grand, massif, et l'opinion commune le tient pour « très viril ». Marc est tout en finesse, dans le genre « chat », avec des yeux noirs qui peuvent atteindre une intensité singulière. Chacun à sa façon est très sentimental, et ce qui s'est tissé entre eux est un rapport érotique pur.

Ce qui définit en propre leur relation est son caractère symbolique. La clé n'en est pas du tout la violence mais le viol. Marc ne blesserait Christophe pour rien au monde, mais il cherche toujours à le forcer, et à en renouveler la manière, et à ce que celle-ci le surprenne. Ils peuvent aller au bord de la souffrance, mais comme « quelque chose de très délicat ». Échange intense qui ne prétend être rien d'autre qu'un hommage commun à la *loi.* Provoquant chez Christophe une érection dont la vue constitue, au dire de Marc, l'acmé pour lui de leurs rencontres. Heureuses, ils le disent tous deux.

Les choses en seraient sans doute restées là sans l'absence. Mais celle-ci a donné une valeur singulière aux lettres, et bientôt à ce qu'ils appellent les lettres-fantasmes. Où s'échangent des projets de pratique dont l'acuité va croissant (sans mises en scène, toutefois : ce n'est pas leur style). Échange, au demeurant, qui serait banal dans ce registre, s'il n'était pas tenu par le contrat : tout ce qui s'écrit doit être accompli, défense de se payer de mots, ne pas déraper vers l'impulsion, et pourtant trouver toujours *plus.*

C'est ainsi que, au cours de ses derniers retours, Marc en est venu à l'idée qu'il devait écrire sur le corps de Christophe : y laisser des traces. Encore une fois – je n'aurais pas eu de raison, sinon, de parler d'eux – non pour le détruire, mais pour y inscrire leur règle commune. Dont je ne suis pas sûr qu'elle ne lui demande pas davantage qu'à Christophe effort. Un effort, en tout cas, qui les a épanouis tous deux, comme un plus de lucidité.

La plus grande erreur qu'on pourrait faire, c'est de croire que l'homosexualité, avec son réseau de facilités, de complicités, exclut l'amour le plus profond, le plus stable. Nagasi et Yves vivent ensemble depuis dix ans; autour d'eux, tous les couples d'amis hétéros se sont défaits l'un après l'autre. Leur lien à eux, né au premier regard (littéralement) échangé dans une librairie, s'est tissé d'une façon telle qu'ils n'ont plus qu'une histoire, une mémoire, un projet commun. En dix ans, ils ont réussi à ne pas passer dix jours séparés. C'est vrai que, tous deux violonistes, ils ont la chance de travailler ensemble. Tranquillement, ils ont imposé l'existence de leur relation à tous autour d'eux, famille, amis, amies, voisins, et il ne viendrait à personne, dans quelque milieu que ce soit, l'idée d'inviter l'un sans l'autre. Quant à eux, il n'est rien qu'ils fassent sans le rapporter à l'existence de l'autre. Le hasard stupéfiant de leur rencontre (l'un est né à Soissons, l'autre près de Kyoto) jouant le rôle de Marc, je dirai quant à moi qu'ils sont Tristan et Iseult : destinés, Dieu sait comme, à mourir ensemble.

Je ne suis pas en train de raconter une bluette, et leur couple a assurément rencontré les difficultés trop réelles dont aucun n'est exempt : les ennuis matériels, les heurts de sensibilité, la jalousie – aussi inévitable que l'anarchie du désir et la revendication du moi blessé –, le poids ambigu du temps. Mais ils ont toujours surmonté ensemble, le *respect* de l'un pour l'autre faisant noyau, et je crois pouvoir ajouter : ils ont surmonté *en tant que et parce que* homosexuels.

Qu'est-ce qui spécifie un tel amour, d'être celui de deux garçons? C'est ce qui est le plus difficile à dire.

La complicité encore une fois, qui permet à chacun de connaître immédiatement ce que ressent l'autre – et jusque sur le plan sexuel, puisqu'ils y échangent les rôles. Entre leurs corps s'est tissé un *habitus* commun tel qu'ils disent se sentir physiquement incomplets l'un sans l'autre. Entre leurs goûts la fusion s'est opérée de façon telle que leurs plus grandes émotions, devant certains paysages – breton comme japonais –, certaines musiques – Berg et Messiaen –, certains livres – Duras et Beckett –, certains événements politiques – tout ce qui touche à l'injustice et à la liberté –, ont toujours été communes : au point que chacun se dit incapable de participer, en comprenant ce qu'il y fait, à un concert sans l'autre : c'est que, d'être homosexuel, l'union gagne d'investir prioritairement le *sens* de chacun. D'où cette solidarité radicale qui fait de Nagasi le garant d'Yves en toute occasion, et réciproquement. D'où sans doute même le fait qu'ils sont seuls à pouvoir se donner, l'un à l'autre, le repos.

Il y a la différence aussi : je n'ai pas connu de rencontre homosexuelle qui tienne sans un écart notable entre les partenaires. Ici, bien sûr, il saute aux yeux, l'écart, entre le petit Japonais à lunettes, chevelure noire drue, corps rond, et le grand Celte chauve, maigre, aux yeux verts. La voix brusque et volubile de l'un, les silences mystiques de l'autre. Nagasi est pratique, et parfaitement athée; c'est lui qui veille sur la vie quotidienne. Yves semble toujours ailleurs, à l'écoute d'une musique du dedans. C'est l'union du charme et de la gravité : mais qui se rencontrent à tout moment, devant Pollock, une ruine inca, ou les yeux d'un petit chat. Je crois, pour m'avancer davantage, Yves plus pervers, Nagasi plutôt névrosé, et leur désir ne va pas du tout vers les mêmes garçons : Nagasi est là surtout esthète, Yves préoccupé de ce que pourra être l'action. Et pourtant tout autre corps n'est sans doute pour chacun qu'un souvenir altéré de celui de l'autre.

Oui, décidément, parler de l'amour est bien le plus difficile. Disons que ces deux-là se sont choisis comme un destin.

L'homosexualité n'est pas un *concept* (et qui oserait écrire que l'hétérosexualité en est un?). Je ne pouvais donc que m'interdire de parler ici au singulier ou dans l'universel. Quant à l'enquête sociologique, elle ne peut être, quand il s'agit du basculement d'un homme dans son désir, que semblant. Restait la méthode des variations, ou si l'on préfère une expression moins musicale : des *types*. On aura compris, j'espère, que j'ai tenté de m'y plier en cherchant au maximum la diversité, et des couches sociales et des pratiques sexuelles.

*Ces quelques pages ont été écrites fin 1983, avant qu'on ait prit la mesure de ce retour du Mal moyenâgeux, au cœur même de la vie sexuelle, que constitue le Sida. Le désir peut choisir la mort; mais il est révoltant que ce soit la mort qui le choisisse. Je dois dire – j'ai le devoir de dire – que ce temps impose aux uns de nouvelles façons de vivre leur sexualité, de nouvelles disciplines, et rien n'est plus difficile aux autres, à tous les autres, une solidarité dont le moins qu'on puisse dire est qu'on ne la voit guère apparaître : l'homosexuel redevient l'autre, et sa mort aussi (ou plus) abstraite que celle d'un Éthiopien. A chacun de se mesurer devant ce défi-là.*

# 3. Physiologie

# Comment se fabrique un individu de sexe masculin et comment il fonctionne

*Jean Belaisch*

Pourquoi les rêves des hommes sont-ils hantés par la sexualité? Pourquoi y pensent-ils avant de dormir et sont-ils obligés d'y repenser, au réveil, par une érection involontaire?

Que signifie tout un ensemble de faits visibles ou scientifiquement établis et qui seront décrits dans les pages qui suivent : l'élévation très franche du taux des hormones mâles dans le sang du nourrisson de 1 à 3 mois, les érections de l'enfant, celles de la nuit qui correspondent à certaines périodes particulières du sommeil dites phases de sommeil paradoxal?

Pourquoi donc les hommes (et les femmes) ne « pensent-ils qu'à ça »?

Une seule explication peut être donnée à cette permanence dans l'esprit de l'homme de ces pensées et dans son corps de ces activités involontaires, c'est qu'elles sont inscrites dans ses gènes, dans son « capital héréditaire ». Il lui est donc impossible d'échapper aux ordres transmis par ses chromosomes.

L'être humain en effet vit à deux niveaux :

– celui de l'individu qui, pour survivre, doit satisfaire la faim, la soif, le besoin de sommeil;

– celui de membre de l'espèce humaine, espèce qui, pour survivre, suscite, si l'on peut dire, chez ceux qui en font partie un besoin de copuler, et fait en sorte que leur appareil reproducteur soit maintenu en perpétuel état de marche.

Si l'on compare les besoins de l'individu et ceux de l'espèce, si l'on compare la faim et le désir de copuler – on en vient à associer les notions du plaisir d'assouvir sa faim et du plaisir sexuel.

Mais qu'est-ce que le plaisir?

A l'évidence, le savoir médical s'arrête ici. Interrogez les savants, les neurophysiologistes, interrogez les banques de données et vous verrez la rareté des références bibliographiques.

Que le lecteur pardonne à la médecine : elle peut parler de circuits, de cellules spécialisées, de centres du plaisir, voire de dopamine. Mais elle ne peut pas dérouler, découper, reconstruire la notion de plaisir.

Le plaisir est, pour elle, l'ineffable.

## I. COMMENT SE FABRIQUE UN HOMME

### 1. *Premier acte*

Le spermatozoïde a pénétré dans l'ovule. Voilà l'embryon formé. *Embryon,* un grand mot pour désigner une seule cellule qui, il est vrai, dépasse en volume toutes les autres. Dans cette cellule vont bientôt se fondre en un seul noyau le noyau de l'ovule et celui du spermatozoïde. Chacun apporte son lot de 23 chromosomes. Quelque neuf mois plus tard, un enfant naît.

On connaît maintenant à peu près tous les mécanismes qui vont transformer cet œuf indifférencié en un bébé bien sexué, tous les stades qu'il aura à parcourir.

Apparemment, c'est un modèle (toujours le même) que la nature suit. Au départ, l'embryon est neutre et possède une double potentialité. Si le sujet est destiné à devenir un garçon, des modifications interviennent qui l'orientent dans le sens masculin. S'il est destiné à devenir une fille, ces modifications n'ont pas lieu et l'évolution se fait insensiblement vers le sexe féminin. En d'autres termes, *le sexe féminin est le sexe fondamental.* Pour qu'il y ait virage vers le sexe masculin, il faut qu'une puissance agissante se mette en mouvement.

Cette puissance agissante au commencement, c'est le chromosome Y.

Les chromosomes sont porteurs du code génétique. Ils sont formés d'une chaîne infiniment longue de molécules chimiques attachées les unes aux autres dans un ordre spécifique. Toute association de quelques molécules forme un signe, autrement dit une lettre. Or chaque chromosome contient des milliards de molécules chimiques. Les lettres que représentent ces milliards de molécules forment d'innombrables mots, si bien que l'on peut comparer les chromosomes à d'immenses livres. L'ensemble des 46 chromosomes contenus dans les noyaux de chaque cellule constitue donc une bibliothèque gigantesque, miniaturisée à l'extrême, qui est lue par la cellule qui les renferme. Chaque cellule pourra trouver dans les chromosomes un ensemble de recettes, de « modes d'emploi », qui lui permettront de construire de nouvelles molécules chimiques et de mener à bien les fonctions qu'elle doit exercer.

Comme chacun sait, la femme et l'homme possèdent en commun le même jeu de 44 chromosomes; mais ils se distinguent l'un de l'autre en ce que les cellules de la femme comportent en outre 2 chromosomes identiques appelés les chromosomes X. L'homme possède, lui, 2 chromosomes dissemblables : l'un est grand, c'est l'X; l'autre est tout petit, c'est l'Y. Ce sont les chromosomes X et Y qui permettent la différenciation des deux sexes : on les a donc appelés *chromosomes sexuels.* Et c'est dans le tout petit Y que se trouvent tous les plans de fabrication d'un garçon.

Un garçon, c'est avant tout un sujet porteur de testicules. Comment se forment ces glandes?

Dès avant la 6e semaine de la vie embryonnaire apparaissent des épaississements de la paroi postérieure de l'embryon, qui sont destinés à devenir les ovaires ou les testicules.

Ces futures glandes de la reproduction ne sont pas alors reconnaissables l'une de l'autre. On leur a donc donné un nom commun : on les a appelées les « gonades primitives [1] ».

Quand l'équipement chromosomique des cellules de l'embryon comporte un chromosome Y, il se fabrique dans ces cellules un composant chimique qui oblige ces gonades primitives à se muer en testicules, et des formations tubulées se dessinent à la 6e semaine : ce sont les ébauches des futurs tubes séminifères, où se fabriqueront les spermatozoïdes. On peut mettre en évidence ce composant chimique par des réactions mettant en jeu antigène et anticorps; on lui a donné le nom d'antigène Hy, mais sa nature n'est pas encore bien connue.

A l'inverse, quand il n'y a pas de chromosome Y, la gonade reste semblable à elle-même, avant de prendre, une semaine plus tard, un aspect qui la fera de plus en plus ressembler à l'ovaire adulte.

### 2. *Deuxième acte*

L'embryon possède, à la 6e semaine, un double jeu de canaux qui partent des gonades et se dirigent vers la partie inférieure du tronc, entre les racines des membres inférieurs. Une des paires de canaux est appelée canaux de Müller : ce sont les canaux féminins embryonnaires. Quand ils se développent, ils deviennent un utérus et ses trompes. L'autre jeu est appelé canaux de Wolff; leur croissance aboutit à la formation des épididymes et des canaux déférents. Si tout le monde sait ce qu'est un utérus et une trompe, nombreuses sont les personnes même cultivées qui ignorent absolument ce que sont les épididymes et les canaux déférents. Ce sont tout simplement les conduits qui permettent aux spermatozoïdes élaborés par les testicules de parvenir à l'air libre ou dans l'intimité d'une autre personne. Nous y reviendrons quelques paragraphes plus loin.

Normalement, les canaux de Müller se développent donc chez la future fille, et ceux de Wolff chez le futur garçon.

Comment s'opère cette différenciation? évolution vers le sexe féminin par la prédominance du développement des canaux féminins embryonnaires qui prennent du volume et se différencient en trompe et utérus, tandis que s'atrophient les canaux de Wolff? ou croissance de ces canaux masculins embryonnaires, alors que les canaux de Müller se désagrègent pour disparaître presque totalement, c'est-à-dire transformation de l'embryon en garçon?

C'est un grand chercheur français, le Pr Jost, qui a découvert le rôle essentiel des testicules du fœtus. Il a castré de jeunes fœtus de lapins qu'il avait eux-mêmes prélevés en cours de grossesse dans les cornes utérines de la mère; puis il a replacé ces fœtus, après leur castration, dans les utérus (c'est dire la prouesse technique que cela représente). Que les glandes retirées aient été des testicules ou qu'elles aient été des ovaires, toujours les fœtus naissaient avec des utérus et des trompes : c'était donc les canaux femelles embryonnaires qui s'étaient développés, et les lapereaux paraissaient tous à la naissance être de sexe femelle. Quand la castration était unilatérale et que c'était un testicule qui avait été retiré, du côté opéré se développaient un utérus et une trompe, tandis que, du côté où le testicule avait été laissé en place, *seul* le canal de Wolff avait persisté et s'était transformé en épididyme et canal déférent. Donc, c'est le testicule qui oblige à la fois le canal de Müller à s'atrophier et le canal de Wolff à s'étoffer, pour offrir un canal évacuateur aux spermatozoïdes élaborés par les testicules. Encore une fois, le sexe mâle se construit par une opération supplémentaire.

3. *Troisième acte*

Même évolution au niveau des organes génitaux externes. Tout d'abord, un stade indifférencié. A la partie inférieure et antérieure du tronc de l'embryon, on peut voir trois ébauches ou bourgeons : un bourgeon médian et antérieur et deux bourgeons latéraux en arrière du précédent. Le bourgeon médian subit un développement important chez le garçon et donne naissance à la verge, tandis qu'il reste très petit chez la fille et devient le clitoris. Quant aux bourgeons latéraux, ils vont, chez le garçon, s'accoler, fusionner, prendre du volume et se transformer en bourses sous l'effet de la testostérone. L'accolement des bourgeons latéraux se fait de l'arrière vers l'avant : il se poursuivra même en avant des bourses au niveau de la verge, qui, au commencement de son développement, est parcourue sur sa face inférieure par une petite gouttière. Quand la quantité d'hormones mâles [2] que reçoit le fœtus est normale, la gouttière se referme entièrement et l'orifice de la verge se situe au bout de la verge comme normalement. Mais, quand cette quantité est insuffisante, la gouttière reste plus ou moins ouverte. L'orifice du canal se situera alors plus ou moins près des bourses, en arrière de la situation normale.

Quand le fœtus ne reçoit pas d'hormones mâles (s'il s'agit d'une fille), les bourgeons latéraux restent bien distincts et se transforment en grandes lèvres, qui bordent la fente du vestibule chez la fillette. Il est intéressant de préciser que si, par erreur, on injecte, avant le 4e mois de sa grossesse, de la testostérone à une femme enceinte portant un fœtus de sexe féminin, les organes génitaux externes de ce fœtus risquent d'être masculinisés de façon plus ou moins franche, tandis que son appareil génital interne restera tout à fait féminin. (On parle alors de pseudo-hermaphrodisme.)

De telles anomalies ont évidemment aussi été constatées chez les animaux d'expérience.

Revenons à la source de cette testostérone : les testicules. Ils étaient donc, chez le tout jeune embryon, très haut placés dans le ventre. Quand ils se sont transformés en véritables boules bien autonomes, ils ont commencé à descendre vers la partie inférieure du tronc. Et, à partir du 7ᵉ mois de vie utérine, ils ont gagné les bourses, qui, elles, s'étaient formées à partir du 3ᵉ mois.

Comme on voit, la métamorphose d'un embryon sans sexe déterminé en un garçon est un phénomène actif commandé par la présence d'un chromosome Y, ce phénomène s'opérant par la formation d'un testicule capable de sécréter une hormone mâle, la testostérone.

En fait, le garçon qui naît n'est pas encore complètement un garçon : il ne le deviendra, comme on va le voir, que lorsque son cerveau aura subi l'imprégnation de cette hormone mâle.

### 4. *Quatrième acte*

Il représente vraisemblablement une étape fondamentale dans la masculinisation du fœtus, au sens fonctionnel du terme.

La masculinisation des structures cérébrales du fœtus chez le rongeur est un phénomène classique et bien connu. Elle a lieu juste après la naissance.

Alors que, chez la femelle (ou chez le mâle castré le jour de sa naissance), le système nerveux fonctionne sur un mode cyclique qui imprimera une activité périodique aux ovaires, si on laisse le testicule sécréter ses androgènes ou si l'on administre dès le premier jour aux animaux de sexe femelle une petite dose d'androgène, le système nerveux n'est plus capable que d'une activité continue et perd cette activité cyclique fondamentale.

On n'a pas, pour le petit d'homme, de preuves incontestables de cette imprégnation du système nerveux, mais on la considère comme bien vraisemblable. Et cela d'autant plus que des modifications bien surprenantes de la sécrétion testiculaire ont été mises en évidence par une équipe française, celle de Maguelone Forest et de ses collaborateurs pédiatres et biochimistes. Ces chercheurs ont découvert, chez les humains, une grande différence entre les taux de testostérone de la fille et du garçon durant les trois premiers mois de la vie. Le testicule du garçon fournit en effet à cette période un gros effort (avant de s'endormir jusqu'à la période prépubertaire). Il sécrète une telle quantité de testostérone que le sang de ce nourrisson contient des concentrations à peine inférieures à celles de l'adulte de 20 ans! On croit même que le taux de la testostérone est très élevé chez le nouveau-né. Il s'abaissera les jours suivants, pour s'élever à nouveau chez le garçon pendant les trois premiers mois de sa vie.

Une dernière fois, la différenciation sexuelle est un phénomène actif : la sécrétion testiculaire conduit à la transformation dans le sens masculin de certaines structures du système nerveux de l'enfant à sa naissance. Son comportement sexuel en sera marqué pour sa vie entière. Et on peut imaginer que, si une « paille » a empêché ce mécanisme extrêmement précis de se mettre en marche au moment voulu et dans les conditions habituelles, l'orientation sexuelle de l'enfant peut être définitivement perturbée.

### 5. *Le grand entracte*

Trois mois sont passés. La testostérone chez le garçon est retombée au niveau où elle est chez la fille, et, pendant quelques années, si on met un tout petit slip au garçon et à la fille pour masquer les organes génitaux, on ne peut faire aucune différence entre l'un et l'autre en les regardant.

Nouvelle phase neutre, bipotentielle donc : la nature n'a pas oublié son schéma directeur!

C'est peut-être parce que les différences naturelles sont nulles à ce moment-là que dans plusieurs cultures on s'est efforcé d'en créer, et, sans parler de l'habillement, qu'on a habitué les garçons à une coupe de cheveux qui les différencie des filles!

Il faut bien reconnaître que l'exposé qui précède, s'il respecte la rigueur des constatations scientifiques, n'en est pas moins tendancieux. L'ovaire, comme on l'a vu, sait aussi bien que le testicule fabriquer de la testostérone. D'ailleurs, cette hormone n'est qu'une étape intermédiaire dans la synthèse des œstrogènes et, plus exactement, du principal œstrogène : l'estradiol.

On peut tout aussi bien considérer que le testicule est un ovaire qui a tourné court! Il n'avait pas le support d'un X. Il s'est mis en tubes (moyen de résistance) et n'a pas été capable de pousser les sécrétions au-delà du stade de la testostérone, dépourvu qu'il était des aptitudes biochimiques nécessaires pour parvenir au stade achevé de l'estradiol. Le développement des canaux embryonnaires masculins s'en est suivi, ainsi que toute la transformation en garçon que nous venons de décrire.

Répétons-le une fois encore : quand il n'y a pas de testicule, c'est le système féminin qui se développe. Et même si on remplace, dans l'expérience de Jost, les testicules du fœtus par un cristal de testostérone, ce qui conduit au développement des épididymes et canaux déférents, cela n'empêche pas le canal féminin de croître parallèlement au canal embryonnaire masculin.

Le testicule est donc obligé d'élaborer un principe spécial « anti-canaux génitaux féminins » pour empêcher que l'individu ne soit porteur d'un utérus inutile.

En fait, cette autonomie des canaux embryonnaires féminins, qui n'ont besoin d'aucun soutien hormonal pour croître à la vitesse normale du fœtus, est le reflet de la nécessité pour l'espèce du développement de ces canaux : comment pourrait-il y avoir des petits s'il n'y avait pas de matrices pour qu'ils y fassent leur nid?

C'est la raison pour laquelle le sexe fondamental est indéniablement celui qui porte l'utérus... Et si le sexe mâle est bien celui de l'activité, on ne s'est pas privé, comme on sait, de qualifier cette activité de papillonnante, voire de la comparer à celle de... la mouche du coche!

### 6. *La puberté*

Elle commence plus tard que chez la fille. Le premier signe qui l'annonce est l'augmentation de volume des testicules. Ces glandes oblongues qui, vers 8 ans, mesuraient dans leur grand axe 2 cm environ et dans leur petit axe de 1,2 à 1,5 cm, subissent un accroissement progressif qui les conduit, à l'âge adulte, à mesurer de 4 à 5 cm de long, et de 2,5 à 3 cm de large.

Imperceptiblement, les muscles se sculptent, les épaules s'élargissent tandis que les hanches restent minces. Le tronc grandit plus vite que les jambes, quelques poils entourent la racine de la verge. Progressivement, la verge se développe et s'allonge tandis que les bourses se rident. Les poils apparaissent sur tout le corps mais singulièrement sur la lèvre supérieure, les joues, le pubis. Ils remontent jusqu'à l'ombilic alors que le duvet thoracique ne commence, lui, à s'épaissir que vers 17-18 ans.

Pendant ce temps, la fille voit sa poitrine s'arrondir, ses hanches s'élargir, son pubis se couvrir des mêmes poils (mais qui gardent une limite supérieure horizontale) : elle se distingue ainsi de plus en plus nettement du garçon, auquel elle ressemblait tant quelques mois plus tôt.

Quels mécanismes secrets président cette métamorphose?

La première modification dans le fonctionnement des glandes qui sécrètent des hormones dans le sang (les glandes endocrines) semble bien être, pour les deux sexes, la libération d'hormones faiblement masculinisantes par les glandes surrénales. C'est peut-être la raison pour laquelle les poils pubiens apparaîtront dans les deux sexes. Puis les centres nerveux qui dominent et animent les glandes de la reproduction augmentent doucement leurs incitations stimulantes.

C'est le moment de rappeler une des principales lois de l'équilibre endocrinien. Dans les organismes vivants se succèdent en permanence des phases d'accélération et des phases de ralentissement, qui aboutissent à l'équilibre – mais un équilibre différent à chacun des moments de l'existence.

Ainsi en est-il de la façon dont le système nerveux (et l'hypophyse, qui est son principal allié) stimule les testicules. Lorsque ceux-ci répondent par une petite sécrétion hormonale, il est satisfait, donne un coup de frein et réduit les incitations! Si les testicules abaissent trop le niveau de leurs sécrétions, le système nerveux les admoneste, etc.

Pendant toute la période de l'enfance, le système nerveux se contente d'une minime activité testiculaire. Avec la puberté, il devient plus exigeant et il lui faut de plus en plus d'hormones mâles pour se satisfaire. C'est ainsi que progressivement les testicules sont conduits à élaborer une quantité d'hormones mâles, qui deviendra celle de l'homme adulte.

Ces hormones mâles, on les appelle aussi d'un mot grec : androgènes (qui font naître l'homme). Elles ont deux sources chez l'homme : les surrénales et les testicules (chez la femme, les surrénales produisent la plus grande part des hormones mâles, mais les ovaires en élaborent aussi une assez grande quantité); et chez l'homme, du reste, les testicules et les surrénales fabriquent aussi des hormones femelles : les traces de la bisexualité originelle persistent ainsi toute la vie.

A quel moment cette puberté se déclenche-t-elle? A quel moment les centres nerveux se mettent-ils à exiger des testicules une activité nettement plus grande... en quelque sorte leur demandent-ils de passer à la vitesse supérieure? Au moment où la maturation du squelette a atteint un niveau de développement et de solidité tel que l'adolescent soit capable de subvenir à ses propres besoins. Du point de vue de l'espèce, en effet, il doit être capable de subvenir à ses propres besoins pour devenir à son tour un géniteur éventuel.

A la fin de la puberté, l'homme est achevé. Est-il nécessaire de décrire les particularités anatomiques d'un homme? Oui, si l'on veut insister sur les connexions profondes qui unissent entre eux les organes génitaux externes.

Quand on regarde les organes génitaux d'un homme, on voit, sortant des poils du pubis, une petite tige dont l'extrémité est affinée. Au-dessous et en arrière, deux petites boules un peu allongées, l'une étant un peu plus basse que l'autre, enfermées dans une peau particulière, finement ridée.

Le médecin qui palpe ces boules reconnaît, au-dessus de la masse principale que forme le testicule, une petite saillie en forme de cimier de casque. Cette formation perd de son volume et s'affine au fur et à mesure que l'on se dirige vers l'arrière du testicule. Ce cimier de casque, c'est l'épididyme (en grec, tout simplement, « au-dessus du testicule »).

Si l'on continue à suivre cet épididyme (avec douceur car l'organe est sensible), on trouve qu'il se prolonge, après un virage en épingle à cheveu, par une cordelette très ferme. Celle-ci s'élève dans la bourse et disparaît dans la paroi abdominale : il s'agit du canal déférent.

Si l'on palpe délicatement la tige, on constate qu'elle est faite de deux demi-cylindres unis en canon de fusil, dont la consistance est assez ferme, et sous lesquels se trouve un troisième cylindre plus mou. Ce troisième cylindre est en continuité avec l'extrémité de la verge dilatée en forme de gland. Un canal parcourt ce troisième cylindre : c'est l'urètre, qui s'ouvre à l'extrémité du gland par un orifice : le méat urinaire.

Les deux demi-cylindres en canon de fusil sont appelés corps caverneux, et le cylindre plus mou qui enchâsse le canal de l'urètre : le corps spongieux. C'est le gonflement par le sang sous pression de ces trois formations qui produit l'érection.

Verge et testicules (ces trois attributs de la masculinité) servent, on le sait, pour les derniers, à élaborer les cellules

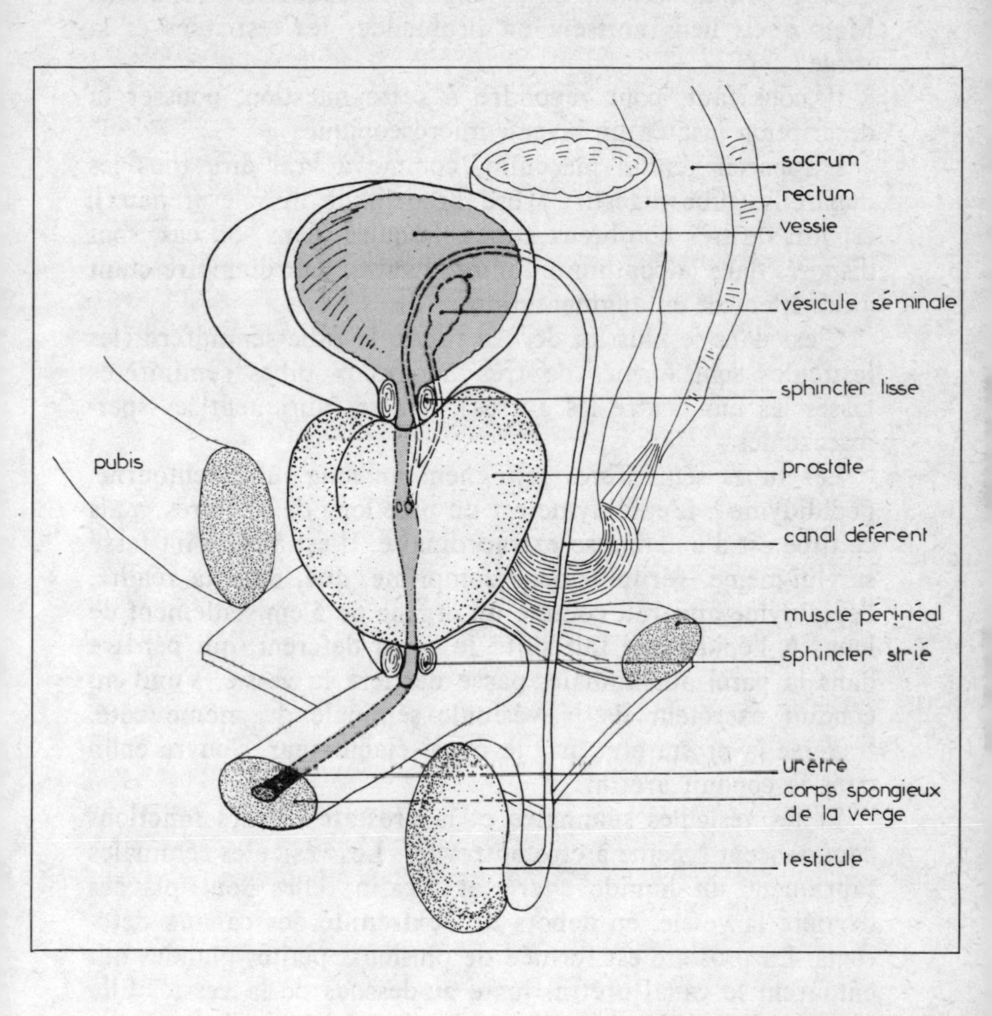
sacrum
rectum
vessie
vésicule séminale
sphincter lisse
pubis
prostate
canal déférent
muscle périnéal
sphincter strié
urètre
corps spongieux
de la verge
testicule

reproductrices masculines, et pour la première à les déposer aussi près que possible de la cellule reproductrice féminine. Mais quels liens unissent en profondeur les testicules et la verge?

Il nous faut, pour répondre à cette question, pousser la description jusqu'à un niveau microscopique.

L'appareil génital masculin, comme à vrai dire tous les appareils (tube digestif, arbre bronchique, tubules rénaux), est fait de très nombreux tubes, lesquels, dans son cas, sont disposés dans la continuité l'un de l'autre, leur diamètre étant graduellement en augmentation.

C'est dans le plus fin de ces tubes, le tube séminifère (les testicules sont formés de très nombreux tubes séminifères tassés les uns contre les autres), que se fabriquent les spermatozoïdes.

Les tubes séminifères rejoignent un long tube contourné, l'épididyme [3]. L'épididyme est un tube long de 5 mètres, mais ce tube est d'une finesse extraordinaire. Il est à ce point tassé sur lui-même, véritablement comprimé, que, dans la réalité, l'épididyme apparaît comme un organe de 5 cm seulement de long. A l'épididyme fait suite le canal déférent, qui pénètre dans la paroi abdominale, passe derrière la vessie, s'unit au conduit excréteur de la vésicule séminale du même côté, traverse la prostate et, par le canal éjaculateur, s'ouvre enfin dans le conduit urétral.

Et les vésicules séminales et la prostate? Leurs fonctions commencent à peine à être entrevues. Les vésicules séminales fabriquent un liquide sucré et alcalin; elles sont placées derrière la vessie, en dehors de l'extrémité des canaux déférents. La prostate est formée de plusieurs petites glandes qui entourent le canal urétral juste au-dessous de la vessie. Elle sécrète un liquide acide. Liquide des vésicules séminales et sécrétion prostatique augmentent le volume du sperme, et aident sans doute les spermatozoïdes à parcourir les quelques centimètres de l'urètre.

Ainsi, par l'orifice antérieur de la verge sortent deux sortes de liquide : l'urine, dont l'émission assure la survie de l'individu, et le sperme, dont l'éjaculation permet la survie de l'espèce!

Si le lecteur souhaite davantage de détails anatomiques, qu'il sache que les traités classiques fourmillent de chiffres et de dessins, que les descriptions sont souvent admirables dans leur minutie et que la lecture n'en est pas du tout aussi aride qu'il peut l'imaginer. Il sera peut-être étonné d'apprendre, par exemple, que les artères qui irriguent la verge et les nerfs qui lui donnent vie ont un nom bien significatif de l'état d'esprit des premiers anatomistes, puisqu'ils ont été dénommés artères et nerfs honteux!

## II. L'ÉRECTION

### 1. *Le mécanisme de l'érection*

Même s'ils n'ont pas fait l'effort d'accroître leurs connaissances en anatomie et en physiologie, le lecteur et la lectrice sont maintenant en état de comprendre la nature intime du phénomène majeur de la vie reproductive masculine : l'érection.

*Érection,* ce mot signifie la transformation d'un organe mou permettant l'émission des urines en une tige ferme, qui mérite bien alors d'être comparée à une baguette de bois, et d'être appelée verge. Dans le même temps qu'elle se raffermit, cette tige se redresse.

Comment s'effectue cette transformation? C'est une accumulation dans le pénis de sang sous pression qui en est la cause. Et cela par un double mécanisme : accroissement de l'apport de sang par les artères, et diminution de la fuite de ce sang dans le système veineux.

La verge, on l'a vu, est faite de deux demi-cylindres appelés corps caverneux. Ces deux demi-cylindres sont en effet compartimentés en multiples logettes par de fines cloisons. Le remplissage plus ou moins complet de ces innombrables petites cavernes donne une rigidité à l'ensemble. Le corps spongieux et le gland qui le prolonge en avant sont également composés de logettes, leur consistance peut donc aussi s'accroître, mais ils gardent toujours une certaine souplesse. Corps caverneux et corps spongieux sont appelés, pour cette raison, organes érectiles.

Comment l'apport du sang dans les diverses logettes des organes érectiles s'accroît-il?

Pour que davantage de sang arrive à un organe, le mécanisme le plus simple est que le calibre des artères qui irriguent cet organe s'élargisse. C'est bien ce qui se produit dans la verge, mais selon un mécanisme un peu particulier. Les artères de la verge sont pourvues, à leur entrée dans cet organe, de petits coussinets, qui, à l'état normal de flaccidité, en réduisent le diamètre intérieur. Quand une érection doit survenir, ces coussinets s'aplatissent, le calibre des artères s'accroît et le sang arrive à flots dans le pénis.

Mais, en même temps que du sang entre dans la verge en plus grande quantité, il en ressort moins que normalement, le retour vers la circulation veineuse subissant une réduction. Le mécanisme de cette réduction est toutefois moins bien connu que celui de l'augmentation de l'apport. Mais on sait que les veines de la verge circulent dans un espace étroit entre les corps caverneux et le corps spongieux, d'une part, et les enveloppes non extensibles de la verge, d'autre part. Aussitôt que les organes érectiles prennent de l'ampleur, ils coincent les veines, les écrasent et en réduisent fortement le diamètre utile. Le sang est alors emprisonné dans la verge.

L'érection de la verge se ferait donc en deux temps. D'abord aurait lieu le gonflement ou « tumescence », puis la rigidité, mais ces deux phases, surtout chez le sujet jeune, ne sont pas toujours discernables.

Cependant, les théories nouvelles ne font plus intervenir les coussinets, mais des courts-circuits artério-veineux qui seraient ouverts en période de flaccidité de la verge et qui se fermeraient lors de l'érection. Le sang, ne pouvant fuir vers les veines, viendrait alors gonfler les corps caverneux. Dans le même temps, il y aurait libération d'une substance qui avait d'abord été découverte dans l'intestin, d'où son nom de « vaso-intestinal peptide ». Cette substance déclencherait un relâchement des muscles lisses présents dans les corps caverneux, ce qui favoriserait l'accentuation de la dilatation des artères, provoquant alors l'érection complète.

Voilà donc comprise la partie la plus simple du mécanisme de l'érection. Mais d'autres questions subsistent. L'une d'entre elles a fait couler des flots d'encre : de combien de centimètres s'accroît la verge en érection? Y a-t-il des hommes qui « gagnent » plus de longueur que d'autres? En érection, toutes les verges ont-elles la même dimension? Ce sont là des sujets qui resteront tabous. Jusqu'à la fin de l'histoire de l'humanité, on en parlera, et je me demande si ce n'est pas le lieu ici de raconter cette histoire politico-sexologico-militaire. Sur la liste des ventes possibles des États-Unis à l'Union soviétique avaient été glissés les mots : « Préservatifs masculins ». Quelques échantillons de différentes tailles avaient été proposés. Or les Russes ne commandèrent que les plus grandes, à l'étonnement un peu dépité des industriels américains. Mais lorsque les Soviétiques reçurent leur envoi, ils trouvèrent imprimé sur toutes les boîtes : « Taille moyenne »!

## 2. *La commande nerveuse*

L'érection est donc sous la dépendance d'une commande nerveuse qui s'exerce sur les artères honteuses. On l'a vu en effet : c'est le sang arrivant à flots par ces artères dilatées qui provoque le changement de consistance du pénis.

Les artères honteuses reçoivent des rameaux nerveux qui

ordonnent l'aplatissement ou l'épaississement des coussinets réglant le débit sanguin dans les artères.

Ces rameaux proviennent eux-mêmes de la moelle épinière et, plus précisément, de deux centres de commande localisés dans la moelle.

L'un est situé en bas, à la hauteur de la 2e vertèbre lombaire; il a pour fonction de dilater les artères, donc de favoriser l'érection. L'autre est situé plus haut; il a pour rôle au contraire de diminuer leur calibre, c'est-à-dire d'empêcher l'érection : c'est un centre que l'on dit « constricteur » parce qu'il « resserre » le calibre des artères. Il est placé en regard de la 11e vertèbre dorsale.

Pourquoi un centre dilatateur qui favorise l'érection et un centre constricteur qui, lui, l'empêche? C'est qu'une double commande améliore les performances du système. Car le cerveau peut jouer sur deux claviers : inhiber le centre constricteur et stimuler le centre dilatateur pour provoquer une érection, ou, à l'inverse, la faire disparaître en inhibant la dilatation et en stimulant la constriction. Les études réalisées chez les traumatisés de la colonne vertébrale ont montré que les centres supérieurs (constricteurs) sont plus sensibles aux stimulations psychiques et les inférieurs (dilatateurs) aux stimulations sensorielles. Il y a donc aussi, en cas de défaillance de l'un d'eux, une possibilité de compensation par l'autre.

Les centres supérieurs du cerveau ont également une autre charge d'une importance toute particulière. Ils doivent juger si l'érection qui doit suivre les stimulations est adéquate dans le temps ou si elle viendrait mal à propos. Ils agissent alors sur les cellules activatrices de la moelle de façon facilitante ou inhibitrice selon les conditions. Par exemple, dans le cas où une érection serait suivie de réactions scandalisées de l'entourage, les influences inhibitrices prennent rapidement le pas sur les activations stimulatrices!

Cette notion de « centre de commande », toute simple pour les médecins, mérite quelques explications.

Un centre de commande est fait d'une multitude d'arcs réflexes composés de trois cellules : une cellule réceptrice, qui reçoit les sensations venues de la périphérie, une cellule intermédiaire, centrale, et une cellule motrice, qui suscite l'activité musculaire. Bien entendu, ces cellules se trouvent toutes dans la moelle épinière.

Pour expliquer le fonctionnement d'un arc réflexe – donc du centre de commande –, on peut avoir recours à une comparaison, sans doute très simpliste, mais qui permettra au lecteur qui n'a pas la moindre idée de ce fonctionnement d'en comprendre au moins l'essentiel.

On peut comparer l'arc réflexe au centre d'aiguillage d'un réseau ferroviaire.

Dans ce centre se trouvent deux aiguilleurs et un responsable des décisions. Le premier aiguilleur reçoit des chefs de gare des informations sur la situation des trains dans toute la région, informations qu'il transmet au responsable. Celui-ci réunit les données qu'il a reçues et décide du trajet des trains. Il élabore donc des ordres et les adresse au deuxième aiguilleur, qui lui-même les répercute sur les conducteurs des trains, lesquels peuvent alors se mettre en marche.

Ainsi, l'arc réflexe est fait de trois composants : un récepteur, un centralisateur et un activateur, qui commande la contraction et le relâchement des fibres musculaires.

Le rôle du centralisateur est essentiel pour deux raisons. D'une part, il a le pouvoir d'agir non pas seulement sur un activateur mais sur plusieurs à la fois. D'autre part, il est lui-même en liaison avec des supérieurs hiérarchiques, si l'on peut dire, qui activent ses décisions ou les tempèrent selon les besoins de l'organisme tout entier. En outre, les centres supérieurs peuvent eux-mêmes agir sur un très grand nombre de centralisateurs augmentant aussi leurs effets.

Si l'on imagine l'association de milliers d'arcs réflexes semblables à notre centre d'aiguillage et si l'on a conscience qu'ils sont interreliés par des connexions infiniment complexes, on a compris ce qu'est un centre de commande de la moelle épinière. Ceux qui sont localisés dans le cerveau sont d'ailleurs de même nature : ils sont seulement encore plus complexes.

Revenons à l'érection et prenons un exemple concret. La verge est caressée; des sensations agréables sont transmises au centre dilatateur. Les cellules centralisatrices ainsi stimulées par les cellules sensitives transmettent aux cellules activatrices leur message; la dilatation artérielle se produit et l'érection s'installe. Dans le cas des caresses, le centre médullaire réagit tout seul. Le responsable des aiguillages prend la décision de façon autonome!

Mais l'érection peut aussi être provoquée par une stimulation provenant des centres du cerveau, qui agissent sur la verge par le relais des cellules de la moelle (dans ce cas, le responsable du centre obéit à ses supérieurs hiérarchiques). Et cette stimulation peut elle-même avoir pour origine une excitation visuelle, olfactive et même auditive... ou tout simplement des fantasmes d'activité érotique qui mettent la mémoire en jeu, ou non!

La vue d'un corps féminin plus ou moins dévêtu, l'odeur d'un parfum, le souvenir d'une scène passée auront les mêmes effets que les caresses de la verge. Ainsi, l'érection, qui ne peut être obtenue par un acte direct de la volonté, peut cependant survenir par l'intermédiaire de l'évocation d'une scène « excitante ».

Comment les diverses causes d'excitation sexuelle peuvent-elles avoir un semblable effet?

Il faut bien faire intervenir ici l'inné et l'acquis.

L'appareil de reproduction, comme le cœur, le tube digestif ou l'appareil respiratoire, est fait pour fonctionner, et personne ne s'étonne de voir un nouveau-né prendre le sein ou respirer. Il n'y a donc rien de surprenant à ce qu'une verge entre en érection. Mais il faut bien reconnaître au fonctionnement de l'appareil de reproduction deux particularités. D'une part, la présence d'une stimulation sexuelle est nécessaire; d'autre part, cet appareil ne « sert » pas dès la naissance, mais seulement après la puberté. Pour cette raison, l'organisme commence par se maintenir « en forme » par toute une série de « répétitions » d'érections en apparence inutiles (érection du nouveau-né, érection du sommeil). Il faut cependant que l'érection garde son utilité reproductrice. Il se formera donc toute une série de réflexes conditionnés qui emprunteront des circuits « préimprimés » dans le cerveau (c'est l'inné) mais auront pour point de départ les images, odeurs, attouchements des corps... que la vie en société aura permis au sujet d'approcher (et c'est l'acquis).

Cet acquis s'impose à chaque individu à l'occasion de ses premières expériences personnelles : telle stimulation est suivie d'une érection, elle-même suivie d'une performance agréable. Automatiquement, cette information est engrangée dans la mémoire, et, si la répétition est constante ou tout au moins de fréquence suffisante, un réflexe pourra s'installer. On comprend alors le rôle que jouent mémoire et fantasmes : l'évocation des situations passées qui ont été suivies de relations plaisantes suffit à susciter une érection d'origine purement psychique.

A l'inverse, toutes sortes d'inhibitions peuvent se créer si une situation donnée est régulièrement suivie d'une performance déplaisante ou décevante, la vie en société étant cause de plus d'inhibitions que d'incitations, pour des raisons bien... j'allais dire « naturelles ».

Une dernière réflexion mérite d'être faite. L'organisme est ainsi fait qu'il y a « recrutement » d'influences excitatrices dans la mesure où l'excitation est source de plaisir – d'où son auto-entretien.

Mais le même phénomène peut se produire en sens opposé.

Une perception déplaisante peut faire boule de neige, mettant en action tout un système de cellules à potentiel inhibiteur, qui pourront interrompre à tout moment ce circuit d'une infinie complexité qui entretient l'érection.

Il est possible que les influences positives ou négatives soient transmises par des cellules spécialisées qui percevraient les sensations de bien-être ou de malaise.

L'une de ces catégories de cellules pourrait être au cours de la vie plus favorisée que l'autre, et l'on expliquerait ainsi une tendance générale de l'être à vivre sa sexualité sur un mode épanoui ou en constante liaison avec un certain mal-être.

Il est certain que les endorphines, comme on verra plus loin, tiennent une très grande place dans cet état d'épanouissement ou de recroquevillement, mais c'est aux années qui viennent de faire le point sur ces questions.

### 3. *La commande hormonale*

Le mécanisme d'établissement d'une érection, tel que nous venons de le détailler, ne fait jouer aucun rôle aux hormones. Or, personne n'ignore que la conduite sexuelle est gouvernée par les hormones, et la sexualité masculine par des hormones mâles.

Venons-en donc à l'influence exercée par les hormones mâles dans la survenue des érections.

Il faut d'abord reconnaître que la matière est infiniment plus complexe qu'elle n'apparaît au premier abord et que l'on ne peut guère que la survoler. Si aujourd'hui on en sait tant dans ce domaine, c'est en raison des efforts opiniâtres des chercheurs et des médecins qui méritent parfois le qualificatif de géniaux, au point, d'ailleurs, que certains d'entre eux ont obtenu le prix Nobel.

Mais, tout d'abord, qu'est-ce qu'une hormone et comment agit-elle?

Une hormone est une substance élaborée par une glande à sécrétion interne, et qui est déversée dans le sang pour aller porter un message en plusieurs points lointains ou proches de l'organisme, où se trouvent des cellules capables de capter ce message. Une fois qu'elles l'ont capté, ces cellules le traduisent en fabriquant d'autres substances ou en modifiant leur activité.

On ne peut trouver une comparaison plus « parlante » que celle qui suit pour expliquer que l'hormone diffuse à tout l'organisme mais qu'elle n'agit que sur certaines cellules bien précises.

Supposez une salle pleine de spectateurs français. Arrive sur la scène un acteur qui raconte une plaisanterie en anglais. Seuls ceux qui comprennent cette langue saisiront l'histoire et riront. Il en est de même des cellules qui contiennent les récepteurs pour l'hormone donnée. Elles seules seront stimulées par cette hormone, les autres y resteront insensibles. Et les cellules sensibles peuvent être éparpillées dans tout le corps.

L'hormone qui agit directement sur la sexualité masculine est évidemment la principale hormone mâle, qui est, on l'a vu, la testostérone.

Afin d'acquérir dans ce domaine un savoir scientifiquement établi et non pas fondé sur des études critiquables, une équipe australienne a décidé d'effectuer une expérimentation en double aveugle [4] avec alternance de placebo et d'hormones mâles, afin d'apprécier l'intensité du désir masculin et les modifications de la vie sexuelle des hommes traités sous l'action de la testostérone. Ils ont ainsi constaté, dans une étude où ils comparent les effets produits par l'administration de doses croissantes d'une nouvelle forme d'hormones mâles, l'undécanoate de testostérone, à ceux d'un placebo :

– une augmentation de fréquence des rapports sexuels;

– une augmentation de fréquence des masturbations;

– une diminution des difficultés en ce qui concerne les érections;

– une diminution des difficultés en ce qui concerne les éjaculations.

Mais aussi des effets subjectifs :

– augmentation de fréquence des pensées sexuelles;

– accroissement du score des désirs sexuels;

et des effets « mixtes », puisqu'une augmentation de la satisfaction sexuelle des partenaires féminines a été mise en évidence.

Sur chacun de ces points, l'hormone a été plus efficace que le placebo!

Toutefois, 2 hommes sur 21 n'ont pas du tout éprouvé de changement pendant toute la durée de l'expérimentation! Les raisons pourraient en être purement psychiques, à moins que même la dose la plus forte qu'ils aient absorbée quotidiennement ait été insuffisante pour eux?

Mais, outre ces effets, on sait que les hormones mâles peuvent créer un certain état d'agressivité, de tension anxieuse, ou d'énergie physique avec *sensation de bien-être* encore plus difficile sans doute à évaluer, et qui ne l'a pas été dans cette expérience australienne.

Ainsi, le rôle des hormones mâles est bien établi. Mais il est bien connu que les testicules ne sont pas autonomes et que, s'ils sécrètent de la testostérone, c'est sous la stimulation d'autres hormones que l'hypophyse leur envoie.

Les testicules ont d'ailleurs deux fonctions : d'une part, ils fabriquent des spermatozoïdes; d'autre part, ils sécrètent des hormones mâles. Et l'hypophyse adresse aux testicules deux hormones : la FSH, pour stimuler la formation des spermatozoïdes, et la LH, pour inciter les testicules à sécréter leur hormone.

Mais cette hypophyse n'est elle-même pas indépendante. Elle est sous le contrôle du système nerveux. La façon dont l'hypophyse est commandée par le système nerveux a été l'objet d'une foule d'expérimentations contradictoires, qui ont abouti à une découverte des plus surprenantes : le système nerveux fonctionne *à la fois* en envoyant des ordres de nature électrique, à travers les différentes fibres qu'*émettent* les corps cellulaires, et en sécrétant de véritables hormones.

Parmi les innombrables hormones que le système nerveux (que l'on considère désormais comme la plus vaste glande à sécrétion interne de l'organisme) synthétise, se trouve l'hormone dite FSH-LH-RH, qui oblige l'hypophyse à libérer la FSH et la LH destinées aux testicules.

La découverte de cette FSH-LH-RH a permis à Roger Guillemin, médecin français travaillant aux USA, d'obtenir un prix Nobel qu'il a partagé avec Andrew Schally. Fait très troublant, cette FSH-LH-RH, fabriquée dans la partie supérieure du système nerveux qui surplombe l'hypophyse, agit directement sur d'autres structures nerveuses pour inciter, tant le mâle que la femelle, à un comportement sexuel de copulation. Et cela dans de très nombreuses espèces. Ainsi, cette hormone a deux effets différents, mais qui concourent au même but.

Parmi ces innombrables hormones élaborées par le système nerveux, une place à part est prise désormais par les endomorphines (ou endorphines). Ce sont des substances qui agissent sur les récepteurs de la morphine. On s'était aperçu, en effet, que la morphine et toutes les substances ayant un effet analogue se ressemblaient étroitement du point de vue de leur structure dans l'espace. Beckett et ses collaborateurs avaient donc pensé qu'il devait exister dans l'organisme des cellules nerveuses qui contenaient des « récepteurs », auxquels la morphine venait adhérer pour modifier l'activité de ces cellules nerveuses et provoquer ses effets calmants [5]. Si de tels récepteurs existaient, il fallait bien que l'organisme lui-même soit capable de synthétiser des substances possédant la même forme et susceptibles d'aller activer ces récepteurs. Cette hypothèse pleine de finesse a été la source de la découverte des endorphines, qui modulent notre état émotionnel... et exercent donc, sans aucun doute, une influence primordiale sur la sexualité de tout être vivant.

Enfin, il faut finir ce chapitre sur une substance qui tient une place elle aussi capitale – c'est la dopamine. Il y a apparemment dans le cerveau des animaux d'expérience et des hommes des circuits dont l'activation procure une sensation de plaisir. Le messager dans ces circuits est la dopamine, qui, elle-même, contrôle la sécrétion de la prolactine. Cette dernière hormone induit la montée du lait chez la femme, mais son excès chez l'homme supprime le désir sexuel et provoque l'impuissance...

Bref, il est impossible de tout dire sur le rôle des hormones dans la sexualité masculine...

Pourtant il faut ajouter un mot. Il serait tout à fait erroné de croire que le système nerveux commande à l'hypophyse qui commande aux testicules, car, on l'a vu, le système nerveux est lui-même sous la dépendance des hormones mâles. Toutes ces glandes forment entre elles un immense circuit en permanent mouvement, qui comporte des effets en retour eux aussi incessants. On conçoit, dès lors, que toute intervention en un point détermine des perturbations inattendues et des réactions ayant pour but d'en annuler les effets.

Toute cette subtile chimie va bien entendu inspirer non seulement le désir sexuel, mais même l'amour, sentiments que les humains ont « purifié » au point de croire qu'il a perdu toute relation avec les exigences reproductrices de l'espèce [6]... Ce qui est sûrement une bien grande erreur!

Toutes ces connaissances endocriniennes et théoriques doivent être doublées de notions simples.

Il est bien connu que, si un homme est castré après sa puberté, donc s'il est privé de toute testostérone provenant des testicules, il pourra avoir quelques érections sans doute très espacées, mais qui lui permettront des relations sexuelles. Si au contraire il est castré avant la puberté, le fait que son cerveau n'ait pas été imprégné à temps de l'hormone mâle le privera à jamais de tout désir sexuel et de toute érection.

Dans un autre domaine, une particularité de la conduite

sexuelle masculine est l'existence d'une période réfractaire faisant suite à l'éjaculation, et durant laquelle l'érection n'est pas possible. Étant donné que les taux d'hormones mâles circulantes ne sont pas modifiés durant la période qui suit le coït, c'est que le mécanisme n'est pas purement hormonal. Il est logique de penser que l'expulsion du sperme hors des voies génitales a supprimé un état de tension à l'intérieur de l'épididyme et du canal déférent, qui contribuent à l'auto-entretien du désir. Or la fonction naturelle de l'acte sexuel étant l'insémination de la femme, il est indispensable que ces réservoirs se remplissent à nouveau avant qu'une autre érection soit possible.

### 4. *Des érections très spéciales*

La fin naturelle non contestable de l'érection, nous l'avons assez souvent répété, est la reproduction de l'espèce. Or chaque individu ne peut participer à cette reproduction qu'après être devenu pubère; qu'après donc que se soit mise en route dans ses testicules la fabrication continue de spermatozoïdes... Et pourtant l'érection existe chez le petit enfant, comme tout un chacun a pu s'en apercevoir.

Il est une catégorie d'érections plus mystérieuses encore : celles qui s'installent pendant le sommeil. Il a été découvert que ces érections, qui surviennent de quatre à cinq fois pendant la nuit et souvent au réveil, sont contemporaines d'une phase particulière du sommeil appelée sommeil paradoxal. (C'est aussi pendant ces périodes que le sujet rêve.)

Aucune relation obligatoire ne lie les rêves érotiques et l'érection. Peut-être cependant est-ce l'érection elle-même qui oriente le rêve, dans certaines conditions particulières. Aucune explication à ces érections ne semble plus pertinente que celle d'une répétition – au sens théâtral du terme – du rôle que joue, à l'état d'éveil, l'individu dans la relation sexuelle. Ainsi, quand le besoin s'en fera sentir du fait de la présence de la partenaire... il sera prêt pour la performance. Il a été prouvé qu'un mécanisme analogue existe chez la femme, et que des modifications vasculaires se produisent chez celle-ci pendant le sommeil paradoxal au niveau des organes génitaux.

Les érections nocturnes, réconfort pour les uns qui doutent de leur virilité, sont fort déplaisantes pour d'autres hommes. Elles surviennent en dehors de toute excitation sexuelle, sont douloureuses ou simplement gênantes car empêchant le sommeil, et ne cèdent que bien difficilement aux médications prescrites par les médecins. Elles nous conduisent au chapitre suivant.

### 5. *La pathologie de l'érection*

L'étude des mécanismes de l'érection, mis à part son intérêt propre, permet aussi de comprendre la nature des diverses causes de la défaillance de l'érection que le médecin doit dépister quand un patient le consulte pour « impuissance ». Terme que l'on remplace volontiers depuis quelques années par celui de « dysfonctionnement érectile ».

Pour résumer au plus court, on peut dire que cette dysfonction peut être due à une maladie vasculaire (soit par lésion artérielle, soit, beaucoup plus rarement, par fuite veineuse). Elle peut aussi être liée à une lésion des différentes formations nerveuses (nerfs de la verge, centres médullaires, centres cérébraux). Elle peut être de nature psychique : des circuits inhibiteurs venant supprimer les effets des stimulants naturels. (Souvent les mécanismes inhibiteurs s'effacent durant le sommeil; le sujet conserve des érections nocturnes peut-être parce que précisément elles ne sont pas « utilisables ». Et cette persistance des érections aide à distinguer entre impuissances d'origine organique et d'origine psychique.)

Enfin, cette impuissance peut être de nature endocrinienne soit par défaut de testostérone, ce qui est rare, soit par excès d'hormone inhibitrice, en particulier de prolactine hypophysaire. Mais cette dernière hormone est parfois libérée sous l'action de drogues apaisantes ou destinées à combattre l'hypertension artérielle. Et il semble, en particulier, que toutes les médications hypotensives sont susceptibles d'exercer un effet nocif sur le mécanisme de l'érection.

Un autre aspect de la pathologie doit être évoqué : c'est la question de l'influence des hormones sur les conduites sexuelles anormales. Il faut bien admettre l'étendue de notre ignorance dans ce domaine. Pourtant, un fait ressort de toutes les observations qui ont été faites, par différents chercheurs, dans les domaines de la psychiatrie comme dans celui de l'endocrinologie.

Ce ne sont pas les hommes qui ont le taux de testostérone dans le sang le plus élevé qui ont la plus grande activité sexuelle. Dès que ses testicules lui fournissent un certain minimum de testostérone, tout homme, pour peu que les conditions extérieures s'y prêtent, peut avoir l'activité sexuelle qui correspond à sa nature. Si son taux de testostérone s'élève au-dessus de ce minimum, si on lui en fournit davantage par des injections par exemple, son activité sexuelle ne se modifiera pas.

Une constatation fort intéressante a été faite par une équipe mixte endocrino-psychologique. Les hommes dont la sécrétion de testostérone est très faible réagissent à la vision de films pornographiques par une érection analogue à celle des hommes à testostérone normale. Mais, si on leur demande de provoquer leur érection par l'évocation de fantasmes érotiques, alors leurs performances sont bien moins bonnes. La testostérone joue donc bien un rôle capital dans l'érotisation « active » du système nerveux.

Il en est de même pour les « agresseurs sexuels ». Leur taux de testostérone est dans les normes. Mais c'est leur activité psychique qui a été gauchie probablement par des violences auxquelles ils ont assisté dans leur enfance. Leur testostérone permet à leur anomalie mentale de s'exprimer. Et si, par des moyens chimiques (ou, hélas, plus drastiques tels que la castration bilatérale, comme on le fait dans certains pays!), on supprime leur sécrétion de testostérone, ces hommes sont libérés de leurs obsessions sexuelles. Mais si on leur administre de la testostérone (ou si on cesse l'administration des inhibiteurs de la testostérone), ils sont repris par leurs idées fixes.

Par ailleurs, la testostérone n'oriente pas bien entendu l'activité sexuelle. Si on l'administre à des homosexuels alors qu'ils en manquaient, ils seront poussés à avoir davantage de relations homosexuelles, mais non pas à se tourner vers des partenaires féminines.

Ajoutons une réflexion à ces quelques lignes. Elle concerne l'exploration des « impuissances », qui n'est plus du tout ce qu'elle était il y a seulement quelques années. Un triple mouvement a en effet révolutionné l'exploration des troubles de la sexualité masculine : la surévaluation de la fonction érotique, la démythification de l'appareil génital mâle et l'exigence scientifique des médecins.

Alors que, il y a encore vingt ans, un urologue hésitait à porter la main sur une verge, aujourd'hui elle est manipulée d'une façon qui époustoufle les anciennes générations de médecins. Piquée, perfusée, gonflée, incisée, la verge est l'objet d'innombrables investigations scientifiques chiffrées.

Ainsi, on a pu apprendre que la pleine érection peut être obtenue par injection dans les corps caverneux de volumes de liquide qui vont de 80 à 220 millilitres!

## III. L'ÉJACULATION [7]

Si l'érection est la manifestation apparente et parfois fragile de la masculinité, elle n'est du point de vue biologique que la première phase de l'acte sexuel masculin, dont le temps essentiel est l'éjaculation.

On appelle ainsi l'expulsion, sous pression, du sperme, après une phase d'excitation sexuelle plus ou moins longue.

Un double mécanisme engendre cette hyperpression. D'une part, aux sécrétions purement testiculaires, contenant les spermatozoïdes, s'ajoutent des liquides élaborés par les glandes génitales annexes, c'est-à-dire les vésicules séminales et la prostate. De ce fait, le volume global du sperme émis atteindra habituellement de 2 à 6 millilitres.

D'autre part, juste avant l'éjaculation, un espace clos se crée dans l'urètre par la fermeture de deux muscles circulaires situés, l'un, en haut de cet espace au niveau du col de la vessie et, l'autre, en bas à la hauteur du pôle inférieur de la prostate. Ce type de muscle est appelé « sphincter ».

Et c'est dans cet espace que sont déversées et comprimées les sécrétions séminales.

Les deux phénomènes – fermeture des sphincters supérieur et inférieur et accumulation du liquide – ont lieu à l'acmé de l'excitation sexuelle. Ils constituent ce qu'on appelle l'« émission ». A ce stade, le sujet éprouve la sensation de l'inéluctabilité de l'éjaculation.

Puis le sphincter inférieur s'ouvre, les muscles volontaires qui entourent la prostate et l'urètre se contractent puissamment à des intervalles de 0,8 seconde, et le sperme est expulsé par le méat de l'urètre avec force, tandis que le sujet éprouve des sensations de plaisir, variables d'ailleurs dans leur intensité : c'est l'orgasme.

Cette séquence d'événements est sous la commande de centres de la moelle épinière différents de ceux de l'érection. Les ordres sont transmis par des nerfs sympathiques (système de l'action), alors que les nerfs de l'érection sont de nature parasympathique (système de la récupération).

De même qu'il y a deux phénomènes dans l'éjaculation, il existe deux centres dans la moelle : un centre haut placé à la jonction dorso-lombaire – c'est celui de l'émission – et un centre sacré bien plus bas situé, pour l'expulsion.

Ces centres de la moelle peuvent avoir un fonctionnement autonome, mais ils sont aussi à l'état normal contrôlés par les centres supérieurs siégeant dans le cerveau. En fait, le phénomène de l'éjaculation n'est que le résultat apparent de la coordination parfaite de mécanismes d'une étonnante complexité, et dont bien des rouages nous échappent encore.

On n'a dès lors aucune peine à comprendre que les troubles de l'éjaculation soient une des causes les plus fréquentes de consultation sexologique – l'éjaculation prématurée en particulier.

L'éjaculation mérite ce qualificatif quand elle survient *ante portas,* empêchant donc toute insémination de la femme. Parfois elle survient dès que l'homme introduit son pénis dans le vagin de sa partenaire, privant celle-ci de tout plaisir.

On ne peut alors discuter que pour la *femme* l'éjaculation ait été prématurée. Mais pour l'*espèce?* La relation sexuelle ayant pour finalité naturelle de permettre le dépôt des cellules germinales mâles au sein de l'appareil génital féminin, que ce dépôt se fasse vite ou lentement n'a aucune importance. Et même, plus vite il a lieu et moins il y aura de risque que les spermatozoïdes se perdent dans l'environnement...

Mais comment corriger ce qu'on est tout de même bien obligé de considérer comme un défaut? Masters et Johnson ont mis au point la technique de la compression de la verge, qui doit être effectuée par la partenaire après une certaine stimulation sexuelle et juste avant que l'éjaculation ne devienne inévitable. L'apprentissage du contrôle de l'éjaculation se fait alors progressivement, selon le principe des réflexes conditionnés.

Les ressources de la pharmacologie sont venues s'ajouter aux bienfaits du conditionnement. Puisque c'est une excitation des nerfs sympathiques qui provoque l'éjaculation, la prise de médicaments bloquant le système sympathique peut différer l'éjaculation et normaliser les performances sexuelles du sujet.

A l'opposé de l'éjaculation précoce, l'absence d'éjaculation traduit un court-circuit dans la mécanique générale.

Quels que soient les efforts de l'homme, il ne parvient pas à l'émission de sperme. Et parfois, curieusement, seule la stérilité du couple fait découvrir cette anomalie. Il est classique de dire que ces sujets sont capables des plus remarquables prouesses sexuelles. La réalité est bien plus terre à terre, et les rapports de ces couples sont habituellement bien ternes. C'est une éducation puritaine rigide qui fournit le plus gros du contingent des anéjaculateurs (l'un d'entre mes patients se fustigeait chaque fois qu'il avait une pollution nocturne!). Une explication des réalités de la vie sexuelle suffit parfois à guérir ces patients. Si la simple psychothérapie est inefficace, le vibromasseur se révèle ici l'adjuvant le plus simple et le plus actif. Le massage vibratoire de la racine de la verge déclenche assez généralement le réflexe éjaculateur; probablement la stimulation des centres de la moelle est-elle alors si intense que l'inhibition imposée sur ces centres par le cerveau est complètement levée.

Une fois les premières éjaculations obtenues, le retour à la normale physiologique ne tarde pas.

Quant à l'éjaculation retardée, elle est parfois pénible autant pour le sujet que pour sa compagne. Elle est souvent le résultat tout simplement de l'accumulation des années.

L'âge en effet modifie l'activité sexuelle de bien des façons.

Tout d'abord, le ralentissement de l'activité est un fait général qui résulte d'une diminution du désir.

Mais aussi l'érection exige, pour s'installer, une stimulation plus prolongée. L'éjaculation elle aussi est différée ou plus aisément contrôlée. L'orgasme devient plus bref et la quantité de sperme éjaculée plus réduite.

L'érection cède immédiatement après l'éjaculation, et la période réfractaire, pendant laquelle aucune stimulation ne peut faire renaître une érection, est plus longue.

Bien que ces phénomènes soient absolument universels, ils sont rarement connus de ceux qui les constatent... (et de leurs compagnes). Aussi arrive-t-il que les hommes se demandent s'ils ne sont pas en train de devenir impuissants, et leurs femmes si elles sont aussi désirables qu'autrefois pour leur mari.

Deux propositions qui sont à la fois parfaitement justes et parfaitement fausses...

Mais il est aussi vrai que ces ralentissements peuvent être vécus sur un mode positif, la qualité des rapports sexuels s'améliorant du fait du meilleur contrôle de l'éjaculation, et même de la plus grande lenteur d'installation de l'érection, qui oblige à prolonger les jeux préliminaires.

Le vieillissement s'accompagne aussi de la disparition des « pollutions nocturnes », grâce auxquelles la production testiculaire évite le trop-plein en l'absence de rapports sexuels réguliers. Les rêves érotiques sont-ils la cause de ces pollutions, ou sont-ils provoqués par la tension génitale qui culmine dans l'émission nocturne et involontaire du sperme? Sans doute y a-t-il un peu des deux. Et comme cette tension se réduit progressivement avec l'âge, les pollutions diminuent de fréquence ou s'effacent complètement avec les années.

## IV. MALADIES NON ÉTROITEMENT LIÉES À LA VIE SEXUELLE

Nous avons rapidement survolé les principales dysfonctions sexuelles de l'homme. Mais il est aussi d'autres maladies ou désordres qui entrent parfaitement dans les limites de ce livre, parce qu'ils ne frappent que l'homme et qu'ils peuvent infléchir toute sa vie.

Il n'est pas du tout dans nos vues de résumer la totalité de l'urologie comme Sherman Silber a, par exemple, essayé de le faire dans son livre *The Male.* Mais nous avons choisi de dire l'essentiel sur quelques-unes de ces affections

– soit parce qu'elles exigent une réaction immédiate : on pourrait les appeler les « urgences andrologiques »;

– soit parce qu'on ne peut comprendre vraiment les réactions masculines si l'on n'a pas une idée de ce que représentent ces maladies : qu'il s'agisse de simples inquiétudes masculines ou de vraies maladies de l'appareil génital.

### 1. *Inquiétudes masculines*

Trois organes définissent la masculinité.

Tous trois peuvent sournoisement et chroniquement inquiéter un homme, sans pour autant qu'ils soient réellement « malades ».

*– La verge peut être « petite ».*

Il est vrai qu'il existe des cas (essentiellement de nature hormonologique) de « micro-pénis ». Mais ceux-ci sont exceptionnels. Beaucoup plus souvent, les hommes qui consultent en andrologie parce qu'ils trouvent qu'ils ont une verge trop petite... ont une verge normale.

Mais aucune mensuration, aucune démonstration, aucune argumentation ne viendra leur faire changer d'idée.

Aussi la plupart des andrologues acceptent-ils d'écouter leurs patients et... de leur faire payer leur consultation après avoir cherché à découvrir dans quelle douche scolaire ou conseil de révision ils ont acquis cette idée fixe... sans tenter plus avant de les persuader de leur erreur! Et tout en espérant qu'un jour ils trouveront la femme de leurs rêves qui saura leur faire comprendre qu'ils sont faits comme les autres et que, de toute façon, cela n'a aucune importance [8].

*– Les testicules peuvent être douloureux.*

Les deux ou un seul. La douleur est permanente. Rien ne l'influence. Aucune activité ne l'accroît, aucun médicament ne l'amoindrit.

Il est facile de penser que le sujet a peur qu'un cancer ne soit en train d'envahir son testicule, parce qu'un de ses amis est mort récemment de cette terrible maladie. Et c'est parfois vrai. Mais cette peur n'est pas forcément la cause de sa douleur. Celle-ci a sans doute pour rôle de cristalliser un sentiment de culpabilité, de nature sexuelle bien entendu, qui trouve ainsi son exutoire. La malchance pour le malade est de rencontrer un médecin « actif »... qui croit nécessaire de le soumettre à de multiples explorations pour éliminer le cancer et lui prouver qu'il n'a « rien », car plus il est exploré et plus il s'inquiète. Et cette somatisation de la douleur risque de le conduire à des examens dangereux en eux-mêmes et qui peuvent, eux, provoquer une vraie maladie.

– *Enfin, la douleur peut être périnéale...*

Elle siège là où se situe la prostate. Elle est permanente... rien ne l'influence...

Et elle est tout aussi psychogène que la précédente et tout aussi désarmante pour l'urologue, qui doit être ferme s'il veut éviter à son patient bien des examens inutiles.

Mais il est aussi dangereux pour les patients de rencontrer un médecin qui accepte d'emblée l'hypothèse de la douleur psychique... alors qu'il s'agit d'une maladie réelle, et qui n'approfondit pas l'examen de son patient.

Comment choisir le médecin qui fait exactement ce qu'il faudrait faire? C'est une question à laquelle il est bien difficile de répondre, car une douleur sans aucun substratum organique a, d'un autre côté, bien peu de chance d'exister. Les testicules ne sont guère à l'abri dans leur loge et la prostate a fort à faire. Très probablement ces douleurs ont deux composantes, et il faut beaucoup de finesse... et de temps au médecin pour attribuer à chacune d'elles la part qui lui revient.

### 2. *Urgences andrologiques*

Le propre de l'homme vis-à-vis de ses troubles psycho-sexuels est de différer le plus possible la consultation au cours de laquelle il aura à les décrire. Il y a cependant quelques « urgences andrologiques » que tout médecin tient à diffuser, car la connaissance de ces affections peut avoir un effet salvateur pour ceux qui sont frappés.

Il s'agit de trois « maladies » :

*a.* La torsion des testicules.
*b.* Le priapisme.
*c.* Les écoulements de la verge.

#### *a.* La torsion du testicule

Elle frappe les adultes jeunes. Ceux qui côtoient les jeunes hommes et peuvent jouer un rôle essentiel dans l'évolution de cette grave affection sont les surveillants de collège et les sous-officiers. Ils devraient tous bien la connaître.

Le testicule peut se tordre sur lui-même, c'est-à-dire que le cordon qui le soutient (et dans lequel se trouve l'artère qui l'irrigue) s'enroule sur lui-même. Le sang ne passe plus. Une douleur subite et difficilement supportable tenaille une des bourses. Le testicule s'élève et gonfle. Si l'on croit alors à une infection et que des antibiotiques sont prescrits, en quelques heures la fabrication des spermatozoïdes s'interrompt. Quelques heures plus tard, cette interruption sera définitive. Si le bon diagnostic n'est pas fait, le testicule « fondra » ou bien s'atrophiera complètement.

Seule une intervention chirurgicale *immédiate* peut détordre le cordon et permettre un retour des tissus testiculaires à une oxygénation normale pour empêcher cette séquence catastrophique.

Il ne faut donc, devant un tableau aussi brutal, accepter le diagnostic d'une infection de l'épididyme ou du testicule que si l'on a des raisons certaines d'y croire. Si l'on garde un doute et si on en a la possibilité immédiate, on peut désormais recourir à une exploration au doppler de la circulation dans le cordon testiculaire. En tout cas, si l'accident a lieu la nuit, il ne faut pas attendre le lendemain...

*b.* Le priapisme

C'est une affection heureusement rare. Elle consiste en l'installation d'une érection qui devient douloureuse et permanente, quels que soient les moyens auxquels a recours le malheureux patient. Malgré les érections, les mictions sont possibles. Ce sont les alcooliques et les leucémiques qui sont généralement atteints, mais, bien souvent, aucune cause n'est retrouvée.

Cette maladie est une urgence chirurgicale, elle aussi, car en l'absence de traitement chirurgical une fibrose des tissus caverneux se développe; l'érection tombe et une impuissance définitive peut prendre place.

Une attente de plus de 72 heures accroît significativement le risque de cette impuissance. Le traitement est simple : on crée chirurgicalement un passage entre les corps caverneux et le gland ou une veine voisine; le sang s'écoule et la verge reprend sa flaccidité. Secondairement, la fistule ainsi réalisée se referme spontanément ou bien sera supprimée par l'urologue, procurant un retour à la normale de la fonction érectile.

*c.* L'écoulement de pus par le méat de l'urètre

La classique « blennorragie » inquiète tous les hommes qui en constatent l'apparition.

L'urgent est alors de ne pas se précipiter vers une hasardeuse automédication. Il est au contraire nécessaire de faire pratiquer une analyse bactériologique, qui est beaucoup plus commode chez l'homme que chez la femme. L'autre urgence à ne pas négliger concerne la ou les partenaires : celles qui peuvent être la source de la contamination et celles qui peuvent avoir été contaminées par cet écoulement, même s'il n'était pas encore tout à fait apparent.

L'inflammation de l'urètre qui se traduit par cet écoulement n'est guère dangereuse à vrai dire pour l'homme, mais l'infection de l'appareil génital de la partenaire peut être, pour elle, le début d'un véritable calvaire.

Disons enfin un mot sur une situation que rien ne permet de classer dans les urgences andrologiques, sinon l'expérience du médecin. Il s'agit de l'échec des premiers ébats amoureux.

Rien ne peut plus miner, ronger un jeune homme comme cet accident.

Et pourtant aucun échec n'est plus explicable. Au point que c'est l'inverse qui est surprenant... qu'il n'y ait pas davantage de « recalés ».

La crainte de ne pas savoir, l'ignorance vraie, la timidité, la peur de paraître balourd ou de faire mal..., bref l'ensemble des sentiments que chacun a éprouvés un jour ou l'autre, sont alors à leur paroxysme, et il faut que l'instinct sexuel soit bien fort pour dépasser tous ces sentiments dignes du cerveau du plus avancé des animaux et permettre la réalisation du premier acte sexuel d'un homme.

Mais si le succès n'a pas couronné cette première entreprise, il vaut mieux, au lieu de ruminer son échec, consulter un médecin ou un psychologue. Celui-ci saura bien rompre le cercle vicieux et empêcher les idées noires de s'installer aux premières places des pensées du triste jeune homme, en démontant avec lui les mécanismes de son échec.

### 3. *Autres maladies des organes génitaux*

#### *a.* Maladies de la verge

*– La maladie de Lapeyronnie.*

Parfois un homme qui se sentait parfaitement bien se découvre inopinément dans la verge un noyau dur. Un autre s'aperçoit qu'elle se courbe plus ou moins quand elle est en érection. Parfois le rapport sexuel devient difficile ou même acrobatique. Toutes ces situations sont dues au développement, dans un corps caverneux ou dans les deux, d'une fibrose rétractile.

Cette maladie, qui touche essentiellement les hommes de plus de 40 ans, affecte parfois des hommes bien plus jeunes. Elle évolue de façon parfaitement imprévisible. Alors que le noyau induré a vite grandi, il se fixe ou même disparaît. Dans d'autres cas, à l'inverse, la verge d'abord à peine incurvée se « casse » véritablement. Il arrive même qu'une impuissance vienne reléguer au second plan les préoccupations esthétiques du sujet concerné.

Si le patient est embarrassé par sa maladie et qu'il assiste avec angoisse à ses progrès lents ou rapides, le médecin l'est au moins autant car il ne sait quelle thérapeutique lui opposer. Certes, une intervention de chirurgie plastique est possible, mais elle est délicate et conduit à un raccourcissement de la verge puisqu'on doit enlever tous les tissus scléreux.

Parfois, si l'impuissance semble définitive, le chirurgien est obligé d'avoir recours à l'implantation de prothèses péniennes pour redonner à la fois une certaine rigidité et un axe normal à la verge.

Mais le plus difficile est de décider du moment de l'opération, puisqu'il n'est heureusement pas rare que la maladie évolue favorablement.

*– Le cancer de la verge.*

Il existe, malheureusement. C'est une maladie que l'on ne peut décrire en quelques mots. On peut cependant en dire que la circoncision réalisée pendant la très jeune enfance met à l'abri de ce mal, ce qui pour certains justifie sa pratique systématique. Apparemment, la circoncision retardée ne possède pas un effet protecteur aussi efficace.

Ce cancer est une maladie du sujet âgé, du moins en

France, car ce n'est pas le cas en Orient. Il affecte la partie terminale de la verge. Il est plus souvent caché que visible, car il provoque souvent un rétrécissement du prépuce.

Et c'est autant cette impossibilité tardive de ramener en arrière la calotte préputiale que la perception d'une anomalie de consistance ou la présence d'un écoulement sanglant qui doivent inquiéter. Quant aux lésions visibles, elles doivent toujours conduire à une consultation médicale et ne pas être prises à la légère, qu'il s'agisse d'un cratère ou d'un bourgeon, surtout quand ils s'accompagnent d'une tuméfaction des ganglions des creux inguinaux.

*b.* Maladies du testicule

Le cancer du testicule existe aussi. A l'inverse du précédent, il atteint surtout l'homme jeune. Il semble que, dans les pays industriels, il survienne plus souvent aujourd'hui qu'il y a quelques années.

Il est un peu plus fréquent chez les sujets dont un ou les deux testicules ne sont pas descendus normalement avant la naissance, que cette descente n'ait jamais eu lieu ou qu'elle ait été obtenue par un traitement médical ou un geste chirurgical.

Le cancer du testicule est parfois, par chance pourrait-on dire, décelé parce que le sujet ou un médecin, à l'occasion d'un de ces examens systématiques qui sont de plus en plus coutumiers, a constaté une *induration très localisée,* en un point quelconque de la glande. Mais c'est parfois une masse qui se développe dans la bourse, se greffant sur le testicule. Sa consistance est différente du reste de la glande; elle peut aussi bien être dure que molle; elle est aussi souvent tout à fait indolore. Ce sont là des particularités de cette tumeur qu'il faut bien connaître si on ne veut pas se rassurer à tort, car plus précoce en est le diagnostic et plus efficace le traitement.

### *c.* Maladies de la prostate

Apanage de l'homme, puisque la femme ne possède pas un tel organe, la prostate peut être appelée la mauvaise fée de l'homme vieillissant.

Au minimum quand elle s'hypertrophie (on dit alors qu'un adénome s'est développé dans la prostate), elle peut gêner le sommeil de la deuxième partie de la nuit. Il arrive aussi qu'en écrasant le canal de l'urètre elle déforme le jet d'urine en éventail et provoque sur le sol des éclaboussures, à l'origine de drames conjugaux. Elle affaiblit le jet, qui tombe piteusement « sur les bottes » de l'homme en train d'uriner. Elle ralentit la miction et oblige « l'impatient » à attendre le bon vouloir de sa vessie. Elle provoque la survenue de gouttes terminales qui n'en finissent pas, ou, pire, de gouttes retardataires qui mouillent le slip... jusqu'à la miction suivante. Quant à la véritable incontinence, beaucoup plus rare et qui se voit habituellement chez l'homme très âgé, mieux vaut n'en rien dire.

Si des efforts de poussée veulent accroître la force du jet, ils aboutissent parfois à des accidents du côté du rectum. Enfin, qu'un bon repas accroisse le débit des reins ou que l'homme exaspéré de devoir aller aux toilettes toutes les heures désobéisse à l'adage « Ne vous retenez jamais », et voilà l'irréparable rétention aiguë d'urine qui transforme un sujet normal en un agité, tourmenté par un seul leitmotiv : pisser ou mourir !

Inutile donc de dire que c'est avant cet épisode profondément déplaisant qu'il faut savoir consulter un urologue.

J'ai peut-être forcé un peu le tableau, mais le fait est que peu de maladies donnent aussi rapidement à un homme apparemment en bonne santé une impression de déchéance bien difficile à vivre.

Heureusement cette « prostate », qui peut être le siège de

si nombreux désordres – adénome, cancer, prostatite – frappant le plus souvent l'homme après quarante ans et même généralement après soixante ans, n'affecte qu'une petite partie de la gent masculine. Une proportion qui cependant s'accroît progressivement avec l'âge.

On soigne heureusement beaucoup mieux toutes ces maladies qu'on ne le faisait autrefois.

Un mot sur la prostatite aiguë, car c'est une affection trop souvent prise à tort pour une petite grippe. Elle se traduit par une poussée fébrile subite, l'état général étant satisfaisant. Si l'on ne pense pas à regarder les urines, qui sont alors troubles ou parsemées de multiples filaments, on pourrait facilement méconnaître la prostatite, car souvent le patient ne souffre d'aucun trouble de la miction. Cette affection est parfois pénible à supporter, car elle se répète sans cause apparente, et les urologues ont la plus grande peine à l'en empêcher.

Quant au cancer de la prostate, sur lequel des livres ont été écrits, il peut se révéler par une impuissance inexplicable autrement et qui doit y faire penser. Les meilleures façons de le traiter passent par une réduction à néant des hormones mâles sécrétées par les testicules. On le faisait naguère par l'administration d'œstrogènes; on a aussi tenté de retirer la totalité de la pulpe testiculaire; aujourd'hui on utilise surtout les antihormones. Grâce à celles-ci, on peut si bien soulager un patient atteint de cancer de la prostate qu'il peut, pendant de longues années, mener une vie en apparence normale.

L'opération de la prostate (« prostatectomie ») peut consister en une suppression de la totalité de la glande. C'est ce qu'on peut faire en cas de cancer débutant. Il en résulte trop souvent une impuissance définitive et une incontinence d'urine; beaucoup plus souvent, heureusement, ce qu'on appelle « prostatectomie » n'est que l'ablation du noyau d'adénome. On peut la réaliser par les voies naturelles, c'est-à-dire par l'intérieur du canal de l'urètre, avec un « resecteur », ou à travers la paroi abdominale, donc une véritable opération.

Dans les deux cas, le sphincter qui se trouve à la partie supérieure de la prostate est supprimé. Lors de l'éjaculation, l'espace clos où le sperme était enfermé lors de l'« émission » ne peut plus exister; aussi le sperme est-il en totalité envoyé directement dans la vessie et l'éjaculation est dite sèche. Cela ne supprime pas la sensation de plaisir mais, si le patient n'en est pas averti avant l'opération, lui cause un choc bien compréhensible.

Au contraire, il est classique et vrai de dire que l'érection non seulement n'est pas affectée par la suppression de l'adénome prostatique, mais même qu'elle peut en être améliorée. Tout tient dans la qualité du dialogue que le patient aura eu avant son opération avec son chirurgien urologue.

## V. QU'EST-CE QUE L'ANDROPAUSE?

L'andropause n'existe pas. L'idée ne viendrait d'ailleurs à personne qu'une gynéco-pause (c'est-à-dire un « arrêt de la femme ») puisse exister.

Mais si l'on a tant parlé de cette période de la vie de l'homme, ce n'est pas tout à fait par hasard.

C'est entre quarante et soixante ans que l'homme perçoit un changement qui affecte à la vérité toutes ses aptitudes : mémoire, audition, vision, tout change, ainsi d'ailleurs que l'aspect physique et les performances sportives. Toutes ces modifications sont évidentes, connues, et ne mériteraient guère qu'on s'y attache sinon pour dire qu'il est étonnant que chaque individu soit à ce point « frappé », pour lui-même, d'un fait qu'il a pu constater tout au long de sa vie chez les personnes de son entourage!

Mais ce sont les modifications de l'appareil reproducteur

de l'homme qui intéressent le public, en somme les phénomènes qui correspondent à l'arrêt des règles de la femme.

Chez l'homme, à la cinquantaine, que se passe-t-il? La réponse des médecins à cette question est un peu ambiguë et dépend beaucoup des spécialistes interrogés.

Les uns prétendent que le taux des hormones testiculaires, en particulier la testostérone, s'abaisse; les autres qu'au contraire il se maintient curieusement aussi haut que chez le sujet jeune et ne décline qu'après soixante-dix ans.

Tous reconnaissent que le désir sexuel s'émousse, que l'activité se réduit, que la dynamique de l'acte sexuel est dans sa totalité plus lente et exige une plus grande stimulation, et qu'il est bien regrettable que certaines femmes ne sachent pas « d'instinct » qu'il en est ainsi. Elles vont chercher des explications individuelles à un phénomène général, mais qui bien entendu n'en est pas moins variable selon les hommes, les uns étant indéniablement plus puissants ou plus motivés que les autres.

Sur le plan des cellules reproductrices, en revanche, les divergences entre chercheurs réapparaissent. Certains s'attachent à démontrer qu'il y a un affaiblissement de la production des spermatozoïdes, une augmentation de la proportion des spermatozoïdes porteurs de tares génétiques, une diminution de la mobilité de ceux-ci... D'autres, à l'inverse, s'émerveillent de ce que le sperme des hommes âgés soit si proche de celui des jeunes, alors que l'ensemble des cellules de l'organisme a vieilli. Tout se passe comme si les cellules germinales (celles qui se transformeront en spermatozoïdes) étaient l'objet d'une protection naturelle. On a même rapproché ces cellules germinales des cellules cancéreuses, douées, elles aussi, d'un pouvoir de survie assez surprenant.

Différence qui nous ramène à la distinction entre le germen immortel, dont le rôle majeur est de permettre la survie de l'espèce, et les cellules qui appartiennent à un individu mortel, et, par conséquent, vieillissent avec lui.

## NOTES

1. Un détail dont l'utilité apparaîtra plus loin : les cellules germinales qui donneront à la puberté les spermatozoïdes ou qui se transformeront en ovules ne sont pas, dès le départ, dans les gonades, elles ne sont même pas dans l'embryon. On les reconnaît d'abord tout près de celui-ci dans ce qu'on appelle le pédicule embryonnaire, qui rattache l'embryon à la paroi de la cavité dans laquelle il flotte. Elles parviendront après un long trajet dans les gonades, où elles se transformeront, selon le sexe de l'embryon, en spermatogonies ou ovogonies.

2. Le lecteur a bien compris que la testostérone est la forme la plus achevée et la plus active des hormones mâles. Il est d'autres hormones mâles, mais on peut se contenter d'admettre l'équation : hormones mâles = testostérone.

3. Pour être tout à fait exact, il faut préciser que, avant de parvenir à l'épididyme, ils traversent une sorte de réseau de tubes très fins.

4. Une étude est dite en double aveugle quand le patient prend pendant une certaine période un médicament actif et pendant une autre période un placebo – c'est-à-dire un produit inerte. Ni le patient ni le médecin qui le suit ne savent à quelle période correspond le vrai médicament, jusqu'à la fin de l'étude où le code est dévoilé.

5. En somme, pour reprendre la comparaison classique, ces récepteurs seraient comme une serrure qui admettrait la morphine et ses analogues comme clés, leur molécule ayant une forme correspondante leur permettant de pénétrer dans l'orifice.

6. Une observation privilégiée donne à penser que la prise de médicament anti-hormone mâle est parfois capable de supprimer le profond mal-être engendré par un amour contrarié.

7. Il ne sera pas dans cet ouvrage question de stérilité masculine. De nombreux livres ont été récemment publiés sur ce sujet, mais il nous paraît indispensable de rappeler que virilité et fertilité ne sont pas indissolublement liées. Un homme peut être fertile et impuissant ou, au contraire, stérile mais parfaitement puissant. Même si ses testicules n'élaborent aucun spermatozoïde, un liquide séminal est fabriqué par sa prostate et ses vésicules séminales, et l'acte sexuel se déroule chez lui de façon strictement normale.

8. Cette question, éternelle (?), des dimensions de la verge a sans nul doute trouvé sa solution, au moins en partie, depuis la découverte de l'existence du point G.

Dans la paroi vaginale antérieure se trouve une zone sensible, et le simple appui sur cette paroi en un point précis déclenche une sensation érotique fort plaisante. Cette zone n'est pas étendue, et la verge la plus petite est parfaitement capable, dans une position adéquate, de la stimuler tout entière.

Ce serait faire preuve d'un réductionnisme injustifiable que de limiter le plaisir sexuel féminin au point G. Mais, de ce point de vue au moins, le volume de la verge ne joue aucun rôle.

# 4. Psychanalyse

# La sexualité masculine ou comment s'en débarrasser

## Réflexions sur la sexualité masculine à partir du transsexualisme

*Agnès Oppenheimer*

Réfléchir sur la sexualité masculine à partir des hommes qui demandent un changement de sexe peut apparaître à première vue comme une gageure : le transsexuel demande en effet une transformation médicale et chirurgicale qui a pour conséquences la diminution, l'arrêt puis la suppression totale d'une sexualité mâle dont il désire se débarrasser.

Mais l'excès éclaire la « normalité », et les « expérimentations naturelles », comme les appellent les Américains, suscitent des interrogations fondamentales. Davantage : le transsexualisme nous place devant un paradoxe; l'homme accorde généralement une importance capitale à l'existence et à l'exercice de sa sexualité, signes de virilité et de puissance. Que penser de celui qui veut annuler toute puissance sexuelle par la prise d'hormones et qui va même jusqu'à exiger l'ablation de ses organes génitaux?

Le transsexualisme apparaît d'emblée comme une contradiction face aux idées reçues. Ne met-il pas en question la théorie psychanalytique du primat du phallus et de l'angoisse de castration?

Si la demande première du transsexuel est celle de « devenir » une femme et par conséquent de supprimer toute « mâlité [1] », nous suivrons le fil conducteur inverse qui consiste à renverser la proposition : le rejet de tout ce qui est mâle et masculin est le moteur de sa décision, qui consiste à vouloir se transformer en femme. Envie de féminité et refus de masculinité sont deux mouvements qui vont de pair. On pourrait penser que l'envie d'être une femme conduit le transsexuel au refus d'être homme. Nous soutiendrons plutôt que le refus de la mâlité et de la masculinité est plus fort que le désir de féminité, et que le rejet de la sexualité masculine est le véritable moteur de la demande.

### *Aspects phénoménologiques du transsexualisme*

Le transsexuel masculin est un homme qui se sent femme, qui souhaite adopter un rôle féminin et qui demande à la médecine, voire à la chirurgie, de l'aider à changer de sexe. Si la première étape consiste en la féminisation de l'apparence corporelle, cette transformation s'accompagne *de facto* d'une suppression des caractères mâles.

La demande n'est jamais déterminée par des motifs d'ordre sexuel au sens de l'obtention d'un plaisir plus grand, puisque la concrétisation a pour objet d'empêcher l'émergence de réactions sexuelles.

La vie sexuelle des transsexuels avant le « changement de sexe » est loin d'être uniforme. Certains ont eu une vie sexuelle hétérosexuelle, ont été mariés voire pères de famille; d'autres ont eu une sexualité « homosexuelle », d'autres enfin ont eu très peu ou pas du tout de relations sexuelles. Dans tous les cas, au moment où s'exprime la demande de changer de sexe, ils affirment avoir accordé une importance minime à la sexualité et ils nient qu'elle ait pu leur apporter une véritable satisfaction : ils prétendent que seul compte le sentiment de leur identité « féminine ».

Après une transformation médicale et chirurgicale qui les rend le plus conformes possible à l'apparence d'une femme (apparition des seins, ablation du pénis et des testicules, enfin création d'un néo-vagin), les transsexuels ont des relations sexuelles qu'ils qualifient de « normales », c'est-à-dire « hétérosexuelles ». Certains affirment éprouver des orgasmes, mais, à les entendre, la satisfaction sexuelle semble résider en premier lieu dans l'affirmation de soi comme femme et dans la reconnaissance de ce fait par autrui. Quelques-uns ont des rapports sexuels avec des femmes et se disent « lesbiennes ». Dans ce cas, il semble que le changement de sexe leur permette d'aborder ce qui était l'« autre sexe » d'une manière moins conflictuelle.

Avant la transformation, les relations que nous avons qualifiées d'« homosexuelles » ne sont pas reconnues comme telles par le sujet transsexuel, qui se prétend « hétérosexuel » puisqu'il se sent femme! Si le partenaire homme ne le considère pas comme femme, il s'en détache.

Les cas que nous avons rencontrés sont différents les uns des autres. Parmi ceux qui demandent un changement de sexe et qui « vivent en femme » depuis plus de sept ans, l'un d'eux était « danseuse » dans un cabaret, Béatrice, tandis que l'autre avait un métier plus classique. Béatrice avait des relations sado-masochistes avec un partenaire qui ne désirait pas du tout une intervention chirurgicale. Angèle avait une relation stable avec un partenaire que nous n'avons pas vu.

Les sujets ayant subi une intervention sont également différents les uns des autres. A titre d'exemple, Marie travaille dans un bureau et demande son changement d'état civil quand « elle » désire se marier; « elle » souhaite arrêter de travailler et rester à la maison. En revanche, Rébecca, qui a subi l'intervention cinq ans auparavant (comme Marie), était père de trois enfants. « Elle » a lutté contre ses tendances féminines en se mariant, en vain. Maintenant, elle exerce le même métier que celui qu'« elle » exerçait en tant qu'homme et qui est un métier de grande responsabilité. Dans sa vie actuelle,

Rébecca « drague » beaucoup avec succès, et « elle » se prouve ainsi perpétuellement sa « féminité ».

La plupart d'entre eux ont eu une expérience homosexuelle à l'adolescence qui les a beaucoup marqués, à l'exception de Rébecca. Béatrice a quitté sa famille après cette aventure. En général, cette expérience leur révèle un monde ou les conduit à refuser l'homosexualité et à se tourner vers le transsexualisme.

Les transsexuels évoqués ont en général été élevés par des femmes et expriment une agressivité ou une indifférence envers un père qualifié de faible. Ils ont tendance à banaliser leur enfance, et ce n'est que petit à petit que nous apprenons qu'un père est un beau-père, qu'un parent est mort, etc. Les versions diffèrent d'un entretien à l'autre et les émotions sont facilement réprimées. Le milieu est toujours conflictuel et insécurisant.

Rébecca dit que l'intervention chirurgicale provenait d'une impulsion incontrôlable et que la solution actuelle, sans être parfaite, est « meilleure ». Marie affirme qu'« elle » n'a aucune conviction d'être femme mais que l'homosexualité ne lui convenait pas.

L'intervention et, auparavant, le fait de ne plus vivre en homme apportent un soulagement à une problématique conflictuelle, notamment en ce qui concerne les relations aux imagos parentales. Ainsi Rébecca déteste moins son père depuis son « changement ». Béatrice se sent moins mal à l'aise avec les femmes. Davantage de sentiments profonds émergent, comme si le changement de sexe rendait la prise de conscience moins dangereuse.

En somme, moins le sujet se sent convaincu d'« être » une femme, meilleure est la solution et moins malheureuse est sa vie. La conviction fait écran aux conflits, qui s'expriment davantage si la personne considère son choix comme une solution et non un destin « écrit d'avance ». Si la féminité est perçue comme une essence et non comme une possibilité moins conflictuelle que la masculinité, le sujet perçoit les perturbations que lui créa sa sexualité masculine et le déni est moindre, puisque le refus de son sexe mâle est plus conscient dans les conflits qu'il occasionne. Le sujet est plus libre et peut s'expliquer ses choix de diverses manières avec des versions plus larges et plus ouvertes de son passé.

Le transsexuel se distingue du travesti et de l'homosexuel : le travesti est un homme qui se sent homme et qui désire le rester; son identité sexuelle est masculine. En raison de perturbations psychologiques sur lesquelles nous ne pouvons nous étendre ici, il est amené à s'habiller en femme à des fins de plaisir sexuel. Se sentant menacé dans son identité et sa psychosexualité, il mime la femme, s'en trouve sexuellement excité et il révèle sa masculinité au moment de l'orgasme. L'acmé de sa jouissance coïncide avec la réassurance de sa mâlité et de sa masculinité, qui triomphent de l'apparence féminine. La virilité et l'identité de ces sujets seraient plus vulnérables que chez les autres hommes. Leur comportement sexuel aurait pour fonction de résoudre leurs conflits concernant l'angoisse de castration et une identité vacillante.

Du point de vue de l'identité, l'homosexuel se sent homme : son « choix d'objet » se porte sur ses semblables. La diversité des homosexuels empêche de considérer, selon Stoller, l'homosexualité comme un « diagnostic ».

Face à ces distinctions sommaires, plusieurs questions se posent. Dans quelle mesure la sexualité masculine est-elle déterminée par la menace qui pèse sur le sentiment de soi? Comment l'identité masculine peut-elle s'établir? Faut-il se sentir homme pour avoir un comportement sexuel masculin? Enfin, quelle est la valeur de cette sexualité que certains annihilent? S'il est vrai que chacun possède des caractères bisexuels, le transsexuel se voudrait monosexuel en rejetant toute mâlité et masculinité pour évoluer vers une sexualité féminine considérée généralement comme mystérieuse.

Le futur transsexuel n'accorde guère d'importance à un

pénis dont il souhaite se débarrasser, et, loin de s'identifier à une image paternelle, il semble plutôt s'identifier à une mère dont il désire posséder les attributs. L'évolution est absolument inverse de celle des garçons habituels : la masculinité et non la féminité constitue la menace première qui conduit à la demande de changement de sexe.

Si nous ne savons pas ce qu'est « en réalité » un homme ou une femme et si la plupart des sujets humains ne mettent pas en question leur sexe d'assignation, le transsexuel apparaît comme celui qui sait ce qu'est une femme puisqu'il prétend le « devenir » malgré son anatomie.

*Une identité sexuelle inversée?*

Des études concernant les intersexuels (dont Stoller rend compte) indiquent qu'en cas de malformation génitale ou d'erreur d'assignation sexuelle, les sujets constituent une identité sexuelle correspondant au sexe assigné, à la naissance. Le fantasme parental prévaut sur les données biologiques, et l'identité sexuelle est irréversible à partir de l'âge de trois ans environ.

Or, là, le transsexuel se pose comme une contradiction. Il prétend qu'il se sent femme et qu'il peut le devenir, ce qui tendrait à impliquer que son identité sexuelle est l'inverse de son sexe biologique.

Stoller, qui a observé bon nombre de garçons féminins et de transsexuels adultes, souscrit à cette croyance dont il fait une théorie. Se fondant sur l'absence de masculinité chez ces garçons, sur une constellation familiale particulière et sur l'absence de grave pathologie – données qui se retrouvent dans l'enfance des transsexuels –, il émet l'hypothèse selon laquelle une empreinte précoce venue de la mère serait à l'origine de ce syndrome. Étant donné l'irréversibilité de l'identité sexuelle, il pense qu'il pourrait se constituer une identité sexuelle inversée et irréversible chez le « vrai » transsexuel, dont le genre féminin serait opposé au sexe mâle.

Les critiques [2] que l'on peut faire à l'égard d'une telle théorie sont principalement de deux ordres : d'une part, elle considère le transsexuel comme un être exceptionnel qui ne subirait pas les différents complexes auxquels les êtres humains sont soumis et qui ne serait la proie d'aucun conflit interne; d'autre part, cette thèse ne prend en compte qu'une partie des transsexuels, ceux qui correspondent aux données établies. Or les autres sont infiniment plus nombreux!

De toute manière, même si l'identité sexuelle est inversée par rapport au sexe d'assignation, elle ne peut être exempte de conflits. La théorie de Stoller justifie la croyance du transsexuel selon laquelle il a une âme féminine dans un corps d'homme. Or, il ne nous paraît pas pensable de séparer l'identité liée au sexe de la sexualité.

La psychosexualité du transsexuel n'est jamais celle d'une femme; le garçon féminin ne s'apparente aucunement à une petite fille. L'idée qu'un sentiment personnel puisse s'établir indépendamment de toute considération anatomique, des sensations sexuelles et de l'image du corps, est une croyance transsexualiste. L'entériner dans une théorie conduit à nier l'impact des sensations sexuelles, et de la pulsion – ce que précisément nie le transsexuel.

Figer la compréhension sous un *a priori* amène à évacuer certains sujets transsexuels du transsexualisme! Il paraît plus riche de prendre en considération tous les sujets qui demandent un changement de sexe et qui éventuellement l'obtiennent pour écouter leurs différents discours.

Un certain nombre d'entre eux déclarent que le fait de « vivre en femme [3] » est une solution qui les délivre de leurs angoisses et qui leur permet de vivre plus heureux. Ceux qui affirment « avoir toujours été ainsi » font du transsexualisme un troisième sexe, une troisième identité. L'on peut se demander s'ils ne reconstruisent pas leur passé autour de cette idée obsédante, afin de conserver une continuité garante d'une intégrité personnelle. Le fait qu'ils reviennent rarement voir les personnes qu'ils ont consultées avant leur intervention ne témoigne-t-il pas de la nécessité où ils se trouvent de rompre avec un passé qu'ils désirent oublier et qui constitue peut-être une menace?

### *La destruction de la pulsion masculine*

Le sujet qui évolue dans le sens d'une transformation sexuelle vers la féminité se trouve en proie à une quête sans fin : quête d'une perfection corporelle, demande d'être reconnu comme femme par autrui. Tout son narcissisme passe par l'exigence de « faire illusion » à ses yeux et à ceux des autres. Cette entrée dans un monde de « semblant » exige sans cesse des preuves, ce qui témoigne bien du fait que la supposée « identité féminine » n'est pas si assurée que le sujet le prétend.

Si chaque étape de la transformation est un pas de plus franchi vers la « féminité », elle correspond également à un éloignement et à une destruction de la masculinité. Mais la masculinité n'est jamais totalement détruite ni évacuée, ne serait-ce que par les souvenirs qui lui sont liés : elle demeure comme une ombre qu'il lui faut fuir mais qui demeure, un double de soi voué aux gémonies, qui persiste, hante les rêves et dont nul ne peut se débarrasser.

Le transsexuel ne demande presque jamais d'aide psychothérapeutique, même si la dépression l'envahit : il a recours à des « actes », transformations corporelles qui semblent lui permettre d'évacuer des conflits difficilement solubles. Toute difficulté est mise sur le compte du problème de l'identité sexuelle. A la lumière de l'expérience clinique, il apparaît que cette action qui ne trouve aucun terme correspond à la nécessité de fuir une réalité interne insupportable. Les actes de transformation, concrets et extérieurs, même s'ils ont trait au corps propre, permettent d'éviter une confrontation avec soi-même : ils ont pour but d'effacer toute trace de sexualité masculine. S'agirait-il d'une anti-pulsion sexuelle ou d'une pulsion anti-sexuelle?

Par rapport à la bisexualité, le sujet transsexuel semble divisé, coupé en deux : le savoir qu'il a de son anatomie se sépare d'une croyance qui ne veut pas en reconnaître la portée. Le transsexuel entend créer une autre loi de la nature aux termes de laquelle la naissance ne serait plus irréversible; il demande réparation, en détruisant son sexe, de l'erreur ou de la faute de ses parents. Il vise à une renaissance, à une résurrection, à une autre vie, ce qui peut s'apparenter à la métempsycose. Il veut changer l'ordre du monde plutôt que son désir.

L'évacuation de la pulsion sexuelle au profit de la seule identité désincarnée implique l'existence d'une croyance en une entité ou essence féminine à incarner. Mais cela semble contradictoire avec la constatation que le transsexuel est à la recherche des stéréotypes sociaux existant dans nos sociétés.

L'identité du transsexuel apparaît en fait comme la quête d'un soi mal assuré : elle s'établit sur la négation de la sexualité masculine, objet d'horreur et de culpabilité.

### *Identité et sexualité*

L'identité sexuelle, en tant que sentiment d'appartenance au genre masculin ou féminin, est une certitude chez la plupart des sujets humains. Mais, dans la mesure même de son assurance, elle laisse place à l'existence de fantasmes et de représentations de soi comprenant les caractéristiques de l'autre sexe ou des deux ensemble.

Chez le futur transsexuel, en revanche, l'identité est à venir; elle se crée au futur, tout en se disant passée, tel un patrimoine génétique ou une marque divine : le passé, construit ou reconstruit, joue comme garantie. Même si dans l'enfance le sujet a été féminin, il faut qu'il en prenne conscience et qu'il l'exprime à un moment donné; il cherche alors des preuves dans son passé et dans les transformations concrètes à la fois actuelles et projetées dans l'avenir.

La dimension de l'imagination n'est pourtant pas exempte de troubles. Le transsexuel lutte contre toute représentation de lui au masculin mais il se représente difficilement en femme, sauf à s'identifier à telle ou telle femme; en l'imitant, c'est toujours une « autre » qu'il veut devenir.

Ce que la notion d'identité apporte à la problématique de la sexualité est la constatation d'une profonde différence entre hommes et femmes. Les hommes craignent davantage pour leur virilité que les femmes pour leur féminité, d'une part, en vertu de l'angoisse de castration plus intense chez eux et, d'autre part, parce qu'une envie pour les attributs féminins leur semble incompatible avec la masculinité.

Les femmes, en revanche, semblent davantage sûres de leur féminité, que l'envie du pénis ne remet guère en cause. Stoller émet l'hypothèse selon laquelle il y aurait une identification primaire à la mère qui donne les soins, parallèlement à l'émergence d'une relation d'objet. La fille subirait le destin de devoir changer d'objet d'amour, de passer de la mère au père, tandis que le garçon devrait pour devenir masculin se « désidentifier » de la femme-mère. Toute envie de retourner à la fusion primitive pourrait mettre en péril son identité masculine.

La menace plus grande pesant sur l'identité de l'homme pourrait expliquer le rejet de l'homosexualité masculine par les hommes, qui pensent souvent que l'homosexuel est « moins homme » que les autres. On ne retrouve pas de semblable constatation chez les femmes par rapport à l'homosexualité féminine.

Selon Stoller, le comportement du travesti trouverait ainsi une ébauche de compréhension : l'explosion de plaisir qui accompagne la révélation qu'il est bien un homme serait une preuve de son identité masculine. La fragilité de l'identité masculine expliquerait le plus grand nombre de perversions chez les hommes, dont la fonction serait de renforcer le sentiment de masculinité.

La sexualité de l'homme serait davantage déterminée par les problèmes d'identité que celle de la femme. Quand un homme se transforme en femme, il s'oriente vers une sexualité « féminine » qui le garantit contre tout retour de sa sexualité masculine. Il entend conquérir la sexualité « féminine ».

La sexualité « féminine » du transsexuel serait alors ce qui supplée à une représentation manquante de la femme? L'on pourrait dès lors comprendre pourquoi le transsexuel tient tellement à sa transformation; la réalisation de soi en femme lui permettrait de vivre ce qu'il n'a pu imaginer ou imagine difficilement. Être considéré comme femme lors de l'acte sexuel lèverait l'inquiétude qui l'habite concernant le coït parental. La position féminine est peut-être si troublante pour lui qu'il faille la mimer pour surmonter le traumatisme créé par ses fantasmes.

La sexualité masculine, quand elle n'a pas pour fonction de résoudre des conflits mais qu'elle témoigne de leur résolution, inclut la possibilité de s'identifier sans peur à la femme tout en restant dans une identité masculine. Or, le transsexuel n'a pas accès à cette possibilité : il doit vivre comme une femme, refuser l'homme en lui ainsi que sa pulsion. Si le refus est premier, la féminité serait davantage une compensation que l'objet d'une envie première. La pulsion sexuelle masculine doit être, quant à elle, suffisamment pressante pour conduire le sujet à se débarrasser des organes mâles.

Mais ce qui est indestructible aux yeux des autres comme « dans » l'inconscient doit exister sous une autre forme. Comment la sexualité dont les fondements physiologiques sont détruits fait-elle retour?

*Une sexualité masculine par procuration*

L'hypothèse que nous ferons quant à la sexualité masculine refusée par le transsexuel est la suivante : Tout se passe comme si elle revenait par le biais de son partenaire. Le transsexuel, dans la position féminine, est le témoin privilégié du comportement de l'autre. Il éloigne la sexualité qui le menace en ne s'y confrontant pas directement, mais en se servant de l'autre comme d'un miroir. Telle est une manière de vivre la bisexualité.

Dans l'expérience qu'il acquiert de l'homme, il mesure ce qu'il gagne et contrôle la situation : l'excitation est chez l'autre et non chez lui. Il n'en est ni responsable ni coupable, sauf comme objet extérieur, et il peut savoir ce que l'autre éprouve. Il peut s'imaginer avoir sondé le mystère de la différence des sexes et il est maître d'une situation à deux.

Pour certains, la résolution de l'énigme est prégnante, pour d'autres, c'est la maîtrise de la situation et la puissance dont ils jouissent. Être aimé d'un homme comme une femme permet de comprendre le désir sexuel de l'homme, ce désir si menaçant quand le sujet pouvait l'éprouver lui-même.

L'annulation de la masculinité est celle des ascendants et des descendants s'il y en a. Aucune identification ne peut fonctionner, si bien qu'il faut vivre l'autre sexe pour surmonter la terreur et le mystère du rapport sexuel et de sa propre conception, qui apparaît comme un crime à oublier. En inversant les rôles, les parents sont éloignés et la sexualité prend une dimension ludique qui permet d'éviter l'angoisse.

Si le transsexuel veut persuader autrui que son genre est séparé de son sexe, c'est pour éviter le conflit que constitue leur union. Aussi ne pouvons-nous souscrire à une coupure théorique entre sexe et genre : la sexualité est psychosexualité [4].

Le sexe masculin n'est pas un critère suffisant pour l'établissement d'une identité ou d'une psychosexualité masculine et d'un comportement masculin. L'anatomie est seconde par rapport à l'ordre psychologique. Le transsexuel s'organise par rapport à des conflits auxquels il trouve une « solution », mais jamais un homme ne devient femme et il n'y a ni troisième sexe ni troisième identité.

Le transsexuel reste néanmoins une exception : chez lui, la sexualité masculine si souvent revendiquée est expulsée avec force. Mais ce rejet perpétuel indique qu'elle perdure. La partie masculine refusée est retrouvée dans le partenaire et ainsi contrôlée.

L'envie des attributs de l'autre sexe nous paraît devoir être distinguée du désir d'appartenir à l'autre genre; en effet, l'envie de la féminité chez l'homme menace souvent une identité masculine à laquelle il tient par-dessus tout. Le transsexuel, en revanche, veut évacuer la sexualité et l'identité masculines. Loin de mettre en acte une identité « féminine », il nous offre plutôt l'image d'une identité masculine en négatif.

## BIBLIOGRAPHIE

J.-M. Alby, *Contribution à l'étude du transsexualisme,* Paris, thèse, 1956; « L'identité sexuelle, pour quoi faire? », *Nouvelle Revue de psychanalyse,* n° 7, 1973.

R. Barande, « Au-delà d'une théologie dualiste : l'unisexualité psychique », *Revue française de psychanalyse,* 39, 5-6, 1975.

D. Braunschweig et M. Fain, *Éros et Anteros,* Paris, Petite Bibliothèque Payot, 1971.

C. David, « La bisexualité psychique : éléments d'une réévaluation », *Revue française de psychanalyse,* 39, 5-6, 1975.

A. Faure-Oppenheimer, *Le Choix du sexe,* Paris, PUF, 1980.

S. Freud, *Trois Essais sur la théorie de la sexualité,* Paris, Gallimard, 1965.

A. Green, « Le genre neutre », *Nouvelle Revue de psychanalyse,* n° 7, 1973.

J.-G. Raymond, *L'Empire transsexuel,* Paris, Seuil, 1980.

R.J. Stoller, *Recherches sur l'identité sexuelle,* Paris, Gallimard, 1978; *The Transsexual Experiment,* Londres, Hogarth Press, 1975.

## NOTES

1. Nous suivrons la distinction faite par R.J. Stoller entre la « mâlité » *(maleness)*, terme ayant une connotation biologique, et la « masculinité » *(masculinity)*, notion qui se rapporte aux attitudes psychologiques et traits de caractère psychiques des hommes. Cette distinction est ici purement terminologique et n'engage aucune adhésion à la thèse qui sépare radicalement le sexe biologique du genre psychologique.

2. Pour le détail des critiques des thèses de Stoller, nous renvoyons à notre ouvrage, *le Choix du sexe*.

3. Nous pourrions ajouter : « et de ne plus vivre en homme ».

4. Stoller a distingué le sexe, de connotation biologique et anatomique, du genre, qui serait l'aspect purement psychologique du sexe.

# Masculin, féminin, neutre * ou les avatars de l'imaginaire

*Jacques Durandeaux*

« Le sexe, je n'y pense pas et ce n'est pas important quand ça va, mais je ne pense plus qu'à ça et c'est le plus important quand ça ne va pas! » : propos entendu dans le cours d'une analyse, et que bien des hommes pourraient sans doute prendre à leur compte.

Et les femmes? ratifieraient-elles cette remarque?

Un discours? deux discours? mille discours sur la sexualité? Mais peut-on parler d'*un* discours masculin et d'*un* discours féminin différenciés et spécifiques?

« Il n'y a pas de discours masculin, mais il y a *un* discours féminin », disaient à ce propos, avec véhémence, des interlocuteurs coalisés pour quelques instants lors d'un propos de table. Est-ce soutenable?

Cela indique au moins qu'aujourd'hui il y a, du côté des femmes, du discours, des revendications, des thèses et un militantisme, alors que pour les hommes ce ne sont ni discours ni militantisme qui donnent le ton, mais une situation acquise, des pensées toutes faites, des propos sentencieux dont on use souvent, plus pour amuser la galerie aux dépens des femmes

* Ce titre a déjà été utilisé par Roland Barthes pour un article paru dans l'*Hommage à Lévi-Strauss,* The Hague-Paris, Mouton, 1970, t. II, p. 893-907. Ce texte de Barthes est une analyse de *Sarrasine,* courte nouvelle de Balzac dans les *Scènes de la vie parisienne.*

que par conviction, et qui désignent des privilèges masculins souvent plus apparents que réels.

Poursuivant ce propos de table, lui ajoutait (pas elle) : « Le discours de l'homme est un discours de battu. On devrait leur dire, aux hommes : battez-vous pour votre désir! Il n'y a que vous pour pouvoir le faire! »

N'est-ce pas dire que les hommes sont des pervers, si le pervers est quelqu'un qui ne cède pas sur son désir, comme le disait Lacan? Et « si les hommes veulent sauver leur peau, faut-il qu'ils ne cèdent pas sur leur désir! » poursuit en insistant mon convive.

Mais le désir ne mène pas à l'autre : il mène vers le fantasme, et, en ce sens-là, le désir d'un homme est beaucoup plus « bête » que le désir d'une femme.

Bref, un décalage apparaît, où prend place ce que je veux tenter de dire.

D'abord un décalage entre des demandes : hommes et femmes se demandent-ils la même chose? et le ressort de leurs démarches, lorsqu'ils se rencontrent, est-il le même?

Décalage aussi entre l'imaginaire et l'affectif : des différences d'investissements qui entraînent des différences de priorités.

## 1

La sexualité masculine est en proie à l'imaginaire. Ce sont des images précises qui étayent le désir masculin, et la sexualité d'un homme est toujours, peu ou prou, fétichiste : elle tient, en effet, à des détails si précis que, lorsque ces détails viennent à manquer, le désir cesse, car ce sont ces « détails » qui le font bander. Cela ne veut pas dire que dans ses commencements cette sexualité ait déjà des images à sa disposition, et nous reviendrons sur ce possible défaut initial d'images.

D'une part, le désir masculin semble fragile, précaire, instable, parce qu'il est aisément déplaçable et transite de partenaire en partenaire, parfois très rapidement; d'autre part, ce désir est solide et stable parce que rivé à des images stimulantes et efficaces, qui semblent fixées une fois pour toutes. C'est peut-être pourquoi Lacan a pu dire que la sexualité mâle est perverse.

L'éjaculation précoce, si fréquente, démontrerait, si besoin était, que cet impact imaginaire est déterminant dans la sexualité masculine : « Ce qui arrive alors, explique un analysant, c'est que j'anticipe dans ma tête sur ce qui est en train de se passer : je regarde cette femme comme si je l'avais trop attendue, trop désirée; je l'étreins, mais imaginairement j'en suis déjà et malgré moi à l'étape suivante. Rien que de prévoir ma jouissance, je jouis. Je suis dans un état de fébrilité incroyable. Si je n'avais pas d'imagination, le problème de mes éjaculations précoces serait résolu pour moi car il s'agit d'un télescopage entre l'imaginaire et le réel. J'ai déjà essayé de faire l'amour sans images, en essayant de faire taire absolument toutes mes images, en faisant le vide. C'est très difficile. Tant que j'arrive à faire taire mes images, il n'y a pas d'éjaculation précoce. Mais le risque, c'est que, lorsque je n'ai plus d'images, mon désir s'émousse ou s'évanouisse : plus d'images, plus de désir; trop d'images intenses et j'éjacule! »

Le trop-plein d'images amène le sujet à réagir de façon fulgurante : il se vide de toute image à travers la petite mort orgasmique, livré inerte à sa partenaire, ou furieux et sans comprendre pourquoi il n'a pu jouer le rôle qu'on attend de lui.

On peut quand même se demander, dans le cadre de l'interprétation désormais académique que l'éjaculation précoce est une conduite d'évitement du rapport sexuel, si cette éjaculation précoce n'est pas une espèce de contrainte, faite par un homme à sa (ou son) partenaire, de jouer un rôle maternel vis-à-vis de lui ainsi ramené à l'état de nourrisson sans image dans le paradis et la béatitude d'avant le sexe. En somme, le sexe, on s'en débarrasse en l'expédiant, et/ou l'on retourne aux tendresses et aux caresses d'avant, d'antan ou de jadis...

C'est pourquoi à cet arrimage imaginaire qui lie un homme à une femme peut se joindre une demande passionnelle et totalitaire : « Ne me quitte pas...; je suis fou de toi...; j'ai besoin de toi pour toujours...; cette femme, il me la faut, j'en ai besoin, sans elle plus rien n'est possible pour moi... », etc.

Sans méconnaître les équivoques ou les illusions de telles demandes, et sans en nier l'existence chez les femmes, on peut en souligner une différence : aussi irritant que cela paraisse, et aussi injuste, il s'entend bien que l'enjeu n'est pas le même, la plupart du temps, entre l'infidélité d'une femme et celle d'un homme. Cette différence consacrée par les mœurs, qui révolte tant de monde, avant d'être condamnée, doit être entendue et prise en compte. Laissons de côté les pourquoi, même s'il est fait deux poids, deux mesures entre les hommes et les femmes. Si un homme est aveugle sur le caractère unilatéral de son exigence à l'égard d'une femme lorsqu'il lui fait, explicitement ou implicitement, cette demande totalitaire, il reste *vital* pour lui que la femme qu'il aime l'entende et s'y oblige. « J'avais une confiance totale, une confiance d'enfant en toi!... maintenant, ma vie est brisée », dit tel homme (qui n'avait pas été rigoureusement fidèle) à sa femme dont il vient de découvrir une aventure.

Cela ne veut pas dire qu'un tel genre de demande ne puisse avoir pour une femme un caractère aussi *vital,* mais il s'admet (pourquoi?) qu'un homme ne s'y conforme pas (même si on l'en blâme), alors qu'on ne l'admet pas ou qu'on l'admet beaucoup plus mal pour une femme (de nouveau : pourquoi?).

Serait-ce qu'« un homme n'est homme que par une femme, et qu'il ne peut se doter lui-même de sa qualité d'homme [1] »?

Le machisme n'apporte en effet qu'une reconnaissance d'un homme par d'autres hommes, autrement dit qu'une reconnaissance homosexuelle, même si des femmes soutiennent cette forme de reconnaissance et en colportent les critères, car elles parlent alors la langue des hommes.

Toutefois, si beaucoup d'hommes cherchent une reconnaissance qui soit dite, leur sexualité n'est souvent vivable que dans le non-dit : tant que ça reste dans ce non-dit, jouir, pour un homme, semble simple. La sexualité, au contraire, souvent, de l'amour qui tend à s'afficher, doit-elle être clandestine? Que ça commence à se parler entre les partenaires, et fréquemment, les choses se compliquent ou se bloquent. Tel analysant découvre que le sexuel « marche bien » tant qu'il est soustrait à toute parole, à toute discussion, et à tout commentaire : ça se vit comme une conjugaison et une complicité des corps. Ses relations sexuelles se passent sans paroles, ni avant, ni pendant, ni après. Dans l'analyse il explique : « Ces choses-là, ça se vit, et quand on commence à en dire quelque chose, c'est fini! Si les animaux se mettaient à parler, ça ne marcherait plus pour eux non plus... » En l'écoutant, on songe au mot de Valéry : « Aimer, c'est pouvoir être bêtes ensemble [2]. » Il insiste : « Ces trucs-là, ce n'est pas parce que ça ne va pas qu'on en parle, mais c'est parce qu'on en parle que ça ne va plus! » Sa partenaire privilégiée l'a d'ailleurs très bien senti, et leur sexualité est vécue en deçà des mots. Serait-ce que l'érotisme est marginalisé dans notre culture? Nous reprendrons cette question.

Tel autre analysant explique à propos de sa passion du moment : « X..., c'est ma folie : on fait l'amour comme des bêtes, et après on reprend nos disputes. Quelquefois, on décide de se voir pour parler, et on ne se parle pas : on fait l'amour. Si on veut se parler, il faut se donner rendez-vous dehors, et alors on se dispute. Des chats qui se déchirent... Ensemble, on ne peut faire que l'amour et si on essaie de se parler, c'est le déchaînement des mots, de la violence, de la haine... Je n'y comprends rien. »

« Ces choses-là, ça se dit pas : ça se fait », dit un analysant. « Mais faire l'amour et parler ne relèvent-ils pas de la même violence [3]? »

Il y a, au contraire, une sexualité qui se parle beaucoup : celle qui se parle en langue perverse! Là on parle! On a même l'impression qu'on ne fait que ça! Sade est une avalanche de discours substitués à des scénarios qui n'ont pas lieu : aucun détail n'est omis [4]. Une surabondance imaginaire soutient le discours intarissable de cette sexualité « spectaculaire » mais fragile, puisqu'il suffit que ses conditions trop précises soient perturbées pour que le sujet perde ses moyens [5]. Aussi stratégie et combativité pour sauver ces conditions indispensables de jouissance sont-elles l'objet d'une mobilisation générale de l'individu : ruses, luttes, complicités sont poussées au paroxysme pour les mettre en scène. Et c'est précisément parce que cette sexualité est rigoureusement dépendante de cette mise en scène que les complicités qu'elles requièrent sont extrêmement fortes. Parmi tous les couples possibles, quoi de plus solide qu'un couple pervers [6], non à cause de l'amour mais à cause de ces « nécessités » qui enchaînent l'un à l'autre les partenaires?

Trop dire? ne rien dire? Le non-dit, ce peut être aussi la pudeur, une pudeur nullement incompatible avec l'érotisme : les Orientaux, qui ont fait meilleur accueil que nous à toutes les formes de la vie érotique, tiennent à la pudeur, et il y a une immense distance culturelle entre un érotisme sans affichage, et un érotisme exhibitionniste vers quoi inclinent les Occidentaux. L'exhibition n'est-elle pas retour du refoulé? Ce qui est forclos dans notre culture ne fait-il pas ainsi retour dans le réel?

De la sexualité, donc, plus on parle et moins ça va? Le discours moral est un discours parmi d'autres, mais certainement un discours de trop pour que ça reste simple : que le discours commence, et plus rien ne va de soi. Des « problèmes » sont induits : frigidité, impuissance, masturbation, homosexualité, etc.; que les mots fassent défaut et ces « problèmes » changent de nature.

N'est-ce pas dire que pour l'homme, ce « parlêtre » (Lacan), la rançon du langage, c'est qu'« il n'y a pas de rapports sexuels » (Lacan)? Est-ce une manière de dire que la sexualité d'un homme et la sexualité d'une femme sont sans rapports? Faut-il aller jusque-là? La métaphore de la complémentarité, qui fut la tarte à la crème des années cinquante sur le mariage, la sexualité conjugale et le rapport masculin-féminin, dans le cadre des philosophies dites personnalistes, a entretenu et renforcé ce genre d'illusions.

Alors? Vaut-il mieux s'abstenir de théoriser sur la sexualité, et surtout de vouloir en parler aux enfants et aux adolescents? Si le discours n'est pas différent de l'acte sexuel, est-ce au père d'initier verbalement sa fille, à la mère d'initier son fils, et vice versa en ce qui concerne l'homosexualité? De toute façon, la prétendue « éducation sexuelle » perturbe et complique autant les choses que le silence et les condamnations explicites ou implicites des temps précédents.

Les parents sont certainement à une très mauvaise place pour se mêler d'informer ou d'initier leurs enfants sur la sexualité. Et les éducateurs? Freud tient toutefois à dire quand même un mot en faveur de l'éducation sexuelle à l'école : « La raison pratique (en) réside dans le fait que la plupart des parents ne sont généralement pas qualifiés pour l'éducation. Une autre raison est que les enfants ne veulent pas du tout être éclairés par leur père [7]. »

De toute façon, parties prenantes dans le réseau complexe des relations nouées avec leurs enfants, les parents ne peuvent soustraire leur discours de cet ensemble œdipien d'où il s'énonce nécessairement. Les recours « botaniques », les histoires de petites graines et de petites fleurs, mettent tout simplement plaisir et jouissance entre parenthèses. Rien que ça! Alors que « ça » les intéresse au plus haut point, les enfants et les adolescents, et ils en parlent entre eux de ce plaisir que les adultes censurent en ne leur fournissant que des explications intellectuelles désérotisées. Enfants et adolescents ne sont pas dupes de cette tricherie des adultes ni de sa fonction. « Une solution n'est-elle pas que les adolescents entendent les adultes parler entre eux de sexualité dans un discours qui ne leur est pas adressé [8]? » car les discours des adultes qui prétendent s'adresser aux enfants et aux adolescents deviennent souvent dérisoires.

Mais nous n'avons pas le choix : on en parle, et on en parle comme ça, et nous n'y pouvons rien, ou pas grand-chose. Discours incoercible et inéluctable qui ne facilite pas la vie sexuelle des êtres parlants.

Cela ne veut pas dire que nous n'ayons pas quand même besoin de cette parole. Tel analysant est frappé de ce que son amie lui dit toujours lorsqu'ils font l'amour : « parle-moi! ». Et comme le suggère la chanson, n'est-il pas essentiel à l'amour qu'il se parle? « Parlez-moi d'amour, redites-moi des choses tendres, etc. [9] » : c'est bien de PARLER qu'il s'agit.

Mais la sexualité est-elle compromise lorsqu'elle devient l'objet d'une « négociation » parlée? Y a-t-il « un temps pour parler et un temps pour se taire » comme le dit l'Ecclésiaste?

Et faut-il pour autant regretter d'avoir été introduits dans l'ordre du dire? Nos difficultés ne sont-elles pas le prix à payer de la connaissance et du savoir?

Les cultures chrétiennes ont largement contribué à rabattre tout le sexuel dans le champ du dire, notamment avec l'évolution de la confession et ses proliférations casuistiques qui avalisaient la transmutation du christianisme en moralisme. Il n'y a pas besoin d'être soi-même chrétien pour se trouver pris dans ce champ et en subir tous les effets : dans notre culture, nous sommes tous concernés, chrétiens ou non, que nous le voulions ou non.

La connaissance est un des gains de cette aventure de la parole. Mais savoir, désirer savoir, savoir coûte que coûte, ne sont pas des opérations facultatives : quand ça nous prend, on ne peut s'y soustraire. C'est plus fort que nous, comme le discours hystérique nous le fait si bien entendre. Et quand on a mangé du fruit de l'arbre de la connaissance, il faut en subir la conséquence : plus rien ne peut être qui ne prenne sa consistance dans le langage, et le sexuel en subit maints effets de complications.

L'un désire, l'autre pas; ou bien l'autre désire et on ne désire pas : faire l'amour n'est plus qu'une partie de Jackpot quotidien. Mais à force de perdre trop souvent, on en a marre : on n'y joue même plus. « On fait l'amour?... On ne fait pas l'amour?... Non! Pas ce soir!... » : discussions, disputes, scènes, bouderies, brouilles, violences : ça devient l'enfer. On attend encore quelque chose de l'autre. On espère encore que « ça » reviendra... Et puis c'est fini : « ça » ne revient pas... ou si rarement que ce n'est plus suffisant pour assurer la survie du couple. C'est souvent le commencement de la fin.

Bien des cas de figure sont alors possibles : on reprend sa liberté sexuelle chacun de son côté sans le dire toujours explicitement... mais on sait quand même à quoi s'en tenir. Parfois, d'ailleurs, c'est une liberté superflue : il y en a qui n'en font rien parce que « ça » ne les intéresse plus, voire « ça » les dégoûte... et bien des hommes mentionnent sans le comprendre un dégoût de leurs femmes pour la sexualité : « Elle n'aime pas ça! »

De ce dégoût, une activité précise est fréquemment l'occasion pour bien des femmes : la fellation. Beaucoup d'hommes en jouissent intensément; beaucoup de femmes l'abhorrent. Cette figure de l'érotisme est exemplaire pour révéler des conflits latents et des distances infranchissables entre des demandes divergentes. Mille fois il s'entend qu'un sexe d'homme, c'est dégoûtant, sauf s'il s'agit d'enfants ou d'adolescents. Telle analysante n'aime le corps de ses partenaires masculins que lorsqu'ils ne bandent pas : « Le sexe masculin ne m'est agréable qu'au repos [10]. »

Toutefois, à l'écouter attentivement, il semble que la plupart du temps ce ne soit pas le sexe bandé de l'homme qui soit « dégoûtant », mais le sperme, et ce que des hommes demandent aussi, et en plus, c'est : « bois mon sperme », comme si c'était une marque insigne d'amour. A quoi fait écho cette exclamation d'une maman à son bébé, sur le ton de la plaisanterie : « Je t'aime tant que je mangerais ta merde! »

A la demande masculine concernant la fellation (ce qui n'exclut nullement que ce ne soit une demande de la part de beaucoup de femmes, et un plaisir pour beaucoup d'hommes de les satisfaire), bien des femmes ne peuvent donc opposer qu'un refus : « C'est au-dessus de mes forces », explique une analysante. Non qu'elle n'aime son partenaire, mais ce n'est pas essentiellement et d'abord de son corps qu'elle est amoureuse, c'est de lui. Il n'est pas capital qu'un homme soit beau pour être désiré car l'érotisme ne s'amarre pas aux mêmes choses chez les hommes et chez les femmes. « Les femmes aiment quelqu'un, tandis que les hommes aiment un cul! » dit un analysant se risquant à une généralisation qu'il veut ironique.

L'érotisme masculin tend à morceler le corps des femmes et, même démarqué de toute connotation perverse, fait passer toute femme du réel dans l'imaginaire. Tel sujet a « fétiché », par exemple, les seins, et ne bande que lorsqu'une femme a tel type de seins très précis, « petits seins fermes et pointus de jeune Africaine » pour l'un, ou « gros seins bien remplis, abondants, débordants et généreux » pour un autre; ou telle chevelure, un pied, telles jambes, certaines rondeurs de formes, des yeux, des lèvres, des mains, etc. : chaque détail du corps féminin est susceptible d'une élection répétée de femme en femme par l'adorateur masculin.

Il ne reste aux femmes qu'à être au goût des hommes, ou de l'homme qu'elles aiment (esthétique, fringues, caractère, etc.). Telle femme dit de son mari : « En ce moment, je suis à son goût! » et n'expérimente que trop qu'elle ne l'intéresse absolument plus la plupart du temps : ils vivent les longues semaines désabusées de la vie des couples.

Voilà le temps et son corollaire sournois, l'usure. Les hommes sont tellement ancrés sur le corps, que les changements du corps de l'autre mettent en péril le lien qui les rattache à l'autre, et si la nature de ce lien ne change pas avec les temps de l'amour, aucun couple n'est viable.

Comment un homme, dans ces conditions-là, peut-il être fidèle? « Il est au moins fidèle à ses fantasmes [11]! »

Temps, vieillissement, maladie, accident, mutilation font de l'objet adoré un objet de rebut, voire de répulsion. Comment une femme peut-elle être assurée d'être toujours conforme à cette image unique et trop précise qui, seule, fait bander l'homme qu'elle aime?

Mais la « teneur en mémoire [12] » peut sauver le désir car l'imaginaire se moque du temps. Le cœur a des raisons que le temps n'emporte pas toujours. Il y a des amours qui défient le temps, et c'est parce qu'ils tiennent autant à l'imaginaire qu'au réel que ces liens, qui nous attachent à ce corps que le vent mauvais emporte, peuvent ne pas se défaire. Cet imaginaire qui fait la fragilité de l'homme peut aussi faire sa constance et sa force, et la parole mobilise ce que le temps démobilise. Aimer, si l'amour existe, c'est se donner la permission de vieillir (ce qui ne veut pas dire de se laisser aller), dans une perspective toute platonicienne où les corps ne sont que des chemins vers l'âme, à la fois *privilégiés* et *ordinaires*. Si un homme est fidèle, c'est qu'il n'est pas que désir; c'est qu'il n'est pas que dans le présent : il est aussi images et mémoire. Nouveau renversement : ces images, qui le perdent si souvent, le sauvent aussi.

Il n'y a pas que les images : il y a les rôles qu'on s'assigne dans le scénario amoureux, et ceux-là ne conviennent pas toujours à ceux qui les jouent un moment pour le désir et le plaisir des autres. Telle femme se décrit comme une algue qui cherche le rocher où se fixer, mais refuse de comprendre que son partenaire ne veut pas être ce rocher ni jouer ce rôle d'inébranlable support sur lequel elle veut se fixer. Devant ce genre de demande, beaucoup d'hommes fuient.

Et l'on risque d'être rabattu vers ce schéma : d'un côté, un homme en proie à des images; de l'autre une femme qui aime sans conditions. Est-ce dire que les femmes ne sont en proie à aucune image?

La différence tient-elle à ce que les hommes peuvent davantage parler des images auxquelles ils sont en proie? Mais pourquoi? Les images féminines circulent-elles moins dans le commerce langagier, et les femmes sont-elles moins conscientes des images qui les peuplent et qui ne les déterminent que parées de sentiments? Hommes et femmes ne *deviennent*-ils pas plus différents qu'ils ne le *sont* au départ à cause des images auxquelles ils sont en proie?

Bref, pour les hommes comme pour les femmes, il y a les bons et les mauvais rôles distribués selon des lois qui nous dépassent. On peut s'en plaindre, on peut s'interroger, on peut s'en révolter : « Je ne suis bonne qu'à être baisée! » dit une femme pour exprimer le sentiment qu'elle a de sa vie sexuelle; il est plus difficile de les modifier.

L'adoration du corps féminin et l'adoration du corps masculin ne donnent pas lieu à un seul et même culte. Parler des blasons du corps féminin ou célébrer les jeux d'Olympie ne sont pas les rites d'une même religion, quoique l'art semble les réunir dans une commune célébration. Ce qui attire les hommes chez les femmes, et ce qui attire les femmes chez les hommes n'est pas symétrique, et cette asymétrie fait se nouer le drame. Le rapport masculin-féminin est toujours critique, et le sera de plus en plus dans la mesure où les femmes cesseront de parler d'elles-mêmes et de leur sexualité avec les mots des hommes, ce qui sera en même temps un enrichissement.

En effet, tant de femmes parlent de « ça », avec un homme, comme d'une corvée, mais cette *corvée* permet probablement à la femme d'éprouver sa *puissance* sur l'homme. Elle provoque chez l'homme « quelque chose d'irrésistible en y résistant elle-même [13] » en même temps qu'« elle permet à l'homme quelque chose qu'elle s'interdit à elle-même [14] ».

Ce à quoi beaucoup de femmes tiennent, c'est à l'affection, au sentiment, aux attentions, à la tendresse, tandis que « ça » est plutôt de l'ordre de la concession faite à une demande masculine qui les dépasse, qui souvent les étonne par son intensité et son urgence, à propos de quoi elles moralisent volontiers (« les hommes sont tous des égoïstes et ne pensent qu'à ça »), qu'elles condamnent parfois avec agressivité par réaction ou par lassitude, ou qu'elles tournent en dérision, qu'elles stigmatisent, ou qui les ennuie (sauf aux heures du désir; une analysante dit : « A ces heures-là, rares, je suis capable de coucher avec n'importe qui, et je le fais! Le premier type qui me tombe sous la main... »), mais, dans le « meilleur » cas, c'est une demande à laquelle elles ne veulent pas opposer un refus systématique : elles peuvent, en dernier recours et pour avoir la paix, prêter leur corps et rester absentes du plaisir.

Et si le désir des femmes connaît des éclipses, celui des hommes en connaît aussi, parfois pour des « raisons » inattendues.

Y... a une vie hétérosexuelle intermittente, périodiquement intense et brève, presque violente. De temps en temps une soirée ou une nuit avec une amie, variable, mais toujours parmi les mêmes trois ou quatre. Pas de liaison, pas de mariage. Il aime faire l'amour : il y est ardent, voire érotiquement passionné. Pourtant il n'a jamais envisagé de faire sa vie avec quiconque : s'il pense au mariage, c'est en théorie ou en principe, mais il ne peut imaginer qu'il supporterait aucune des femmes qu'il désire, pour une vie quotidienne et partagée : « J'en aurais assez au bout de deux jours! »

Soucieux des autres et attentif à eux, il ne vit pas que pour lui. Ses partenaires semblent tenir beaucoup à lui : désireraient-elles l'épouser? peut-être... peut-être pas.

Une étrangeté : ses rêves parlent beaucoup de violences, d'analité. Des hommes brutaux le poursuivent, veulent le tuer : bagarres, poursuites, sang... et merde; beaucoup d'étrons qui flottent, de chiottes, d'êtres et de choses barbouillés de merde. La défécation est pour lui un rite, une cérémonie qui n'en finit plus, l'occasion d'extrêmes jouissances.

Aucun trait homosexuel dans sa biographie ni dans ses désirs conscients, ni dans le réel ni dans l'imaginaire : l'homosexualité lui est rigoureusement étrangère, sauf qu'elle provoque chez lui quelques sarcasmes : il n'y pense pas. Et pourtant l'on ne peut s'empêcher de se dire en l'écoutant que cet érotisme anal exacerbé aurait pu l'y conduire, et qu'il aurait peut-être beaucoup joui de se faire « prendre ». Mais pas un mot à ce sujet.

Cette fixation anale de sa vie érotique rend problématique une totale satisfaction dans sa vie hétérosexuelle. Son incapacité à s'attacher à une femme n'est-elle pas un effet de cet érotisme anal? Et dans l'absence de toute velléité homosexuelle, il reste en plan, insatisfait, écartelé entre deux pôles érotiques, sans solution d'aucune sorte et incapable de vivre les deux en même temps. Cet érotisme anal, insatisfait dans sa vie hétérosexuelle, l'isole du monde.

La masturbation masculine peut aussi être objet de fixation. Il n'est pas rare d'entendre des hommes dire que, au point où ils en sont, ils ont davantage de plaisir à se masturber qu'à faire l'amour avec une femme. Retour temporaire ou intermittent à des plaisirs abandonnés de l'enfance ou de l'adolescence? Effet de difficultés et de déceptions trop répétées dans les activités allo-érotiques? Cela reste à interpréter dans chaque histoire, et ce n'est pas parce que c'est devenu un cliché sexologique parfois contesté qu'il faut s'abstenir de le mentionner.

Car ce que tant de femmes veulent, c'est le désir de

l'homme : elles ne vivent, ne survivent, ou ne revivent qu'à être désirées, courtisées, aimées, voire préférées, passionnément et follement adorées, sans quoi elles sont déçues, amères ou désespérées.

C'est bien ce que Lia reproche à Jean, dans *Sodome et Gomorrhe* de Giraudoux : « Tu ne m'as rien donné! Tu ne m'as jamais rien donné, que toi-même, et avec quelles réserves! Tu ne m'as donné ni ton frère, ni ta mère, ni le moindre de tes parents et de tes amis. Tu ne m'as donné ni la vue des filles qui passent, ni le fond de ton silence, ni ton dieu. Tu as mis sur ta vie pour ne pas me la donner, quand pourtant ton amour soufflait à la détacher, le plomb de ton travail. Mais c'est là ma revanche. Toi qui ne m'as rien donné, tu vas garder ma dot et ma marque dans ta vie avec Ruth. Moi, qui t'ai tout donné, je serai neuve et vierge pour un nouveau mari [15]. »

Redevenir vierge! Lia sait bien là quelque chose d'irrésistible pour beaucoup d'hommes : être neuve, sans passé érotique d'aucune sorte, offrir à un homme l'insigne et suprême jouissance d'initier. Quelqu'un l'explique, parmi beaucoup : « Une fille m'excite quand elle ne sait pas le sexe. J'ai alors envie de la caresser, de la toucher, de faire naître en elle une excitation, de la faire jouir avec mes mains, pour la première fois. Quand elle gémit de ce plaisir nouveau auquel elle s'abandonne pour la première fois! Rien n'est plus grand que ça pour moi et rien que d'y penser, je suis au bord de l'orgasme! »

Cette *jouissance d'initier* n'est pas exclusivement masculine, et si je la mentionne, c'est parce qu'elle n'est généralement pas symétrique entre les hommes et les femmes : s'ils y trouvent, les uns comme les autres, quelque chose, ce n'est sans doute pas la *même* chose. Où est la différence? S'agit-il d'une connotation souvent plus incestueuse chez les femmes?

Tant de détails interviennent pour déterminer un homme dans son désir, qui ne touchent pas à l'« essence » de l'autre mais à ses « accidents », qu'une femme peut avoir à juste titre la nostalgie d'un rêve où elle serait aimée pour elle-même, ce qui n'est pas sans évoquer ce passage célèbre où Pascal s'interroge : « [...] celui qui aime quelqu'un à cause de sa beauté, l'aime-t-il? Non; car la petite vérole, qui tuera la beauté sans tuer la personne, fera qu'il ne l'aimera plus. Et si on m'aime pour mon jugement, pour ma mémoire, m'aime-t-on? *moi*? non, car je puis perdre ces qualités sans me perdre moi-même. Où est donc ce *moi,* s'il n'est ni dans le corps ni dans l'âme? et comment aimer le corps ou l'âme, sinon pour ces qualités qui ne sont point ce qui fait le moi, puisqu'elles sont périssables? car aimerait-on la substance de l'âme d'une personne, abstraitement, et quelques qualités qui y fussent? Cela ne se peut et serait injuste. On n'aime donc jamais personne, mais seulement des qualités. Qu'on ne se moque donc plus de ceux qui se font honorer pour des charges et des offices, car on n'aime personne que pour des qualités empruntées [16]. »

Beaucoup d'hommes savent cela, au moins confusément, aussi hésitent-ils à engager leurs vies dans une passion, ce qui induit un autre lieu commun concernant notre sujet, mais qu'il faut bien évoquer aussi : se sachant faibles dans leurs fidélités et connaissant la fragilité des liens qui les retiennent à une femme, beaucoup d'hommes répugnent au mariage, et ce n'est parfois qu'après des intrigues compliquées et des atermoiements qu'ils s'y *résignent.*

Un analysant s'en explique : « Comment s'embarquer dans une histoire qu'une femme veut définitive alors qu'on sait bien qu'à court terme c'est une illusion, et qu'à moyen ou à long terme on sera désabusés! Autant prendre les choses comme elles viennent sans vouloir construire toute sa vie sur l'illusion d'un désir qui n'a qu'un temps! »

Et une analysante complète ce propos : « Ce que je ne supporte pas chez les hommes, c'est le refus permanent de s'engager dans une passion! »

Pourtant, à l'heure de son désir, un homme ne supporte pas que sa partenaire soit sans désir. Comme s'il voulait qu'elle soit à sa disposition. C'est au moins ce qu'éprouvent les femmes, d'où le cri de Séraphîta [17], dans Balzac, en réponse à Wilfrid :

« Vous êtes ce soir plus méchante que je ne vous ai jamais vue.

– Méchante! dit-elle [...]. Non, je suis souffrante, voilà tout. Alors quittez-moi, mon ami. Ne sera-ce pas user de vos droits d'homme? Nous devons toujours vous plaire, vous délasser, être toujours gaies, et n'avoir que les caprices qui vous amusent. Que dois-je faire, mon ami? Voulez-vous que je chante, que je danse, quand la fatigue m'ôte l'usage de la voix et des jambes? Messieurs, fussions-nous à l'agonie, nous devons encore vous sourire! Vous appelez cela, je crois, régner. Les pauvres femmes! je les plains. Dites-moi, vous les abandonnez quand elles vieillissent, elles n'ont donc ni cœur ni âme? Eh bien, j'ai plus de cent ans, Wilfrid, allez-vous-en! [...]. »

Des demandes incompatibles s'affrontent, deux discours dans deux langues différentes. Comment une femme peut-elle entendre ce propos d'un analysant disant en toute ingénuité : « Mon gibier [18], c'est les femmes. Ce qui m'intéresse, c'est tout ce qui se passe pour conquérir une femme : c'est l'*avant*. Après, ça ne m'intéresse plus! »

C'est ainsi que tant d'hommes et de femmes se croisent au lieu de se rencontrer : ils ne se demandent pas la même chose. Des hommes désabusés disent souvent de leurs femmes, comme une excuse à leur indifférence ou à leurs infidélités : « elle n'aime pas ça », car ils finissent bien par le savoir ou par s'en douter malgré le rôle appris, et parfois fort bien joué, du jouir.

## 2

Il y a donc des pierres d'achoppement sur le chemin de l'hétérosexualité des hommes et deux sujets sont l'occasion d'interventions souvent brutales, toujours moralisantes même lorsqu'elles s'en défendent : la masturbation et l'homosexualité (ou plus exactement ce que les adultes désignent ainsi dans le comportement des enfants et des adolescents).

Que la masturbation devienne l'objet d'un discours à contretemps de la part de ceux qui représentent une instance morale, et l'évolution sexuelle d'un sujet en est perturbée. Non que ces seules interventions culpabilisent un enfant ou un adolescent : son propre inconscient y suffit largement. La sexualité est le lieu de tant d'angoisses, que tout propos mal venu à son sujet risque d'être explosif et radioactif. On peut interrompre le développement du sujet un peu comme on arrête un film dans le défilé des images : tout reste bloqué sur un moment déterminé : « Qu'est-ce que tu es en train de faire? » « A quoi jouais-tu tout à l'heure au grenier? » Des épisodes anecdotiques deviennent affaires d'État : le discours s'en empare, fige les choses, paralyse un individu, le pétrifie littéralement.

Tel ou tel épisode, ludique ou expérimental, aurait pu passer « comme une lettre à la poste », et le sujet aurait sans doute poursuivi son chemin « sans histoires », n'ayant eu pour le déterminer dans ses préférences que son propre destin et non les problèmes des autres.

Nous soulignons donc l'idée de fixation, car bien des analysants nous apprennent que le chemin n'est vraiment libre pour l'hétérosexualité que si le sujet ne s'est pas « fixé » à des phases autosexuelles ou homosexuelles. Point n'est besoin d'ailleurs que les condamnations soient explicites. De toute façon, elles sont « dans l'air » et chaque culture leur donne des formes particulières : ce discours-là fonctionne tout seul. Des parents « libéraux » ou « laxistes », en matière sexuelle, ne préservent de rien.

Des analysants nous apprennent que c'est à travers et par (et non contre, comme veulent le faire croire tant d'éducations morales) l'auto-érotisme et l'homosexualité que l'hétérosexualité devient possible. Certaines formes d'hétérosexualité bancale, avortée, cassée, ratée sont interprétables de cette façon-là : tel sujet reste rivé à ce qu'on a dénoncé sans nuance et sans prudence, alors qu'il y a des hésitations et des détours nécessaires dans le cheminement de tout sujet sexuel. A trop moraliser à ce propos, et à moraliser trop tôt, on peut dérouter l'évolution sexuelle du sujet humain. En voulant l'orienter, on le détourne souvent sans le savoir : rien de pire que les bonnes intentions en ces matières. « A sainte mère, fils pervers », répétait Lacan sous forme de boutade.

C'est à travers un rapport au Même (homosexualité) comme à travers un rapport à l'Autre (hétérosexualité) que le sujet sexuel se constitue et prend sa consistance : cela signifie qu'il n'y a pas de rapport hétérosexuel viable si le rapport homosexuel est par trop « altéré »; et, inversement, qu'il n'y a pas de rapport homosexuel harmonieux si le rapport hétérosexuel d'un sujet est par trop problématique (ou critique) : nous avons là un paradoxe clinique lentement appris, et relire les textes de Platon sur la dialectique du Même et de l'Autre éclaire cet apparent paradoxe. « *Sans le Même l'Autre est vide* [...]; *sans l'Autre le Même est aveugle* [19]. »

C'est dire, en d'autres termes, que l'Autre est celui qui nous empêche de nous identifier à notre propre image et de mourir avant de naître, noyés comme Narcisse dans l'eau mère et miroir. La richesse et la fécondité de cette référence platonicienne n'aboutit nullement à restaurer ni à reprendre une quelconque « théorie de la bisexualité », qui n'apparaît en fin de compte que comme une construction-alibi. Autrement dit, il n'y a pas d'hétérosexualité (non névrotique et non problématique) qui puisse se constituer *contre* l'homosexualité, et, ce qui est moins attendu, pas d'homosexualité non névrotique et non dramatique qui puisse se constituer (en tant que non névrotique et non dramatique) *contre* l'hétérosexualité. Et l'une comme l'autre ne peuvent se constituer *contre* l'autosexualité (ou auto-érotisme) : l'hétérosexualité n'est pas une anti-homosexualité, l'homosexualité n'est pas une anti-hétérosexualité, sous peine d'être, l'une comme l'autre, névrotiques.

Quant à l'auto-érotisme, il est loin d'avoir le sens univoque qu'on lui prête si facilement et si spontanément d'activité de « remplacement », d'un allo-érotisme impossible dans le réel, d'un ersatz d'activité hétérosexuelle (ou homosexuelle). Chacun sait, ou devrait se rappeler, que la masturbation de l'enfance et de l'adolescence, ou de l'âge adulte, peut être une activité purement mécanique et exclusivement auto-érotique : le sujet peut la pratiquer « sans images », ce qui ne veut nullement dire qu'elle soit sans référence inconsciente, mais l'inconscient n'est pas l'imaginaire. Il est très important que se disent dans l'analyse les images auxquelles s'accrochent les activités auto-érotiques d'un sujet, mais il ne faut pas oublier qu'il n'y a pas toujours de telles images, et la casuistique le savait bien qui a créé le terme d'« exonération mécanique » pour cette masturbation sans image et sans désir ni évocation de partenaire, la considérant comme moins peccamineuse, voire comme non coupable. Tel analysant, par exemple, réassure sa jouissance précaire d'orgasme en orgasme : précaire parce qu'elle tient à trop de conditions révocables. Tel homme âgé dit se masturber de temps en temps « pour voir si ça marche encore ».

Et si les images peuvent provoquer une activité auto-érotique, c'est souvent, au contraire, l'activité auto-érotique qui cherche des images auxquelles se raccrocher, et les images conscientes peuvent faire défaut, comme le dit un garçon de seize ans, rapportant son premier dialogue intime, qui l'a déconcerté, avec sa première amie, âgée de vingt-cinq ans. « *Elle :* Fais ce que tu veux! *Lui :* Mais je ne sais pas! *Elle :* Tu penses bien à des trucs que tu as envie de faire! *Lui :* Mais non! je ne pense à rien de spécial! *Elle :* Tu as bien imaginé des tas de choses en pensant à ce soir! *Lui :* Mais non! Je n'ai rien imaginé, je n'imagine rien, *je ne sais pas ce que j'ai envie de faire...* »

Il n'a pas encore d'images pour étayer sa vie sexuelle naissante, ou, plus exactement, elles ne sont pas encore révélées : aussi n'y a-t-il pas pour lui de « problèmes » ni davantage de désir précis. Les choses restent indéterminées et affectives plus qu'imaginaires. Les discours de tous et de chacun, des uns et des autres, lui apporteront un bon nombre d'images toutes faites parmi lesquelles il fera des choix déterminés par son propre inconscient. Les commencements de la vie sexuelle adulte peuvent être démunis de l'étayage imaginaire qui apparaîtra plus tard : ce garçon ne sait pas encore ce qu'il désire, ni ce qui lui plaît et l'excite. Le réel intervient comme révélateur d'images : ce n'est pas parce qu'il n'imagine rien encore que son imaginaire ne le déterminera pas de façon inéluctable. Il faut seulement qu'il ait un peu de temps pour trouver ses images dans le fatras du réel où elles sont encore ensevelies et cachées.

Et peu à peu, chacun se constitue son jardin secret constitué de mille souvenirs, de mille préoccupations, d'innombrables images que les analysants évoquent, racontent, parfois avec passion, ou avec nostalgie. Quand vient le temps de l'amour, l'envie peut être grande de « tout se dire » de ce passé, de pénétrer en ce jardin secret de l'autre dont on est, peu ou prou, jaloux. Est-ce opportun? Les souvenirs, par exemple, d'anecdotes homosexuelles qu'un homme peut raconter à sa partenaire, même s'ils partent de la bonne intention de se comprendre, sont souvent, après coup, mal interprétés. Le désir de « tout se dire » tient à l'illusion que c'est nécessairement favorable à l'amour. On croit comprendre sur le moment

– un « bon » moment – alors qu'on est en train de se donner sans le savoir les pièces majeures d'un réquisitoire pour les temps qui viendront des disputes, de la haine, des règlements de comptes et des procès.

Aussi les propos des hommes sur les femmes, comme ceux des femmes sur les hommes, sont-ils souvent désabusés. Ils ont tant espéré, tant rêvé, tant attendu, et la réalité les a tellement déçus, qu'ils en reviennent souvent à ces plaisirs de l'enfance et de l'adolescence où ils se retrouvent, tout compte fait : la masturbation, une homosexualité oubliée ou ignorée et refoulée jusque-là, peut alors apparaître, chez hommes et femmes, pour lesquels on ne l'aurait pas crue possible, comme un retour au paradis perdu pour se consoler de la réalité impossible où les rêves se sont écrasés. Et quand ils en sont là, les hommes ne pèsent plus lourd aux yeux des femmes, du moins le croient-ils.

« Expérience faite, les hommes, c'est du toc ! » dit une analysante. Si en termes phalliques ces choses-là étaient dites, cela pourrait donner : il l'a, mais il ne l'est pas ; elle l'est, mais elle ne l'a pas. Ce Dieu et ce Tout, quand on croit le tenir, il manque.

Ce qu'un homme *doit* sauver, c'est sa puissance à bander, tandis que ce qu'une femme veut sauver, c'est le désir et/ou le besoin qu'on a d'elle et qui l'assurent dans l'être, qui l'entent dans l'existence. Le discours tout fait de tous parle de l'homme comme d'une machine à jouir et à faire jouir : à une femme, un homme doit « lui faire l'amour ». L'unique badge de virilité pour un garçon, c'est d'être capable de séduire une fille, de lui plaire. Pour se poser socialement, c'est ça qu'il faut afficher et c'est à ça qu'un adolescent se croit tenu pour être socialement introduit dans le monde adulte. C'est le ressort du machisme.

Questions qui poursuivent bien des hommes : « Est-ce que je peux encore bander ? est-ce que je peux faire jouir ? est-ce que je peux jouir ? » Ils sont traqués par la peur d'être

« impuissants ». Tandis que la peur qui hante les femmes, c'est de n'être pas désirées, ou de ne l'être plus, ou que l'on n'ait pas besoin d'elles.

Ainsi les hommes croient-ils que les femmes leur demandent de « leur faire l'amour » : « C'est toujours à moi de faire le travail », dit un analysant en protestant, alors que j'aimerais souvent qu'on s'occupe de moi et n'avoir rien à faire! »

Bref, le langage commun assigne un rôle « actif » à l'homme, un rôle « passif » à la femme. A preuve, entre autres, des expressions masculines à l'adresse des femmes comme : « tu veux que je te fasse l'amour? » ou « mal baisée », qui indiquent bien cette répartition des rôles donnant à l'homme une direction des opérations, dont souvent il se passerait bien, « alors que la manière que je préfère, précise tel analysant, c'est d'être allongé sur le dos, de ne rien faire, d'être chevauché par une femme qui me fait jouir à son rythme et à son gré, qui se sert de mon corps pour se faire jouir, bref qu'elle se serve de moi comme d'un godemiché! ».

Les hommes aussi peuvent avoir besoin de demander à une femme : « caresse-moi! » et ils sont à la fois victimes et responsables de l'usage qu'on fait de la distinction actif-passif à propos des activités sexuelles, et, si l'on tient absolument à utiliser ces mots-là, disons que la plupart des hommes ont autant de besoins érotiques passifs, de toutes formes, qu'actifs, mais que gagne-t-on à faire une telle distinction? Ne vaudrait-il pas mieux l'abandonner? Elle n'a même pas toujours une rigoureuse valeur descriptive! A moins qu'elle n'ait une fonction pour les hommes qui en sont les victimes, et que ça ne les arrange et ne leur serve à quelque chose d'essentiel, par exemple à servir d'écran pour la peur qu'ils ont de l'activité de la femme...

« Dès qu'un type a envie de se laisser faire dans la rencontre sexuelle, on parle de sa passivité, et de sa féminité! » : réduction dans laquelle cet analysant ne veut pas se laisser enfermer et contre laquelle il se révolte.

C'est donc sur sa capacité à bander et à faire jouir que tout le monde attend un homme; c'est là-dessus que tous le jugent : sa femme, ses petites amies; c'est là-dessus que ses copains plaisantent. C'est sur son aptitude à les faire jouir que bien des femmes jugent (entre elles?) un homme, et le propos tout fait concernant la femme qui ne jouit pas uniquement « parce qu'elle est mal baisée » ne fait que confirmer cette assignation faite à l'homme.

Les comparaisons de dimension de sexe, les exhibitions et les jeux dont elles sont l'occasion pour les garçons durant l'enfance et l'adolescence, sont l'écho de cette angoisse sans fond. Quasiment toutes les analyses masculines donnent à entendre une préoccupation parfois obsédante à propos de la grosseur de son propre sexe comme du sexe des autres garçons et des hommes. La chance pour un homme, dans le discours masculin commun (soulignons que c'est aussi le discours de bien des femmes), c'est d'être « bien monté ».

Tel adolescent explique qu'il est « littéralement malade » à l'idée qu'il y a des garcons qui ont des phallus plus grands que le sien : il est extrêmement curieux, voire inquisiteur du pénis des autres. Il a besoin de voir et de savoir; il rêve d'« arbre à bites ». Tel autre passe des heures dans des piscines ou sur les plages à regarder les garçons qui passent en slip de bain pour apprécier leurs sexes. Un jour il a vu un maître nageur se déshabillant, dont le sexe lui a paru très beau. Il se rappelle avoir joué au ballon en bandant sur la plage au milieu de garçons qui avaient de beaux sexes sous leurs slips.

Pourtant n'y a-t-il pas aussi dans le discours de bien des femmes le plaisir supérieur et raffiné d'avoir été déçues par les apparences? Pensez! Le superman n'a pas tenu ses promesses! Par contre, avec une *superwoman,* un homme sera vexé « si elle n'a pas été bien », et il s'en rendra responsable... à moins qu'il ne la rende responsable...

De toute façon, une série métaphorique concernant le rôle sexuel masculin est privilégiée : un homme est fait pour

« baiser », « tringler », « trombonner », « enfiler », « empapaouter ». Mais cette série métaphorique qui gravite autour de la pénétration, de la perforation, n'est pas la seule possible à propos du coït : il y a une autre série métaphorique qui gravite autour de l'idée de « remplir », « combler ».

Dans l'œuvre de Mouhammad Al-Nafzâwi (Tunisie du XV^e siècle) [20], on trouve ces deux axes métaphoriques, mais ce qui surprend, c'est l'accent mis sur la série métaphorique du « remplissement », du « comblement », connotant satisfaction, paix et ravissement, alors que, dans notre culture, l'accent est mis sur la série métaphorique de la pénétration avec sa connotation « viole(a)nte ».

La coïncidence de la jouissance érotique avec la seule pénétration ne va donc pas de soi. Cette femme, dans ce texte tunisien du XV^e siècle, demande à être « comblée », et la jouissance qui y est attachée est indépendante de l'orgasme : « [...] les femmes désirent trouver chez leur partenaire, lors de la conjonction, un appareil de bonnes dimensions dont la jouissance s'étale dans le temps. L'homme en question doit avoir une poitrine légère à supporter, mais une croupe qui pèse lourdement. L'eau ne jaillira pas de lui très vite, et pourtant l'éveil sera rapide. Son instrument sera complet, se développera pour atteindre le fond de l'huis, le bouchant d'une façon parfaite, occupant toute sa longueur [...] [21]. »

Le « comblement », le « remplissement » impliquent un *fond*. La pénétration, elle, ignore ce qu'elle rencontrera. Remplir est une métaphore de la finitude; pénétrer est une métaphore de l'infinitude, de l'indétermination et connote l'inconnu.

Cette schize entre deux groupes de métaphores concernant la jouissance révèle la bipolarité possible de tout discours que chacun peut tenir quant à sa sexualité : pénétrer ou combler. Et les mots de l'homme pour parler de ses jouissances ne deviennent-ils pas dérisoires quand ils s'écrasent sur les lèvres des femmes lorsqu'elles veulent parler d'elles-mêmes? Et pourquoi tant de femmes tentent-elles de parler de leur sexe avec les mots des hommes?

L'idée de « frigidité » est un exemple de cet effet de discours masculin pour parler de la sexualité féminine. N'est-ce pas parce qu'elles pensent leur propre sexualité avec les mots des hommes que bien des femmes en arrivent à se dire « frigides »? Mais cette prétendue « frigidité » n'indique-t-elle pas un mode de jouissance différent de la femme?

Il y en a, parmi les hommes, qui, pourtant, peuvent en dire long sur l'inanité de ce concept de « frigidité » lorsqu'il prétend indiquer qu'une femme « ne jouit pas » : ce sont, parmi les homosexuels masculins, ceux qui jouissent essentiellement, voire exclusivement, de se faire pénétrer. Car certains d'entre eux expliquent bien que ce n'est que d'être comblés qu'ils jouissent, sans que ce soit nécessairement lié à un orgasme, et d'ailleurs leurs orgasmes peuvent leur paraître fades à côté de cette jouissance-là.

La connexion jouissance-orgasme ne va donc pas de soi, et semble un effet direct de la colonisation par le discours masculin de tout le discours sur la sexualité, colonisation dont bien des femmes sont les complices très actives (et pourquoi?). En d'autres siècles, en d'autres lieux, il ne semble pas que les femmes aient ressassé leur prétendue « frigidité ».

C'est en effet vers le manque à jouir de sa partenaire et son éventuelle responsabilité, qu'un homme est rabattu par toutes et par tous. Et le terme de « frigidité » ne signifie pas qu'une femme ne jouit pas mais qu'« elle jouit *autrement* », et même qu'« elle jouit plus, mais elle ne le sait pas » (Lacan). La dissymétrie est fondamentale entre la jouissance de l'homme et celle de la femme, et d'ailleurs y a-t-il un gain à désigner la jouissance ou à tenter de le faire?

Si rencontre il y a, elle est d'un autre ordre que du réel : Ce qu'il faut dans la rencontre sexuelle, c'est que les deux imaginaires soient compatibles, c'est-à-dire que les *images* dans lesquelles on est chacun pris se combinent de telle sorte que chacun y trouve son compte. « Si les imaginaires ne sont pas compatibles, même si on a en face de soi la plus belle fille du monde et la plus sympa, c'est râpé! » commente quelqu'un.

Pourquoi donc rabattre le réel dans une alternative réductrice et choisir entre faire son deuil du couple ou faire son deuil du désir?

Il est vrai qu'on a voulu restaurer la valeur et la nécessité du désir dans le discours sur le couple et le mariage. Mais faire du désir le centre de gravité du couple, c'est le fonder sur du sable. Non que le désir ne soit le ressort du couple, mais il n'en est pas le fondement suffisant, et si la demande d'une femme peut être relativement stable par rapport à un homme, le désir d'un homme tient à de tels détails que ce ne peut être une bitte d'amarrage pour le couple. Le mariage classique qui prenait aussi en compte d'autres facteurs était moins précaire. Dans une civilisation où les convictions religieuses sont devenues plus flottantes, ou ont apparemment disparu, l'individu est rabattu vers le plaisir comme pôle de l'existence quotidienne, faute d'avoir des raisons d'y renoncer quelque peu; le couple est plus incertain, plus intermittent, et n'a certainement plus de raisons de prolonger des situations d'insatisfaction et de conflits aussi coûteux pour les partenaires que pour les enfants.

A la fin de *Sodome et Gomorrhe* de Jean Giraudoux, la rupture entre les hommes et les femmes est consommée : aucun couple n'a réussi à subsister. Le rapport masculin-féminin est définitivement un échec, et c'est l'apocalypse. Dieu avait sommé les hommes et les femmes de s'entendre; Dieu était prêt à sauver l'humanité tout entière au nom d'un seul couple, d'un seul amour qu'il aurait trouvé sur la terre : même le dernier des couples sur lequel étaient fondées toutes les espérances est un échec. Il n'y a rien eu à faire, et l'ange ne peut que transmettre à l'humanité tout entière sa condamnation : les hommes d'un côté, les femmes de l'autre. Tout est consommé.

Bref, ça se termine toujours de la même manière, et c'est toujours la même chanson, et il n'y a en définitive aucun moyen de s'entendre : les hommes disent que les femmes sont frigides, et les femmes disent que les hommes sont impuissants !

On est, de fait, dans une société polygame et polyandre : le droit n'est plus qu'un artifice, les plus sévères diraient qu'il n'est plus qu'une hypocrisie. Quand droit et institutions se démarquent par trop du réel, il y a crise de civilisation.

« Des petits moments de passion et d'enthousiasme, où on y croit, sur un fond désabusé! A quoi bon poursuivre ces comédies? On n'a qu'à prendre son plaisir quand l'occasion s'en offre, et il n'y a pas à attendre de grandes amours éternelles qui ne sont que des illusions dans lesquelles tout le monde se prend les pieds et qui ne servent qu'à nous faire souffrir ! » dit un homme qui parle le plus souvent dans le registre d'un pessimisme serein.

« Bah ! vive l'amour *quand même* », disait George Sand [22].

Est-ce induire que nous devrions aller vers une société sans mariage? Il en a existé, il en existe [23]. Chez les Peul orientaux, « la langue ne possède pas de mots correspondant à notre notion de famille [24] », et la parenté « physiologique » n'intervient qu'entre ceux qui boivent le lait du même bovidé. Par ailleurs, on peut « céder sa natte », c'est-à-dire faire appel à un géniteur extérieur dont le nom est tenu secret, quand on n'a pas d'enfant, car c'est la seule cérémonie d'imposition du nom qui fonde la filiation.

En Inde, chez les Nayars [25], les femmes gardent le privilège du choix, et peuvent avoir autant de relations sexuelles qu'elles le désirent, à condition que ce soit dans leur caste ou dans une caste plus élevée. Les hommes, eux, n'ont que les privilèges que leur accordent les femmes. Pourtant un analysant déclare : « Être le partenaire d'une femme qui se garde le droit de coucher avec qui elle veut, moi, je ne *peux* pas. Il y en a, peut-être, qui peuvent, moi, non. Je préfère encore rester seul. »

Et puis il y a ceux qui se marient quand même : « ils y croient ! » et se construisent cette citadelle pour leur amour, ce qui faisait dire à Gandhi : « Si un homme donne son amour à une femme, ou une femme à un homme, que leur reste-t-il à donner au monde entier ? Cela signifie tout simplement : nous deux d'abord, et que le diable emporte le reste. [...] Ils ont élevé un mur autour de leur amour. Plus leur famille est nombreuse, et plus ils sont éloignés de l'Amour Universel [26]. »

Alors ? Vivre en couple ne serait-il qu'un fantasme ?

Dans nos types de sociétés, la distance devenue trop grande entre les institutions qui veulent encadrer la sexualité, et ce qui se passe, rend toute loi dérisoire. Les institutions ne s'adressent plus qu'à un couple imaginaire tel que d'autres générations l'ont rêvé, au lieu de concerner un couple réel. Et ces institutions ont, à leur tour, produit sur le couple des effets désastreux, comme de le fixer dans l'imaginaire, ce qui mène à tourner en dérision ces institutions nécessaires à la vie sociale. Nous avons été plongés peu à peu dans le dilemme suivant : des lois trop éloignées de la réalité sexuelle, ou une sexualité qui ne veut plus connaître de lois. Paradoxalement les effets sont les mêmes.

L'érotisme, pour avoir été rejeté dans les ténèbres et condamné à toutes sortes de clandestinités, a été marginalisé et n'est plus qu'un objet de condamnations morales. Le malheur de l'Occident, c'est qu'il n'y a pas d'érotique chrétienne : la vie sexuelle y a été rigoureusement balisée par le « mariage chrétien », en dehors de quoi l'érotique est parquée en enfer ; et au paradis, les chrétiens vivront « comme les anges de Dieu ». L'islam procède de façon analogue, mais tolère des formes fragmentaires de vie érotique au paradis.

La sexualité humaine n'a pas été prise en compte dans tous ses aspects par les religions du Livre, qui n'en parlent que pour l'encadrer et la baliser; quant à ses modalités, dans le meilleur cas on n'en dit rien; ou on n'en parle, et alors avec surabondance, que pour en examiner avec une précision extrême et en condamner mille et une formes. Le « toléré » devient souvent dérisoire et morne quand ce n'est pas comique. En ce qui concerne les activités érotiques, on a voulu légiférer sur tout dans les moindres détails (et pourquoi?) là où le plus souvent on aurait dû se taire; on a voulu tout programmer là où la vie et le charme inventent. Une éthique pour voyeurs, c'est-à-dire une éthique perverse, a souvent colonisé le discours moral. On a cherché à dissoudre l'érotisme dans des spiritualités de la relation, ayant l'affectivité pour centre de gravité et qui ne débouchent souvent que dans de pauvres apologies d'un pseudo-amour réduit à la tendresse : la vérité des corps est devenue confiture pour tartiner des discours doucereux. On a paralysé, voire détruit l'homme, sous prétexte de l'éduquer. On a fait passer l'érotique au van du bien et du mal, et l'homme s'est trouvé enfermé dans un dilemme manichéen : l'ennui ou le n'importe quoi. Non qu'il n'y ait du bien et du mal, mais il n'est pas à ce niveau-là. Malheureuse sexualité humaine de l'Occident! Même ceux qui s'en croient affranchis y sont encore asservis.

D'autres civilisations, d'autres cultures lui offrent un meilleur destin [27].

NOTES

1. Luc Giribone.
2. Dans *Monsieur Teste*, me semble-t-il, mais je ne retrouve pas le passage.
3. Roger Boulez.
4. Roger Boulez : « Un certain Sade, mais pas celui de *la Philosophie dans le boudoir* où bien d'autres choses apparaissent. »

Par exemple, le jardinier Augustin, qui participe à la fête parce qu'il est spécialement bien monté, est prié de se retirer lorsque Dolmancé va exposer « Français, encore un effort si vous voulez être républicains ». Des limites bien précises sont donc fixées à la présence et à la participation du jardinier, et Mme de Saint-Ange lui dit : « Sors, Augustin : ceci n'est pas fait pour toi; mais ne t'éloigne pas; nous sonnerons dès qu'il faudra que tu reparaisses. » (Sade, *Œuvres complètes,* Paris, Cercle du Livre précieux, 1966, t. III, p. 477.)

5. Cf., à titre d'illustration, J. Genet, *Le Balcon,* Gallimard.

6. Cf. J. Clavreul, « Le couple pervers », dans *Le Désir et la Perversion,* Paris, Seuil, 1967, p. 93-117.

7. *Les Premiers Psychanalystes* (Minutes de la Société psychanalytique de Vienne), Paris, Gallimard, 1976 et 1978, t. I, 1906-1908 (séance du 18 décembre 1907), et t. II, 1908-1910 (séances du 28 avril 1909 et du 12 mai 1909).

En cours de séance (t. II, p. 229), « Stekel hésite à avancer ses opinions hérétiques. C'est une erreur de croire que l'enfant demande à sa mère de l'éclairer; il la met à l'épreuve par ses questions. Le fait est que les enfants ne veulent pas être éclairés par les adultes : l'éducation par les adultes est un traumatisme pour l'enfant; elle est aussi impossible à l'école qu'à la maison. La meilleure éducation sexuelle est en réalité celle qui se fait par l'intermédiaire d'un traumatisme; Stekel connaît des cas où un traumatisme a prévenu la névrose. La meilleure éducation sexuelle est celle que font les enfants. La question est de savoir comment protéger les enfants d'idées incestueuses qui sont la cause profonde de toutes les névroses. Si nous savions cela, nous rendrions peut-être un service à l'humanité. » Reitler remarque que « les enfants devraient être élevés de telle sorte qu'ils n'auraient aucun besoin d'être éclairés » (p. 230). Et Freud intervient pour indiquer que « le plus grand dommage résultant de l'omission de l'éducation sexuelle consiste dans le fait que, pour le reste de la vie, la sexualité est marquée du sceau de l'interdit [...]. Ce caractère d'interdit joue plus tard un rôle important dans la vie conjugale; en effet ces personnes ne trouvent du plaisir sexuel que dans ce qui est interdit; elles sont déçues par la vie conjugale et, par conséquent, frigides. C'est ce stigmate avant tout qu'il faut enlever à la sexualité » (p. 233).

8. Anne Hugon (et ses amies de terminale).

9. Un des grands succès de Lucienne Boyer :

« Parlez-moi d'amour - redites-moi des choses tendres - votre beau discours - mon cœur n'est pas las de l'entendre - pourvu que toujours - vous redisiez ces mots suprêmes - je vous aime - Vous savez bien que dans le fond - je n'en crois rien, mais cependant - je veux encore - écouter ces mots que j'adore [...] et malgré moi je veux y croire - etc. »

10. Une question en passant : la pédophilie des femmes n'est-elle pas oubliée, au contraire de celle des hommes, parce que plus « naturelle », et plus intégrée socialement, alors que la pédophilie des hommes est suspecte? Une analysante s'exclame : « Je suis une femme-pédéraste! »

11. Roger Boulez.

12. Philippe Bonnet.

13. Nicole Janin.

14. Cyril Soulez-Larivière.
15. Acte I, sc. II (Paris, Grasset, 1943, p. 69).
16. Pascal, *Pensées,* Lafuma, nº 688 (nº 323 dans l'éd. Brunschvicg), Paris, Seuil, 1962, p. 298.
17. Balzac, *Séraphîta, Études philosophiques, la Comédie humaine,* Paris, Gallimard, Pléiade, t. XI, 1980, p. 750-751.
18. *Don Giovanni,* acte I, sc. V : « Zitto, mi pare sentire odor di femmina. »
19. J.-F. Mattéi, *L'Étranger et le Simulacre,* Paris, PUF, 1983, coll. « Épiméthée », p. 178. Je cite le passage en entier : « De son incessante redondance, le double répudie la différence, alors que le couple, au contraire, l'intègre au sein d'une communauté : chacun des deux éléments de cette dernière ne prend de signification qu'en fonction de l'*autre.* En termes kantiens, nous pourrions dire que *sans le Même l'Autre est vide* [...]; *sans l'Autre le Même est aveugle* [...]. »
20. *La Prairie parfumée où s'ébattent les plaisirs,* un des chefs-d'œuvre de la littérature érotique arabe, Paris, Phébus, 1977 (trad. fr. par René Khawam).
21. *Ibid.,* p. 61-62.
22. George Sand, *Correspondance,* éd. par G. Lubin, t. II, Paris, 1964-1981, p. 848, cité par J. Barry, *George Sand ou le Scandale de la liberté,* Paris, Seuil, 1982, p. 200.
23. Pour ce paragraphe, cf. M. Dupire, *L'Organisation sociale des Peul,* Paris, Plon, p. 69, qui mentionne l'existence de sociétés sans mariage; cf. aussi p. 86, 152, 153, 155, 159.
24. *Ibid.,* p. 86.
25. A propos des Nayars, sur la côte de Malabar, cf. E. K. Gough, « The Nayars and the definition of marriage », *The Journal of the Royal Anthropological Institute of Great Britain and Ireland,* vol. 89, 1959; cf. aussi un autre article dans la même publication, vol. 82, 1re partie, 1952, et le travail de W. N. Stephens, *The Family in Cross Cultural Perspective,* New York, 1963; cf. aussi, sur les Nuer, E. Evans-Pritchard, *Parenté et Mariage,* Paris, Payot, 1973.
26. Gandhi, *Lettres à l'Ashram,* Paris, Albin Michel, 1948, p. 25-26.
27. Je remercie ceux qui ont discuté avec moi de cet article et ont contribué par leurs remarques à son élaboration : Éric et Jean-Marc Bertrand; Philippe et Michèle Bonnet; Roger et Marie-Claire Boulez; Michel Foucher; Luc Giribone; Josette Greiveidinger; Anne Hugon; Nicole Janin; Agnès Lesaing; Geneviève de Parseval; Teresa Santa Clara; Cyril Soulez-Larivière; Catrin Unkel.

# De la perversion

*Patrick Valas*

Vienne 1905 : Sigmund Freud, en publiant son livre intitulé *Trois Essais sur la théorie de la sexualité,* va déclencher un triple scandale, dont les vagues sont toujours les mêmes en 1985. Il y révèle en effet que :

– il n'y a pas de normes sexuelles, la sexualité est fondamentalement perverse, ce à quoi tentent de parer les normes sociales;

– tout sujet, qu'il soit pervers, psychotique, névrosé ou « normal », est en difficulté avec sa sexualité;

– l'enfant a aussi une sexualité, dont le mode d'exercice permet de le qualifier comme un pervers polymorphe.

Pour argumenter ses trois thèses, Freud, comme à son habitude, va préalablement partir de l'opinion la plus couramment répandue et admise sur le sujet qu'il traite pour en démonter l'illusion en s'appuyant sur ce qu'il recueille de sa pratique.

Ainsi, dit-il, le désir sexuel, tel qu'il se manifeste chez les êtres humains, permet de définir deux pôles où s'exerce son activité, d'une part son objet, c'est-à-dire le plus généralement le partenaire sexuel exerçant son attrait sur le sujet; d'autre part le but de ce désir, qui est d'obtenir sa satisfaction pour la conjonction des organes génitaux dans l'acte sexuel.

Or Freud constate que la sexualité, au-delà de sa fin proprement biologique dans la reproduction, présente toutes sortes de fantaisies dans son exercice courant aussi bien chez les sujets normaux que chez les pervers.

Ainsi le partenaire, désigné comme étant l'objet sexuel, même s'il est choisi et aimé de façon préférentielle, peut être remplacé indifféremment par d'autres objets en fonction de leurs capacités à permettre au sujet d'obtenir la satisfaction de son désir. Il n'y a donc à cet égard aucune harmonie entre le désir et son objet, aucun espoir pour le sujet de trouver un partenaire qui le complémenterait.

En ce qui concerne enfin les moyens pour le sujet de parvenir à la jouissance, toutes les déviations sont possibles.

Freud, dans le débat scientifique où l'entraînent ses découvertes, élimine toute dégénérescence congénitale ou acquise (notamment la syphilis, toujours évoquée en ces matières sexuelles à son époque) dans la causalité de ces « déviations » qui s'observent quant à l'objet et au but.

Ce polymorphisme extraordinaire des manifestations de la sexualité chez l'homme le met même dans l'embarras pour définir la perversion. Mis à part certaines déviations qu'il ne peut faire autrement qu'à les qualifier de pathologiques, par exemple la nécrophilie ou la zoophilie, Freud en vient à la conclusion qu'on ne peut distinguer la perversion de la normalité que parce que, dans la perversion, le sujet est fixé de manière prévalente voire exclusive à un objet particulier (par exemple un fétiche), comme il peut employer des moyens spécifiques (par exemple la flagellation) pour parvenir à la jouissance recherchée sans la trouver nécessairement à travers le coït.

Pour Freud, la sexualité humaine n'est pas une simple donnée instinctuelle. Elle se manifeste dans ses variations par le biais des pulsions partielles, qui en sont les représentants psychiques. A la limite des domaines psychique et physique, les pulsions partielles sont relativement indépendantes, par leur organisation et leur fonctionnement, de la maturation biologique et de l'ordre des besoins du corps, qu'elles accompagnent cependant dans son développement.

La pulsion se définit par sa source, appelée zone érogène. Bien que tout le corps puisse s'embraser, les zones érogènes sont localisées dans des organes qui peuvent être le siège d'excitations et de processus comparables à l'érection des organes génitaux, pouvant à l'occasion se substituer à eux dans la recherche du plaisir, qui est le but premier de la pulsion. En effet, la satisfaction, obtenue par le sujet au niveau de la zone érogène correspondante, est liée à la baisse de sa tension produite par une excitation endogène à valeur sexuelle.

Freud distingue trois pulsions fondamentales, les pulsions orale, anale et génitale, liste à laquelle Lacan ajoute les pulsions scopique (regard) et invocante (voix). En même temps, Lacan démontre que la pulsion génitale n'existe pas – c'est pour lui tout l'intérêt des perversions que de l'illustrer. Les névrosés croient à l'existence possible d'une vie sexuelle « adulte et harmonieuse ». Ils courent sans cesse après cette chimère pour leur malheur, c'est pourquoi Jacques Lacan se désespérait que la psychanalyse ne soit pas capable d'inventer une nouvelle « père-version » moins stéréotypée que celles que nous connaissons. A ce prix sans doute la vie serait plus légère.

Les pulsions sont mises en jeu indépendamment les unes des autres mais peuvent s'interchanger quant à l'objet et au but lorsque, pour une raison quelconque, la satisfaction recherchée par le sujet à travers l'une d'elles ne peut être obtenue. (Ainsi, la pulsion orale ne pouvant être satisfaite pour la jouissance du sujet, celui-ci peut avoir une satisfaction substitutive presque similaire dans la vision de la gourmandise qu'il convoite.)

Pour tenter d'unifier le champ du fonctionnement des pulsions partielles où la sexualité se manifeste, Freud invente le mythe fluidique de la libido qui se répartit entre les pulsions selon un principe des vases communicants. La libido est une énergie postulée par Freud pour rendre compte des transformations de la pulsion sexuelle.

Freud va ensuite établir que les enfants aussi ont une vie sexuelle. Il montre d'abord comment chez l'enfant la pulsion sexuelle s'étaye sur la fonction des besoins organiques, par exemple le nourrissage, pour s'en séparer ultérieurement. Cela va passer par la voie d'une érotisation de l'activité de satisfaction de ses besoins dans sa relation affective à l'adulte, de sorte que l'apaisement d'un besoin va être confondu au départ par l'enfant avec la satisfaction de la zone érogène qui lui correspond, ainsi par exemple le besoin de manger n'est pas sans le plaisir de la bouche.

De ce fait, l'organisation de la sexualité infantile suit la maturation physiologique du corps, mais, bien que n'étant pas encore polarisée par le primat des organes génitaux, elle se manifeste très précocement par la mise en jeu des pulsions partielles (par exemple, la pulsion orale dans le plaisir de la tétée, ou encore la pulsion génitale dans la masturbation).

Si Freud qualifie l'enfant comme un pervers polymorphe, c'est bien parce qu'il peut trouver les modes les plus variés, les plus élaborés de parvenir à la satisfaction de ses pulsions. Même s'il lui manque sa composante génitale, la vie sexuelle de l'enfant n'a rien à envier à celle de l'adulte, elle en est la matrice, elle en annonce toutes les virtualités.

Dans la forêt de la littérature analytique, à part Freud, seul l'enseignement de Jacques Lacan peut, me semble-t-il, nous donner les éléments nécessaires pour répondre aux énigmes que pose la perversion. Pour Lacan aussi, du reste, il faut partir de l'enfant pour comprendre comment se cristallise une perversion chez l'adulte.

On sait bien que la relation privilégiée de l'enfant à sa mère se caractérise moins par sa dépendance vitale que par la dépendance de son amour. Or, très précocement, l'enfant peut s'apercevoir que le désir de sa mère s'attache aussi à d'autres objets qu'à lui-même, ainsi que le montrent ses absences répétées. C'est la raison pour laquelle leur duo ne se boucle pas (et heureusement) sur sa propre satisfaction. Il y a toujours quelque chose qui manque à l'harmonie de leur couple. Pour s'expliquer le sens des allées et venues de la mère, l'enfant imagine que celle-ci s'intéresse à un autre objet de jouissance. Sa mère, il la veut toute à lui, et pour captiver son désir, il s'efforce de la leurrer sur la nature de cet objet qu'il élucubre au gré de sa fantaisie pour la combler. Ou bien il se propose à être tout entier cet objet pour elle, ou bien il s'efforce de lui faire croire qu'il le possède. Il déploie alors tout un art de la séduction, et on s'émerveille toujours de le voir se montrer si doué dans ses variations comme dans son insistance à vouloir la prendre au piège de ses simulacres. C'est incontestablement pour lui d'une importance capitale que de feindre la présence cachée de l'objet convoité par la mère (c'est du moins ce qu'il suppose). Telle est la signification profonde de ses jeux de cache-cache qui lui procurent une intense jubilation, surtout au moment précis où l'objet peut apparaître pour aussitôt disparaître. C'est le lutinage amoureux de l'enfant avec sa mère sur l'air bien connu de la ronde enfantine : « Il court, il court le furet, le furet du Bois-Joli, il est passé par ici, il repassera par là... »

Ce furet, cet objet baladeur, la psychanalyse le désigne, pour des raisons que la suite permettra de comprendre, comme le phallus imaginaire attribué par l'enfant à la mère. Il s'agit, dans toute cette période où les perversions s'originent, de voir où il est et où il n'est pas. Il n'est jamais vraiment là où il est, il n'est jamais vraiment absent là où il n'est pas – c'est le temps des jeux innocents.

Mais voici que vient le temps des jeux interdits : les choses ne peuvent pas en rester là, car, fille ou garçon, l'enfant va se trouver très tôt aux prises avec des manifestations génitales le conduisant à la masturbation, qui le laisse perplexe devant l'énigme du plaisir privilégié qu'il peut en ressentir. La relation déjà très érotisée avec la mère va se centrer sur sa valeur sexuelle : aussi bien l'enfant va-t-il se montrer toujours plus entreprenant et précis dans les explorations où le pousse sa curiosité nouvellement chatouillée. Mais dès lors, l'enfant, jusqu'à présent apprécié comme partenaire de jeu, ne peut qu'être déprécié comme sujet désirant, lorsque dans sa confusion innocente il va jusqu'à offrir ses bons services pour la jouissance de sa mère. Devant les refus et les interdits qu'elle profère généralement dès les premières manifestations de sa sexualité naissante, l'enfant est bien obligé d'admettre qu'il y a maldonne et que le désir de sa mère ne dépend pas de son seul caprice, mais qu'elle obéit à une loi qui la transcende. Cette loi, pour la nommer, c'est l'interdit de l'inceste dont elle lui transmet les premiers tabous, comme elle en renouvelle sans cesse les impératifs. Mais dans ce mouvement où la mère transmet la loi de l'interdit de l'inceste, elle se dévoile en même temps comme châtrée dans la subjectivité de l'enfant, qui a découvert depuis belle lurette qu'elle n'avait pas de pénis. Cela n'est pas sans comporter pour l'enfant la crainte d'être à son tour châtré (la petite fille pense que c'est déjà fait pour elle) et, devant l'angoisse que soulève cette menace, l'enfant se tourne alors vers le père, celui qui possède réellement le pénis et qui pour cette raison devient préférable à la mère, car il est supposé avoir surmonté cette épreuve de la castration. Il s'engage ainsi dans le complexe d'Œdipe, le résultat étant la légitimation de son être sexué d'homme ou de femme selon le cas.

Il est impossible de comprendre comment, à partir de la réalité anatomique des sexes, peuvent se concevoir la genèse et la fonction de ce qu'en psychanalyse est le phallus. Après tout, Freud ne fait qu'emprunter et transposer à son expérience ce terme dont le sens et la valeur symbolique sont véhiculés depuis des temps immémoriaux par tous les discours humains. Symbole de la vie, de la puissance et de la jouissance, le phallus doit sa primauté à l'instance de la loi de la prohibition de l'inceste – nous ne l'inventons pas : elle nous impose son ordre, comme elle est le fondement des lois de l'exogamie dont s'organise toute société humaine, patrilinéaire ou matrilinéaire. Ces lois ordonnent ainsi les filiations en réglant les choix préférentiels des alliances et des échanges.

Pour la psychanalyse, l'organe mâle est signifié comme étant le phallus par le discours – en témoignent le marquage et les scarifications apposées sur le pénis dans les cérémonies d'initiation. Il s'impose à ce titre comme un symbole et joue un rôle central dans la dialectique œdipienne, en offrant comme objet une image prévalente au désir de l'enfant là où le sexe de la femme ne présentifie qu'une absence. Il est bien entendu qu'il n'y a aucune genèse naturelle du pénis au phallus, c'est l'ordre du discours qui l'investit de cette fonction symbolique primordiale en l'accordant à la dialectique de la loi.

Si la femme peut être posée comme n'ayant pas le phallus symbolique, alors qu'elle n'est réellement privée d'aucun organe, c'est donc par pure convention de discours. Après tout nous ne pouvons que l'admettre car, depuis toujours, le discours porte cette signification du phallus, même si nous n'en comprenons pas le sens. Le sujet s'y trouve engagé à son insu du fait même de l'existence de l'inconscient, c'est pourquoi Freud pose le principe du primat de l'assomption phallique, qui va faire de la possession ou non du phallus l'élément différentiel primordial où s'oppose l'organisation génitale des sexes. Autrement dit, le sujet doit se situer comme être sexué dans le symbolique (c'est-à-dire le langage) à partir de l'incontournable du réel du sexe.

Le lecteur peut éprouver quelques difficultés à saisir comment on passe du pénis réel au phallus comme symbole; il comprendra que c'est le même obstacle auquel se heurte l'enfant au moment où il rencontre cette question, c'est-à-dire à l'entrée du défilé œdipien. L'Œdipe dans la psychanalyse étant cette opération fort complexe, par laquelle le sujet est introduit à la loi de la prohibition de l'inceste qui s'impose à lui et oriente sa destinée en le faisant se reconnaître :

– soit comme homme, c'est-à-dire comme ayant le phallus;

– soit comme femme, c'est-à-dire comme ne l'ayant pas, ce qui la met en position d'être le phallus.

Ce processus expliquant leurs positions dissymétriques par rapport à la loi.

L'immense majorité des sujets, au moment où ils constatent l'absence de pénis chez la mère, renoncent à lui attribuer le phallus imaginaire de leurs premiers jeux et se tournent alors vers le père, dont c'est le rôle que de les aider à traverser cette épreuve avec le résultat que l'on sait.

D'autres sujets, au contraire, devant l'horreur que suscite cette découverte et l'effroi qu'elle soulève de leur propre castration, refusent d'admettre cette réalité. Il n'est pas juste de dire que l'enfant ayant observé sa mère a sauvé sa croyance qu'elle a un pénis, il a en même temps conservé et abandonné cette croyance. Dans son psychisme, la mère possède bien un pénis, mais sur le modèle du phallus imaginaire qui a présidé à leurs ébats innocents – ce qui en accentue encore plus la valeur, en masquant ce que l'enfant ne veut pas reconnaître, lui évitant ainsi d'avoir à affronter l'angoisse de castration.

Ainsi prend consistance le fantasme de la mère « phallique ». Pour en soutenir l'illusion, l'enfant procède de la façon suivante dans les jeux où l'entraîne sa curiosité sexuelle, comme par exemple dans son observation de la mère, qu'il épie le plus souvent à son insu. Il arrête le regard, au bord de la robe, de la combinaison ou du soutien-gorge, juste où il faut, pas trop loin, de telle sorte que pour lui reste en suspens la possibilité de croire qu'elle a un « phallus » caché sous ses vêtements, ce qui a pour effet de le laisser dans le plus extrême ravissement. Tel est le mode d'artifice par quoi l'enfant maintient l'existence du « phallus » caché de la mère. C'est là que s'origine, dans cette manière d'« arrêt sur image », refoulée dans l'inconscient du sujet, le souvenir-écran qui fait retour et qui va constituer la matrice de toute perversion. En effet, pour renouveler l'intense jouissance qu'il a éprouvée en observant sa mère, le garçon, devenu adulte, tentera toujours de retrouver la même situation en la mettant en scène avec sa partenaire. On comprend mieux alors la fonction érotique essentielle du voile. Son maniement va permettre au sujet de masquer et de démasquer en même temps, pour sa jubilation, le manque de la femme, comme ce fut le cas avec sa mère en ce moment privilégié de son histoire où son désir fut fixé sur le mode de jouissance qu'il en a éprouvée, et dont il conserve la mémoire dans l'inconscient de façon indélébile.

En investissant la femme de cet attrait supplémentaire, le sujet retourne la situation à son avantage puisque c'est de lui qu'elle reçoit les insignes de son pouvoir érotique, de sorte qu'il la tient – du moins le croit-il – à sa merci. Simulacre bien sûr, toujours à la limite de la reconnaissance de la loi ainsi défiée et sur laquelle il prend appui pour la transgresser dans l'exercice de sa passion. La voie imaginaire empruntée par la perversion, la nécessité que son enjeu consiste dans l'existence d'un secret possédé connu des seuls initiés où les partenaires sont pris dans une relation précaire en miroir toujours menacée de se rompre, laissent en elle quelque chose d'approximatif, d'allusif et d'ineffable qui en fait tout le polymorphisme et la richesse.

La perversion est bien un mode d'exercice du désir où se manifestent toutes les passions humaines, avec leurs nuances, de la honte au prestige, de la souffrance à l'héroïsme, attestant que le sujet est tout entier exposé au caprice du désir de l'autre. On comprend qu'il s'agit là d'une position subjective très élaborée, complexe, raffinée, exigeante même quant à ses moyens et à la qualité de ses fins. Son exercice est lié au déni de la loi, à la dérision de ses effets. Mais parce qu'il lui est nécessaire de trouver l'appui dans ses interdits et tabous, qu'il profane et transgresse dans son projet de parvenir à une jouissance sans limites qu'elle briderait, le pervers ne fait qu'en souligner d'autant plus l'importance. Si la loi en effet n'était pas suspendue comme menace à l'horizon, son acte « scélérat » serait sans valeur et sans saveur, la jouissance dérobée par son geste.

En fait, il s'agit bel et bien de questionner la loi sur la légitimité de ses fondements. C'est tout l'intérêt des perversions que d'apporter par ce biais des éléments qui travaillent et enrichissent la culture dans l'interrogation de ses liens sociaux les plus fondamentaux, comme par exemple l'amour ou le pacte de la parole, entre autres.

A cet égard, et contrairement à ce qu'un usage abusif mais courant de ce terme semble indiquer, il ne faut pas confondre la perversion avec la saloperie – l'immense majorité des perversions restant sur un mode ludique dans leur exercice, et c'est le côté comique de la vie qui est manifesté en elles, non pas son versant tragique. Rien à voir, sauf exception, avec les bourreaux nazis et autres imbéciles assimilés (on ne peut éviter de les évoquer ici) que des circonstances historiques exceptionnelles, et encore bien obscures, ont mis à la tâche d'accomplir une sinistre besogne pour les besoins d'une cause obscène et féroce.

Il nous faut maintenant expliquer pourquoi l'homme a l'exclusivité des grandes positions perverses, alors que la perversion est quasi absente chez les femmes. C'est un fait d'expérience à constater d'abord. Hormis le cas de l'homosexualité féminine, peu de femmes sont perverses. La plupart de celles qui accompagnent l'homme dans l'exercice de sa perversion le font plus souvent par amour ou par complaisance que par goût véritable.

La psychanalyse ne peut avancer là-dessus que quelques hypothèses plus ou moins satisfaisantes, mais dont il faut bien pour l'instant se contenter faute de mieux. L'essentiel de son argumentation tient à ceci : l'incidence de la loi introduit le sujet à l'ordre du discours, mais nous avons vu que l'homme et la femme y sont placés de façon dissymétrique. En instituant l'homme comme ayant le phallus (le phallus étant le pénis élevé à la fonction de symbole) et la femme comme ne l'ayant pas, le discours ne fait que rendre compte d'une façon partielle de ce qui est arrivé aux hommes depuis l'avènement du langage, dont nous ne connaissons pas l'origine. En effet, il est impossible de savoir si l'avènement de l'être humain à la parole découle de quelque mésaventure survenue quant à sa sexualité, ou si, tout au contraire, la sexualité se trouve dérangée du fait qu'il parle. Mais, parce que le langage existe, le sujet a un rapport troublé à la jouissance de son corps.

– Il se trouve que la fonction du phallus, véhiculée par le discours, a moins d'importance pour la femme car elle n'est pas entièrement prise dans son ordonnance. Elle a moins besoin que l'homme de dénier la loi, car elle fonde son être hors discours. Son essence même, pour cette raison, n'est pas la perversion. On sait bien qu'après tout la jouissance féminine n'est pas limitée au plaisir de l'organe clitoridien mais qu'elle consiste en un embrasement de tout le corps. Ce n'est pas pour rien que l'homme idéalise en elle la possibilité d'une jouissance sans limites.

– Pour l'homme il n'en va pas de même. L'ordre du discours, en le faisant porteur du phallus, le soumet entièrement à la fonction phallique. La preuve, sinon l'explication rationnelle, en est dans son mode de jouissance. La jouissance sexuelle de l'homme est en effet limitée et localisée à l'organe, c'est pourquoi il n'accepte pas si facilement les limitations apportées à sa jouissance par la loi. Pour s'en affranchir, la perversion lui ouvre une voie toute tracée, du moins l'espère-t-il, au libre accès à la jouissance, qu'il a identifiée chez la femme comme à une jouissance absolue et à laquelle il ne veut pas renoncer. C'est pourquoi l'essence même du désir de l'homme est la perversion – au moins il en rêve, car tous les hommes sans exception ont des fantasmes pervers.

Pour comprendre comment le garçon fait le choix de la perversion, il faut revenir à ce moment crucial où il a découvert que sa mère est « châtrée », ce qui, nous l'avons fait remarquer, n'est pas sans soulever en lui la menace de castration avec l'angoisse qu'elle comporte. Or, plutôt que d'affronter cette épreuve, et pour peu que les circonstances s'y prêtent, tel sujet peut préférer mettre sa jouissance à l'abri d'une mère supposée phallique par lui, faisant ainsi l'économie de l'angoisse de castration évitée à ce prix. Telle est la solution perverse qu'il donne à son désir. Aussi, à l'âge adulte, il lui importe absolument de maintenir la partenaire de son choix comme ayant le « phallus » sur le modèle de celui attribué à sa mère au temps précédant son entrée dans l'Œdipe – c'est-à-dire comme un phallus imaginaire ayant pris valeur prévalente de symbole pour lui, tout en restant détaché de la dialectique du discours de la loi.

On invite le lecteur à se reporter au texte fondateur de Freud sur le fétichisme – la clarté de son exposé lui permettra de mieux suivre notre cheminement.

Puisque c'est son destin que nous suivrons ici, voilà donc le garçon suspendu dans une position précaire dans sa relation en miroir avec la mère « phallique », à laquelle il n'a pas renoncé :

– ou bien il s'identifie à elle, et c'est la solution fétichiste qui s'offre à son désir;

– ou bien il s'identifie au « phallus » caché sous ses vêtements, et c'est la solution du transvestisme.

Dans le fétichisme, il s'agit bien du renouvellement répété par la mise en scène de ce souvenir-écran où, enfant, le sujet aurait éprouvé une intense jubilation dans l'observation interrompue de sa mère, au bord de la chaussure, de la robe ou de la combinaison, avant le risque que ne se dévoile son absence de pénis. Le fétiche devient alors l'équivalent du voile qui masque cette absence tout en laissant deviner sa présence. Les fétiches sexuels sont toujours en nombres limités, empruntés le plus souvent aux vêtements de la femme pour évoquer son mystère. Ce sont par exemple les chaussures à talons, culottes de dentelles, jarretières, combinaisons de soie, (la liste n'est pas exhaustive...), tous ayant pour fonction chez la femme d'attirer et en même temps d'arrêter le regard de l'homme. Le sujet a besoin de la présentation de son fétiche préféré dans sa rencontre avec ses partenaires, et, comme il est peu encombrant, il est en général très bien accepté. Freud souligne bien que le fétichisme est un mode particulièrement satisfaisant de régler la question du désir, puisque le sujet dispose à sa guise d'un phallus pour ainsi dire apprivoisé.

Dans le transvestisme, le sujet s'identifie tout entier au « phallus » caché sous les vêtements de sa mère. En se travestissant en femme, il se livre le plus souvent à des plaisirs solitaires devant le spectacle qu'il se donne à lui-même devant un miroir. Les vêtements ont du reste toujours cette valeur de transvestisme. Certains sujets peuvent même aller jusqu'à porter des vêtements de cuir et surtout de caoutchouc, toutes ces matières étant appréciées pour leur qualité de seconde peau, ce qui accentue encore plus leur identification à leur modèle.

Fétichismes et transvestismes sont les formes les plus simples des perversions et l'on peut trouver tous les modes de transition des unes aux autres, de même qu'on peut retrouver leurs caractéristiques dans toutes les autres perversions.

Il convient maintenant de préciser que si les perversions peuvent être typifiées par leur mode d'exercice (voyeurisme, sadisme, etc.) comme par leur objet (partenaire homo- ou hétérosexuel, voire les deux, etc.), ce qui les caractérise essentiellement c'est la position du sujet et la façon dont il aborde le partenaire. Du point de vue phénoménologique, en effet, rien ne permet de distinguer la perversion de la névrose. On désigne ici du terme de névrosé tout sujet, le dit « normal » n'étant après tout qu'un névrosé pas trop encombré par ses symptômes.

Comme l'expérience analytique le révèle – mais chacun peut aussi s'en apercevoir s'il s'interroge un peu sérieusement –, tout sujet, à part les difficultés qu'il affronte dans le monde réel, se fomente dans sa tête une petite histoire. Pour son plaisir personnel, elle prend la forme d'un scénario qui le met en scène de façon où il est plus ou moins avantageusement comme acteur en train de réaliser son désir le plus cher avec la partenaire de son choix. On sait, d'expérience aussi, qu'il répète à quelques modulations près toujours invariablement la même historiole – c'est ce que la psychanalyse définit comme le fantasme fondamental où se représente le désir du sujet fixé à un mode de jouir privilégié. Il y a deux pôles à ce fantasme :

– d'une part, le sujet lui-même identifié au héros de son choix (dans ce domaine, pas d'économie à faire);

– d'autre part, son partenaire préféré, son objet sexuel par excellence réel ou imaginaire (de ce côté-là, il n'y a rien à se refuser).

En définitive, dans son rapport au monde et notamment dans sa vie sexuelle, c'est son fantasme que le sujet s'efforce de mettre en acte, et c'est dans la façon dont il le réalise que se distinguent radicalement les structures de la névrose et de la perversion – car, il faut insister encore ici, les névrosés ont aussi des fantasmes pervers, mais ils ne remplissent pas pour eux le même office. Les névrosés rêvent plutôt d'être pervers, à défaut d'y parvenir réellement. Quoi qu'il en soit, dans la rencontre du névrosé avec son partenaire, ce n'est jamais la bonne heure. Il est toujours trop tôt ou trop tard. Il reste suspendu à la volonté énigmatique de l'autre, embarrassé par un désir qu'il n'ose ni avouer, ni mettre en acte. Il attend qu'on lui demande ou qu'on lui donne la permission de désirer, de sorte que la plupart du temps, lorsqu'il se décide enfin, cela tourne le plus souvent pour son malheur à la catastrophe.

Pour le pervers, il en va autrement : le sujet se met à la place de sa partenaire, en référence à sa relation en miroir avec sa mère « phallique ». Il ne s'interroge pas sur son désir, il lui impose le sien. Le sien, il le connaît suffisamment bien pour le mettre en acte par un savoir-faire certain, directement branché sur la conduite sexuelle du fait de son « amoralité ». Il faut bien saisir ce que signifie cette « amoralité » de la perversion. Si, comme Freud l'a développé et démontré, il n'y a pas de normes sexuelles (ce à quoi tentent de parer les normes sociales), le pervers est exactement celui qui met en valeur cet axiome, parce que la jouissance est sa visée première. En somme, c'est plutôt lui le normal au regard de la sexualité. Comme il situe la jouissance idéale chez la femme, pour l'approcher il peut s'offrir loyalement à la servir. Il ne s'occupe pas de détourner les règlements du monde réel, il interroge la loi de l'amour dans ses plus extrêmes conséquences, car ce qu'il veut fonder c'est une science de la jouissance. La suite permettra de mieux comprendre ce fait.

Alors que le névrosé recule devant la difficulté propre à l'acte sexuel, le pervers propose des solutions plus ou moins astucieuses pour la surmonter. En effet, l'expérience le lui a appris – il a surtout bien retenu la leçon –, il sait, comme homme, que sa jouissance sexuelle est un court-circuit puisque sa satisfaction trop rapide provoque la chute de son désir. Pour atteindre à la jouissance absolue, qu'il identifie à celle de la femme idéalisée de ses amours, il suspend l'acte sexuel afin que dure le plaisir de désirer. Il veut porter le plaisir à son incandescence, tout en s'efforçant d'éveiller celui de sa partenaire. Pour ce faire, il va déployer toutes les ressources de son art dont il ne perd jamais tout à fait la maîtrise en cédant à sa passion, avant que l'acte d'amour ne vienne accessoirement parachever ce qu'il conçoit le plus souvent comme une effusion quasi extatique entre lui et la femme. Il a appris que la jouissance de la femme est pour l'homme d'une approche difficile, qu'il ne peut la saisir que dans les subtilités mêmes de ses manifestations chez elle. Il faut qu'il la lui dérobe lorsqu'elle l'éprouve en s'y abandonnant. Il veut la savourer et doublement jouir de la lui avoir révélée. Il lui faut donc la surprendre et lui faire savoir qu'elle est surprise et livrée sans défense, au-delà de toute pudeur, au dévoilement qu'il prétend atteindre du mystère de la féminité. Le pervers, dans sa volonté de jouissance, se présente ainsi toujours comme un maître des choses de l'amour. Il y a toujours chez lui ce côté démonstrateur, éducateur même, tant pour sa partenaire que pour le public qu'il se donne à l'occasion. Pour cela, l'innocence de la partenaire est souvent requise. Elle est à la fois la femme idéale, car étrangère et anonyme, et en même temps la plus familière au moment où elle est touchée, dévoilée. Son affolement au moment de sa découverte valant pour preuve de l'aveu d'un désir interdit qu'elle refoule. C'est un secret connu des seuls initiés qu'on lui arrache ainsi – le pervers se donnant le plus souvent comme un initiateur, un expert en jouissance.

L'étude des principales perversions va maintenant nous permettre de les spécifier comme d'en souligner les caractères communs, ainsi que le rapport particulier qu'entretient le sujet avec sa partenaire dans chacune d'elles.

– *Le voyeurisme.*

Est-il vision plus folle que celle qui s'offre au regard du voyeur? Une femme est à sa toilette devant son miroir. Par ses gestes simplement elle peut laisser croire qu'elle désire être vue dans sa plus intime féminité. Le voyeur est bien là pour en ravir un secret toujours évanouissant. Il n'est pas là pour voir ce qui peut être vu mais, au contraire, pour ce qui ne saurait se voir : l'absence de phallus. Il lui importe, dans un second temps, de se laisser découvrir par celle qui a été sa proie à son insu, de sorte qu'il puisse jouir encore plus de ce qu'elle se sache réellement surprise. Enfin, c'est un bref et ultime croisement des regards, lui jubilant, elle courroucée, rougissante et honteuse d'avoir été ainsi perçue à son insu, et puis le voyeur disparaît. On peut donc tout à fait distinguer ce qui sépare le voyeur du névrosé « mateur ». En effet, le « mateur » se cache pour observer. Il veut tout voir et surtout que rien ne manque, d'où son goût pour la pornographie, qui n'intéresse que médiocrement le voyeur véritable – la profusion des images, leur obscénité venant occulter ce qui ne peut pour en jouir que se saisir dans la transgression. Le plaisir du « mateur » est ailleurs, essentiellement occupé par la masturbation et, à cet égard, il n'est pas question pour lui d'être découvert.

– *L'exhibitionnisme.*

Le fait de surprendre la victime y est aussi essentiel. Ce que le sujet donne à voir, lorsqu'il ouvre son manteau, c'est ce qu'il a en tant que l'autre ne l'a pas. Il cherche ainsi à capturer l'autre, et dans la fascination de son regard, dans sa stupeur il croit saisir son émoi, son horreur de la castration, ce qui peut le rassurer sur la sienne propre. Sauf raffinements supplémentaires dans le privé, chacun sait qu'il n'y a pas de véritable exhibitionnisme ailleurs qu'en public : cette condition est nécessaire à son plaisir. Il arrive souvent que les petites filles devant lesquelles il se montre, surtout si elles sont plusieurs, s'amusent beaucoup à le regarder. Ces jeux ajoutent un piment supplémentaire à la jubilation de l'exhibitionniste, ils en sont une variante. Le désir de l'autre est donc encore ici un élément essentiel, mais toujours surpris au-delà de la pudeur; ce qui est visé aussi, c'est sa participation forcée et en même temps complice.

Toutes les formes de transition existent entre le voyeurisme et l'exhibitionnisme; cependant, comme le désir du partenaire doit être contraint, on peut comprendre que le voyeur ne cherche pas une partenaire exhibitionniste, ni, non plus, un exhibitionniste un voyeur. Enfin, en dehors de ces activités spéciales, rien n'empêche ces sujets d'avoir une vie sexuelle tout à fait ordinaire.

– *Le sadisme.*

Il y a, à l'horizon de sa pratique, la mise à l'épreuve la plus rigoureuse d'une volonté de jouissance qui se voudrait sans faille. Quant aux moyens pour y parvenir, on peut en trouver le modèle dans l'œuvre de Sade, qui à vrai dire représente un cas extrême, très exceptionnellement rencontré dans la réalité, son œuvre étant avant tout une fiction littéraire. Néanmoins, elle donne des indications très précieuses pour comprendre le sadisme. Ce que vise réellement le sujet sadique dans le droit qu'il s'arroge en principe pour jouir, selon ses goûts, de sa victime sans que rien ne puisse l'arrêter dans l'exécution de ses caprices, ne réside absolument pas dans les sévices corporels, dont il n'agite la menace que pour enfiévrer l'imagination de sa victime. Il ne cherche pas non plus à déclencher la terreur chez elle. Il veut seulement par le raffinement de sa pratique, en provoquant l'attente de sa partenaire, susciter son angoisse, qu'il porte jusqu'à ce moment où elle cédera aux caprices de son tourmenteur, lequel veut lui arracher l'aveu d'un désir de jouissance inavouable. L'important, donc, est que la victime reste à la limite où elle est un sujet : elle est adorée, et, si elle ne se montre pas à la hauteur de ce qui est attendu d'elle, c'est-à-dire un certain courage, le sujet sadique choit dans la honte. Cela est parfaitement illustré par les aventures de Justine.

Le sadique en effet s'identifie à sa victime, et tout l'intérêt pour lui est que la situation puisse virtuellement se renverser.

Il jouit dans la douleur par la procuration de l'autre; à cet égard il est plutôt un masochiste qui s'ignore. En fait, la victime est le plus souvent son double féminin idéalisé, dont il interroge la jouissance en s'en faisant l'instrument. La psychanalyse peut révéler que tel sujet reproduit là le sentiment de rage qui a pu l'envahir lorsque, enfant, il a découvert dans l'horreur la castration de sa mère. Il l'aime et il lui en veut à la fois pour ce qu'il considère comme une trahison intolérable. Dans sa colère contre une loi qu'il refuse d'admettre, il ne sait plus à qui adresser les coups de sa révolte, ni de quel maître il doit servir la jouissance. Il s'agit en même temps de bafouer la mère et de haïr le père, tenu pour être responsable d'une telle situation. L'injure et la souillure de l'autre prennent leur sens de ce fait.

On peut trouver toutes les formes de sadisme, s'échelonnant des brèves rencontres à ses manifestations majeures. Parmi ces pratiques les plus sophistiquées, on peut mentionner ces messes noires dont la ritualisation est très codifiée. Le sadique, en y profanant l'innocence et la vertu présentifiées en sa victime, va jusqu'à se faire l'officiant sur terre de l'« Être suprême en méchanceté ». Simulacre, bien sûr, le plus souvent, mais qui révèle à son insu que le sadique peut être à l'occasion un défenseur de la foi qu'il blasphème, tellement elle lui est nécessaire à rendre crédibles les risques qu'il prendrait à prôner la liberté de jouir sans entrave.

– *Le masochisme.*

Par son acte, il s'agit pour le masochiste de s'avancer vers un destin qui, selon son vœu, devrait se jouer en dehors de toute volonté de sa part. Il deviendrait en quelque sorte une chose, un rien, qu'on devrait traiter comme un chien; mais en même temps, il vise un mode de déchéance bien particulier. Par l'aveu de son amour éternel, par la promesse de sa soumission totale, par l'imploration de la pitié, il veut se faire objet, mais objet si précieux à sa partenaire que celle-ci ne doit le perdre en aucun cas. Si le sadique est tragique, le masochiste, lui, est comique. Il s'arrange en effet pour que sa partenaire, piquée au jeu dans lequel il l'entraîne, soit fixée, dans un rôle de maîtresse idéale dont en fait il tire toutes les ficelles. C'est un procédé très astucieux car, en remettant soi-disant son sort entre les mains de sa maîtresse, il peut espérer recevoir d'elle une véritable initiation au secret de la jouissance féminine. Il ne cherche pas à contrôler toute la situation, il se ménage ainsi une dimension de surprise venant des initiatives qu'elle s'autoriserait et qui ne sont que les réponses attendues à ses propres provocations. En se faisant ainsi l'objet du désir de sa maîtresse, il se l'imagine comme telle, il se fait l'objet de son propre désir qu'il interroge par la procuration de l'autre, c'est la caractéristique même de la position masochiste. Cette relation est toujours menacée de se rompre, accentuant le caractère douloureux de ce qui devient un amour vécu dans le malheur. En effet, la femme peut se lasser rapidement des sollicitations incessantes et pressantes de son partenaire, pour la réalisation de ses turpitudes. A ce titre, c'est le masochiste qui est le vrai tourmenteur. Contrairement à ce que l'on s'imagine, les femmes ne sont pas les partenaires les plus douées pour le masochiste. Elles ne comprennent pas ce qu'il veut, l'essence de la femme n'étant pas la perversion, comme nous l'avons déjà indiqué. Elle se prête plus au jeu par complaisance que par goût véritable. Le masochisme féminin n'est qu'un fantasme de l'homme, il le fomente dans sa peur de la rencontrer d'égal à égale : il peut croire ainsi qu'il n'a qu'à la dominer.

Dans le masochisme, la jouissance recherchée est une douleur éprouvée par le sujet comme lui venant de l'autre, ce qui la fait douleur exquise, fétiche même. La stéréotypie de la conduite du masochiste, comme la répétition de ce mode de jouissance, confine radicalement à la pure douleur d'exister, comme sujet. Ce ne sont donc pas les sévices corporels qui sont recherchés. Tout doit rester dans les limites d'un simulacre où le sujet ricane de lui-même. L'ensemble est bouffonnerie, dont le piquant est agrémenté par la composition de tableaux, de mises en scène qui accentuent le caractère d'intimité privilégiée de cette relation menaçant à tout instant de sombrer dans le ridicule, car le sujet n'y croit pas vraiment. Enfin, comme il s'agit une fois de plus ici d'arracher au partenaire son consentement, on peut comprendre que le vrai masochiste ne fait jamais appel à la vénalité des professionnelles; elles ne l'intéressent pas; ceux qui les sollicitent habituellement ne sont le plus souvent que des névrosés voulant réaliser leurs fantasmes pervers.

Le sadique et le masochiste ne font pas semblant pour faire semblant, ils font semblant pour de vrai, d'où le caractère fastidieux, épuisant de leurs conduites stéréotypées qui ne les amènent jamais qu'à éprouver une jouissance exténuée.

En effet, il s'agit pour eux d'atteindre la femme en s'identifiant à elle pour connaître sa jouissance, mais comme ils ne font en réalité que la manœuvrer, ils échouent dans leurs entreprises, en s'interrogeant eux-mêmes à travers l'autre. La jouissance féminine leur est radicalement étrangère, car la jouissance masculine est tout entière soumise à la loi phallique. Enfin, la nécessité pour eux d'obtenir la contrainte du partenaire fait que jamais le sadique ne veut avoir affaire à un masochiste, ni le masochiste à un partenaire sadique. Ce ne sont pas des positions subjectives inversées ni couplées, elles sont plutôt du même côté.

Pour en terminer avec cette approche à peine ébauchée de la compréhension des perversions, il convient de faire une place à part à l'homosexualité masculine, pour son importance, sa complexité et sa diversité – Freud ne recule pas à dire que l'homosexualité masculine refoulée est un ciment du lien social entre les hommes.

On se contentera de donner quelques traits caractéristiques de cette perversion, qui tiennent au fait qu'elle se structure au niveau d'un Œdipe plein et achevé.

Si nous revenons à ce moment où l'enfant va découvrir que sa mère est « châtrée », plutôt que de se tourner vers le père, car se faire aimer par lui comporte le danger de la castration, l'enfant considère que la meilleure façon de tenir le coup dans l'épreuve qu'il traverse, c'est de s'identifier à la mère, parce qu'il lui semble que celle-ci ne se laisse pas ébranler – et pour cause, elle n'est privée de pénis que dans son psychisme à lui. Mais, à la différence des autres types de perversion, ce n'est pas qu'elle aurait ou non le phallus qui importe, ce qui compte c'est qu'elle détiendrait les clés de la puissance de l'amour : c'est surtout pour cela que sa position est préférable.

Le sujet se trouve ainsi fixé dans une position essentiellement conflictuelle aux retombées multiples. Il veut se faire aimer par le père et en même temps il le refuse. Il suspend et refoule ce désir en raison de la menace de castration qu'il soulève. Ce n'est pas le moindre des paradoxes que de retrouver dans l'analyse des rêves d'un homosexuel la présence d'un père rival comme dans le cas d'un Œdipe dont la solution est typique, c'est-à-dire un père dont il faudrait se débarrasser, tout en l'admirant et en le reconnaissant.

Autant la vie d'un homosexuel est le plus souvent marquée par un attachement profond et durable à la mère, qui est mise dans la confidence, autant le père est hors circuit, sans toutefois que le sujet soit tracassé par l'idée de lui en faire la révélation, ce vœu restant le plus souvent un projet non réalisé.

Dans l'homosexualité confirmée, par inversion de l'objet désiré et aimé, on va retrouver cette attitude profondément divisée du sujet vis-à-vis de son partenaire, qui représente un substitut paternel. Il apparaît fréquemment qu'il s'efforce de le dominer, de le désarmer, voire parfois de le rendre incapable de se faire valoir auprès d'une femme, et en même temps il y a aussi cette exigence de rencontrer chez le partenaire l'organe pénien. Cela correspond à la reproduction de la scène primitive, qui a fixé le sujet dans l'identification à sa mère. C'est le moment où elle semble préférable pour l'enfant parce que c'est elle qui fait la loi au père, de sorte que l'enfant se demande si oui ou non le père en a, sans pouvoir répondre à cette question. C'est exactement la même chose qui est demandée au partenaire. Par rapport à cette exigence du pénis chez ce dernier, il y a une chose dont l'homosexuel peut témoigner, c'est que ça lui fait une impression très pénible de voir l'organe féminin, ça lui suggère bien sûr l'idée de la castration, mais pas de la façon qu'on croit. S'il en a une peur bleue, c'est qu'il redoute dans la pénétration d'une femme de rencontrer précisément le phallus, à l'image de celui du père ingéré par la mère. Il ne faut pas croire cependant que ses relations avec les femmes soient abolies, elles sont au contraire profondément tissées de liens affectifs.

C'est dire une fois de plus l'importance du phallus pour tout sujet; c'est en définitive le sien, détaché comme symbole, qu'il va chercher chez un autre, d'où cette exigence qu'il l'ait. Son partenaire est un double de lui-même, il faut donc qu'il lui donne le reflet de l'intégrité de son propre corps toujours menacée d'être rompue.

Venons-en maintenant aux manifestations de l'amour dans l'homosexualité. Celles-ci sont à comprendre à partir de cette relation en miroir du sujet à son partenaire. L'amour dans ses formes les plus élaborées, sublimées même, s'y déploie entre deux extrêmes qui correspondent bien à la place et à la valeur qu'occupe l'objet désiré. Il y a, d'une part, une forme idolâtrique de l'amour pour le partenaire, en tant qu'il est identifié par le sujet à ce que lui-même a été, petit garçon voulant être adoré comme le fut la mère par le père. Il y a, d'autre part, l'amour éprouvé pour le partenaire, comme celui que l'enfant, qu'il a été, aurait aimé recevoir du père afin qu'il le protège, en ce moment où il était resté suspendu à l'angoisse de castration dans le choix de son identité sexuée. Cet amour prend alors la forme d'un amour protecteur, initiateur, éducateur. Par là peut se révéler ce qui fait pour certains le drame de leur homosexualité, à savoir leur rapport à une vraie paternité désirée. C'est souvent lorsque émerge pour eux cette question qu'ils peuvent venir à l'analyse pour tenter d'en sortir. Vouloir être aimé en définitive, telle est la caractéristique essentielle de l'amour homosexuel, ce dont témoigne d'ailleurs à travers toute l'histoire humaine la participation aux créations de l'art et de la littérature de ceux qui ont fait ce choix dans leur destinée.

Aussi, dans l'extraordinaire polymorphisme de leurs manifestations, les perversions représentent un des modes de solution du désir humain les plus intéressants par leur richesse. Nous sommes loin d'avoir déchiffré le mystère. L'enjeu en vaut le pari.

# « Obsessionnellement vôtre * »

*Raphaël Brossart*

– Ernest, le patient dont je voudrais te parler, correspond bien à la formule lacanienne du « héros moderne qu'illustrent des exploits dérisoires dans une situation d'égarement ». Depuis des années il vient, trois fois par semaine, s'allonger sur l'accubitoire pour faire sa séance de psychanalyse. Il n'a guère changé, malgré son désir sans doute, et malgré le mien : c'est un obsessionnel. C'est en 1896 que freud [1] avait distingué, de l'hystérie, la névrose dont il est question, mais par la suite il mentionna à diverses reprises l'ouvrage publié en 1904 par son ami Löwenfeld sur les phénomènes psychiques obsessionnels, bien que cet éminent *Hofrat Professor* se fût déjà avéré un stupide critique de la psychanalyse, et qu'il manifestât ensuite de l'épouvante lors de la parution de l'étude sur Léonard de Vinci...

– Me laisses-tu entendre que freud préférait attendre, sans rien leur céder, que ses adversaires deviennent un jour ses alliés ?

– Je pense en effet qu'il en allait pour lui des résistances de ses contemporains comme de celles de ses patients : le bon

* Ce texte fait référence à un célèbre cas de névrose obsessionnelle : celui dit de l'« homme aux rats » – ainsi surnommé à cause de l'obsession majeure de ce patient : celle d'une torture consistant à introduire des rats dans l'anus du supplicié. Même si elles se rapportent à ce cas extrême, les considérations qu'on va lire ont une portée bien plus générale, si l'on songe à quel point la névrose obsessionnelle est des plus répandues dans la population masculine...

sens de la raison ne pouvait les faire disparaître. C'est ainsi qu'il publia en 1909, après en avoir beaucoup parlé, les « Remarques sur un cas de névrose obsessionnelle [2] » qui rendent compte du déroulement de la psychanalyse de celui que l'on n'appelle plus désormais que l'« Homme aux rats », que nous écrirons l'O-M-O-R-A pour changer un peu des habitudes. En plus du *cas publié,* nous avons la chance de disposer des *« notes » originales* que freud avait prises, pour les premiers mois, à l'issue des séances, et qui, depuis leur traduction en anglais et en français, n'ont cessé de provoquer un nouvel intérêt sur sa façon de pratiquer et sur les considérations théoriques qu'il en a tirées.

– Est-on allé plus loin que lui pour comprendre un « obsessionnel », que tu ne confonds pas, je présume, avec celui que l'on considère comme « obsédé sexuel »?

– Je te parlerai d'Ernest comme de l'omora et tu trouveras, je l'espère, réponse à ta question, si tu n'en avais pas déjà une certaine idée. Il reste à la psychanalyse beaucoup de progrès à faire, mais elle a de solides principes dont le moindre n'est pas d'avoir reconnu une vie sexuelle chez les enfants, qui détermine les orientations et les vicissitudes qui surviennent ensuite au cours de l'histoire du sujet adulte.

Malgré l'apparente libération de la sexualité dans notre société, un exhibitionniste, par exemple, est toujours passible de se retrouver au commissariat, et celui qui traîne dans les sex-porno-shops ou qui erre au bois de Boulogne, en quête d'une mise en scène de ses fantasmes plus ou moins fétichistes, passe aussi pour un pervers et un malade. Que ce soit au cinéma ou dans la rue, l'on peut voir encore ce que l'on qualifie de « cochon » jugé comme dégoûtant, attentant à la pudeur, agressant la pruderie, choquant le puritanisme de notre morale sexuelle dite civilisée.

– Est-ce à cause de cela qu'Ernest serait inchangeable selon toi?

– D'une certaine façon, sa névrose, on peut le supposer, le

protège de ses fantasmes pervers, car s'il mettait en actes ses idées obsédantes, il pourrait alors devenir criminel ou suicidaire. Dans ce sens, il vaut mieux pour lui, peut-être, qu'il ne guérisse pas tout à fait. D'ailleurs il décourage les psychanalystes, au point que certains affirment qu'il ne saurait guérir. D'autres avancent qu'il faudrait le rendre simplement « hystérique », comme si c'était un moindre mal. Des membres, et parmi les plus éminents, des institutions en sont venus à préconiser, pour des cas jugés graves, l'indication de la neurochirurgie, préférant s'en remettre à une obscure confiance dans le bistouri, à l'instar de l'intrépide Marie Bonaparte, qui, avant eux comme l'on sait, avait présidé à des expériences déconcertantes sur l'appareil génital des femmes dites frigides.

C'est dire à quel point Ernest dispose d'une stratégie propre à tenir en échec celle de son analyste, combien il est capable de le déjouer, quitte à s'en faire lui-même le jouet. La compréhension d'un obsessionnel ne devrait pas dépasser l'entendement d'un analyste qui ne le serait pas lui-même resté, mais tu conviendras, sans doute, qu'il lui faut aussi certaines prédispositions, dont *a priori* tu ne me sembles pas toi-même être dépourvu.

– Je te remercie de cette appréciation, mais cela ne me dit pas ta façon de concevoir ce qu'est un obsessionnel.

– C'est que justement il n'est pas facile de repérer les éléments qui peuvent le définir. Divers systèmes entrent en jeu dans sa constellation particulière, et ils opèrent selon des gravitations déroutantes, des logiques contradictoires et paradoxales qui échappent à la compréhension qu'il a de lui-même et qui fonctionnent souvent à son insu.

Les formations, parfois délirantes, des obsessionnels peuvent glisser d'un plan à un autre, se déplaçant par transpositions ou substitutions, par travestissements aussi qui rendent ces dernières insaisissables. Les formations obsessionnelles sont susceptibles de disparaître à certains niveaux, pour réapparaître, méconnaissables, sur d'autres registres. Elles placent le psychanalyste dans une situation d'impuissance et de paralysie, elles maintiennent le patient dans un *statu quo*, imprenable, parfaitement retranché dans la protection de ses défenses organisées et souvent conscientes, secondaires comme on les appelle, c'est-à-dire ne semblant pas être des productions émanant de son inconscient.

L'obsessionnel se présente aux yeux de l'analyste comme un possédé, un ensorcelé en proie à des hantises, aux prises avec des pensées et des impulsions, assujetti à des devoirs, obligations ou interdictions, assailli par des tentations qu'il s'efforce sans cesse de repousser, telles celles que combattait saint Antoine. Il est poursuivi par le diable, et sa vie est un enfer. Il porte à leur comble les croyances que respectent ceux qui ne sont que banalement superstitieux. A lui seul, il invente toute une religion dont il serait le fondateur en même temps que l'unique et indéfectible fidèle.

– Mais tu ne me dis pas ce qu'il y a de sexuel dans ses obsessions, c'est plutôt l'aspect religieux que tu montres...

– Ne sois pas impatient, laisse-moi le temps de te dire les choses les unes après les autres. Certes, tout peut être rapporté à la sexualité si l'on en cherche l'origine, mais ce serait à une sexualité faite de langage, et chez Ernest ce sont les désirs sexuels qui sont considérés comme mauvais et qui sont combattus comme des ennemis qu'il faut sans relâche détruire.

L'histoire d'un obsessionnel peut être comprise comme si elle était celle d'un mythe, ainsi que Lacan en a parlé dans sa conférence de 1953, intitulée « Le mythe individuel du névrosé [3] », et où il compare avec Goethe l'omora qui, dans son analyse, parlait précisément à freud de *Dichtung und Warheit (Poésie et Vérité)* qui est une autobiographie du grand auteur. Lacan remarque en particulier tous les déguisements que l'obsessionnel peut lui-même endosser, dans le sens que l'on donne pour un déguisement de la vérité, et, par exemple, le fait de porter certaines tenues vestimentaires qui retracent de façon subtile, déformée, voire chiffrée ou cryptée, tout le détail des accidents survenus au cours de la vie physique du sujet. Il raconte comment l'omora, accompagné d'un « ami » – *Freund* en langue allemande – à l'instar de Goethe, s'évertue à mettre en place un extraordinaire dispositif de conjuration contre la fatalité du destin. Et, ainsi que pour Goethe, cela ne vise à rien de moins que de ne pas revêtir tout à fait la condition mortelle de l'être humain sexué, du « sexêtre mortel » pourrions-nous dire, mais plutôt celle du « héros mythologique » plus ou moins immortel. L'obsession règne ici comme une divinité, infernale, présidant aux décisions de la vie, proférant à tout moment une parole impérative et quasi oraculaire.

– En quelque sorte Ernest pourrait dire « Je pense, mais je ne pense qu'à ça, donc je suis, mais ne suis-je qu'obsédé »?

– Cela conviendrait en effet à son côté pédant. Mais au contraire, il voudrait bien ne plus penser à ça, mais comment ne penser qu'à ne pas penser à ça? Et, penser à ne pas penser, est-ce possible? En fait, l'acte sexuel lui apparaît avec une certaine terreur qui se confond pour lui avec la scène du fameux supplice qui obsède l'omora. L'horreur qui l'habite fait penser à ces peintures mystiques qui représentent des scènes sublimes de martyres et de persécutions auxquelles étaient voués les saints au nom de leur foi.

– C'est l'extase étrange que freud croit pouvoir lire sur le visage de l'omora, et qu'il traduit par l'expression de « l'horreur d'une jouissance par lui-même ignorée ».

– Oui, cette horreur qui fascine l'obsessionnel peut se trouver condensée avec le problème de l'animalité tel qu'on le retrouve dans ce qu'on a longtemps appelé le totémisme chez les peuples dits primitifs. L'omora a l'obsession des rats comme Ernest a celle des chiens. Pour chacun, l'animal raconte une histoire mythique selon le déroulement d'un scénario qui lui est spécifique. Les animaux jouent chez l'obsessionnel le rôle que jouent ailleurs les blasons, qui, comme des insignes ou des emblèmes, ne sont pas étrangers à la sexualité, que ce soit des chats, des souris, des loups, des chevaux, des lions ou même comme le serait cette belette que l'omora avait cru voir passer comme un gros rat près de la tombe de son père dans le cimetière de Vienne. L'âme du défunt se serait-elle réfugiée dans le corps de l'animal? L'on rejette bien vite une telle pensée aussi vite que l'on néglige de la dire.

Mais c'est la position « à quatre pattes » qui occupe l'obsessionnel. Il voit là une posture humiliante, qui jette à terre, qui le fout par terre parce qu'elle consiste à montrer ses fesses, comme il se souvient de les avoir si souvent observées au cours de son enfance, sans du reste que cette vue « de derrière » ait jamais permis de distinguer la différence entre les hommes et les femmes.

Ainsi que freud le note, l'omora a perdu son lorgnon pendant les manœuvres militaires auxquelles il participe comme officier de réserve, et il laisse entendre qu'il aurait renoncé à le ramasser sur le sol où il était sans doute tombé à ses pieds, il avoue n'avoir même pas tenté de le faire. Et pour cause, car s'il avait dû chercher à le faire, il lui aurait fallu absolument se mettre « à quatre pattes » au vu même des autres officiers qui étaient présents autour de lui, ce qui s'est révélé impossible tout à coup, sans doute comme si une intolérable angoisse avait pu naître en lui, celle d'être l'objet de dérision aux yeux des hommes, ou bien objet de leurs désirs sexuels, celle en tout cas de son effondrement narcissique.

– Je ne peux résister au calembour que la scène entraîne, en entendant que l'obsessionnel « perd ses verres »!

– Tu ne crois pas si bien dire, en effet, car il a la crainte de tout ce qui peut tomber à terre. On apprend au cours des séances qu'il avait été aussi un enfant qui « perd ses vers », c'est-à-dire des parasites intestinaux, peut-être des ténias, pour lesquels il avait été soigné en devant manger du hareng fumé, plat qu'il déteste maintenant, et que freud, avant de connaître cet épisode, lui avait fait servir pour le restaurer au cours d'une séance. Il s'en est suivi pour le patient un fantasme par lequel il imagine qu'un hareng relie par leurs anus la femme et la mère de freud, et qu'une jeune fille vient les séparer en le coupant en deux avant de le dépiauter.

René Major, dans le texte de sa conférence intitulée « Interprétation 1907 [4] », remarque judicieusement que, si l'on coupe en deux le mot allemand *Hering* (hareng), on retrouve deux signifiants, *Herr* (monsieur) et *Ring* (anneau), qui renvoient précisément à l'histoire du mariage du père qui se poursuit dans les obsessions du fils qui la reprend à son compte : monsieur son père ne s'est pas marié avec la femme pauvre mais avec la femme riche, qui ne semble pas l'avoir sexuellement comblé, ce qui met le fils, comme par hasard, devant le même dilemme.

Alors les rats donnent naissance à une langue secrète, un dialecte en même temps qu'une dialectique des obsessions, à l'aide des consonances homophoniques qui scandent la hantise : son père, lorsqu'il était simple sous-officier, avait perdu au jeu une petite somme qui lui avait été confiée. Alors qu'il était *Spielratten,* « rat de jeu », c'est-à-dire qu'il détenait un brelan dans sa main qui lui permettait de risquer l'enjeu. Ce ne fut que grâce à un « ami » qu'il put se tirer d'embarras après sa malchance. Plus tard, après avoir quitté l'armée, il rechercha en vain cet ami pour le rembourser, mais peine perdue également, la dette resta non remboursée.

Entra en jeu dans la tête du fils cette « langue des rats », qui se mit à circuler pour lui dans des mots clés :

*Ratten,* les rats; *Raten,* les acomptes ou quotes-parts (qui sont une monnaie spéciale frappée pour payer freud en « devises-rats »); *heiraten,* épouser; *Rat,* solution remède; *Ratschlag,* conseil; *ratlos,* perplexe; *in Rätseln sprechen,* parler par énigmes; *Wenn dir eine Ratte durch den Kopf läuft* (cité de Goethe), soit « avoir un rat dans la tête », autrement dit des « drôles d'idées »; *erraten,* deviner; *Rater,* devin (lorsqu'il était l'enfant il avait cru que ses parents devinaient ses pensées, et maintenant c'est freud qui les devine par la force de la psychanalyse), et, comme les mots, les noms des personnes évoquent aussi les rats : *Frau Hofrat...*, le Dr *Ratzendorf*, ou la *Rattenmamsel*, la demoiselle aux rats du conte d'Ibsen, « Le petit Eyolf », où les enfants périssent comme des rats.

Une mythologie se fonde, se dévoilant au fil des séances, donnant aux rats un pouvoir d'équivalence symbolique dont la chaîne pourrait s'étendre indéfiniment. Les rats? Mais ce sont aussi des vers, des ténias, des abcès aux fesses, des harengs, mais aussi des excréments, des florins, la syphilis, le pénis, et des enfants... Mais ne sont-ils pas aussi des testicules, car freud apprend incidemment que le patient en a gardé un dans la cavité abdominale, ce qui du reste ne lui fait pas admettre que cette « cryptorchidie » puisse avoir quelque analogie avec l'ovariectomie faite à sa cousine, et dont il ne sait, tout d'abord, si elle est bilatérale ou non, ce qui lui laisse un doute sur son aptitude à avoir des enfants, ou des rats, enfin bref des enfants-rats.

Tel un « découvreur d'énigmes », un devin *(Rater)*, freud traque le patient en déchiffrant son discours, il le perce à jour, le démasque dans ses mesures propitiatoires, le met à nu dans une intimité où il se trouve surpris comme en flagrant délit, dans une reconnaissance de lui-même qu'il n'avait jamais soupçonnée, à laquelle il ne s'était jusqu'alors pas donné accès. En somme freud, passionné par son exploration scientifique, séduit par l'omora, ne peut que reproduire le traumatisme ancien que le patient aurait subi, ou perpétré activement, celui d'une relation sexuelle précoce avec un adulte.

– C'est donc dans une énigme, qu'il faudrait déchiffrer ainsi qu'un code secret, que réside la symbolique personnelle de l'omora. Le message une fois transcrit correctement devrait alors libérer le patient de son obsession?

– C'est sans doute ce qui s'est produit avec l'omora, qui n'en demandait pas plus.

– Mais n'était-il pas disposé à la perversion aussi? Freud

dit qu'il est un « voyeur » et que, pour lui, « voir est égal à toucher », et, d'autre part, la « scène primitive » telle qu'elle apparaît dans l'homme aux loups ne fait pas encore partie des concepts théoriques, pas plus du reste que les instances dites du « surmoi » ou de l'« idéal du moi » ne figurent encore dans la structure de l'appareil psychique. Est-ce que l'analyse d'Ernest se passe mieux pour autant?

– Patiente encore un peu et j'essaierai de répondre à tes questions. En ce qui concerne l'homme aux loups, freud ne semble pas l'avoir considéré sous l'angle obsessionnel, mais, depuis, de nombreux analystes l'ont rapproché de cette catégorie. Certains, comme Nicolas Abraham et Maria Torok, en ont fait une nouvelle « lecture [5] », particulièrement axée sur la traduction du discours du patient dans les diverses langues qu'étant enfant il avait entendu parler autour de lui, ce qui fait apparaître des aspects insoupçonnés par freud et qui sont mis en relation avec le problème du deuil, qui devient alors le pivot essentiel de la maladie.

Mais le voyeurisme de l'« omolou » n'est sans doute pas le même que celui de l'omora. Si l'on remarque que la question du regard est posée d'emblée à cause de cette histoire de lorgnon perdu, freud note ensuite que le patient est aussi un « flaireur », ou un « renifleur », ainsi que le sont d'ailleurs les quadrupèdes. Comme l'on sait, l'obsessionnel est souvent soucieux de propreté, il craint de sentir mauvais, il veille à chasser la saleté qui pourrait émaner de son corps. Son lorgnon est plus précisément ce que l'on appelle un pince-nez, ce qui évoque le geste que l'on fait à cause d'une odeur violente. On pense à ce propos à un héros mythique comme le Don Juan de da Ponte, dont le « flair » est le plus sûr moyen de se repérer à l'*odore di femmina,* qui est le facteur déclenchant de son appétit sexuel. La trace du parfum guide aussi bien que l'itinéraire d'un plan pour aller à l'adresse que l'on veut trouver. Ernest notre patient, lui, n'éprouve que dégoût pour les odeurs nauséabondes, cette phobie, de type hystérique, ne fait que combattre son attirance première pour ce qui est malséant, l'attrait qu'exercent sur lui la décomposition du corps humain, de ses écoulements comme la sueur et les déchets naturels, voire l'odeur mortuaire des fleurs fanées. Il use de déodorants et d'eaux de toilette et il est toujours d'une tenue impeccable, avec des sous-vêtements irréprochables, voulant être à tout instant disponible, ou innocent, comme s'il devait livrer son corps à une souillure sexuelle, que ce soit la sienne ou celle d'un autre, mais qu'il lui faudrait à tout prix éviter.

– Les rats sont l'image même de la saleté la plus repoussante, et si l'omora se lave, comme Jacques Prévert l'a immortalisé dans un poème, c'est qu'il est aussi un homme au « raton-laveur ».

– C'est, en effet, un animal « obsessionnel » car il lave soigneusement ses aliments avant de les ingurgiter. Ce n'est du reste pas dans l'unique souci de l'hygiène que notre société civilisée adopte en tout lieu le principe d'une stérilisation compulsive; pendant des siècles, c'est à l'aide du feu que l'on a aseptisé les maisons et les objets des pestiférés, de même qu'on a brûlé les hérétiques comme agents de contamination diabolique. Les rats furent longtemps tenus pour responsables des épidémies de peste, et c'est en 1894 que Yersin isola le microbe qui la transportait par la puce jusqu'à l'homme. Il n'en reste pas moins que c'est par la morsure que le rat est toujours incriminé, et l'omora avait le souvenir d'avoir été sévèrement puni par son père quand il avait mordu quelqu'un, à l'âge de trois ou quatre ans. Et freud ne manque pas de dire, dans le cas publié, que son patient avait été sensible au récit du supplice par les rats parce qu'il avait souvent vu, dans son enfance, l'horrible supplice des rats parfois persécutés cruellement par les hommes qui leur donnent la chasse dans les rues. On tue un rat comme on tue parfois un enfant, et il n'en a pas fallu plus pour que le scénario de son obsession se soit imaginé pour ainsi dire de lui-même.

– Mais cela explique-t-il le cérémonial de la toilette auquel se plient la plupart des citadins de nos jours? Ni toi ni moi nous n'échappons à la décence de l'habillement, sommes-nous donc tous des obsessionnels?

– Nous n'en avons sans doute que la « prédisposition ». Nous sommes obsédés par exemple par la « pollution », que nous traquons surtout dans les déchets de nos produits industriels. Mais nous recherchons aussi des nourritures plus ou moins traitées qui, il faut le reconnaître, nous semblent, telles qu'elles sont présentées, pas très différentes de ce que serait de la merde servie dans un papier de soie ou un emballage en plastique.

La civilisation c'est l'égout, a déclaré un jour Lacan. Nos villes, qui sont tenues par leurs maires dans un état de propreté rigoureuse, reposent sur l'architecture savante de l'évacuation des déchets, que nous semblons ignorer parce qu'elle est dissimulée dans un réseau souterrain. Mais la pollution c'est aussi, sur un plan archaïque, la pollution sexuelle. Dans de nombreux cas les déchets sont récupérés pour être resservis comme produits que l'on appelle pourtant des « produits de beauté ». Les désinfectants, certes d'un progrès utile, effacent l'odeur et les risques de maladie, celle aussi de la mort, mais du même coup ils enlèvent peut-être de la saveur à la vie. L'obsessionnel est hanté par les déchets, et sa tâche les fait disparaître, mais il devient dans son opération lui-même un déchet, propre ou suave, mais bon à être jeté. Il en vient toujours à ce que son analyste le considère ainsi comme un « sale type » qu'il faut mettre à la porte.

– Tout cela me laisse entrevoir quelques raisons de son inguérissabilité. La vie de l'obsessionnel est empoisonnée par la lutte incessante contre ses pulsions qu'il croit mauvaises, qui lui rappellent ce qu'il y a de sale, de cochon ou de dégoûtant dans l'inévitable aspect « animal » de la sexualité.

– Son conflit intérieur, névrotique, reprend à son compte le conflit supposé de ses parents, l'histoire, sans gloire, de son père. Ce conflit absorbe son énergie au point que les forces lui manquent pour faire face aux nécessités de la réalité que la société exige de chacun de ses membres. La « réalité » de ses fantasmes l'emporte sur la réalité du monde matériel. C'est aussi parce qu'il idéalise sa cousine vénérée, Gisa Schwalb, que l'omora ne peut se résoudre à pratiquer autrement que « loin d'elle », par la pensée donc, cet « avilissement le plus communément répandu de la vie amoureuse » que freud décrira dans un texte en 1912. Il s'agit en effet de perdre un trop grand respect pour l'aimée désirée, pour ne pas se retrouver inhibé, par impuissance ou éjaculation précoce, au dernier moment qui précède l'acte sexuel. L'obsessionnel réagit par un hypermoralisme à la déchéance que sont supposés entraîner les désirs sexuels. La conséquence en est l'ordre d'une loi fondée sur la haine et la cruauté qui, à la place de l'amour et de la sensualité, obéit au fantasme d'un rapport sexuel violent et meurtrier. L'image pieuse de la mère sanctifiée ou martyrisée demeure, tant qu'un fantasme nouveau ne réussit pas à réunir sous les mêmes traits « la maman et la putain » confondues ensemble par le comportement sexuel du père. L'omora par exemple a horreur des prostituées, et il ne peut supporter de comparer sa mère avec de telles femmes...

– Mais Ernest n'est-il pas lui aussi « fait comme un rat », mordu par les mâchoires de ses contraintes, tenaillé dans l'étau de ses obsessions?

– C'est une image qui lui conviendrait, mais elle ne montre pas tout l'ensemble des mécanismes qui opèrent en lui avec la précision d'une horloge diabolique. S'il se trouve coincé, c'est dans un dédoublement de lui-même, voire, comme le dit freud, dans une triple personnalité. L'une serait la mauvaise, la plus inconsciente et, comme on le lit dans les « Notes », celle où il se montre vicieusement pervers, et les deux autres apparaissent alternativement, tantôt celle d'un être bon, gai, plein d'humour et normal, tantôt celle d'un autre qui serait superstitieux, ascétique et pieux. Cela devrait donner à réfléchir à tous ceux qui furent les tenants d'une école de l'*Ego psychology* [6]. Comme nous l'avons vu avec le cheminement symbolique du signifiant « rat », le sujet se trouve équipé d'un double système de pensée, avec lequel un idiome secret se parle sous le langage énigmatique qu'il semble tenir. Les lectures se présentent comme un double déchiffrement tel qu'on peut le représenter avec le jeu des « mots croisés ». Tout se déroule en effet comme si les interprétations avancées par le psychanalyste, qui est verticalement placé derrière le patient, se trouvaient confirmées par le croisement des réponses que donne le patient, qui est horizontalement allongé. Par approximations successives, le « discours inconscient » pourrait ainsi apparaître avec exactitude, la « lettre » à trouver étant parfois juste sous le nez, pour ainsi dire, sans qu'il soit nécessaire de chercher midi à quatorze heures. La réponse par le mot juste, par le bon mot, est souvent là qui crève les yeux, elle affleure à la surface du texte sans qu'il soit utile de la chercher dans des profondeurs abyssales. L'examen des « Notes » manuscrites prises au jour le jour par freud montre une particularité surprenante, lorsqu'on regarde les mots qu'il a écrits *verticalement* dans les marges du texte résumé du patient, qui est *horizontalement* écrit ligne par ligne. Ces mots perpendiculaires donnent un titre aux passages correspondants, et ils permettent une relecture rapide qui anticipe, bien entendu, sur l'étude à venir, qui sera le cas tel qu'on le connaît avec son élaboration théorique. L'aspect visuel ainsi obtenu donne le sens plein du journal comme les titres de la presse d'information, et cette écriture « marginale » n'est pas non plus sans analogie avec la disposition typographique que réclament les textes du Talmud.

– Mais ce sont des phrases ou des mots dont le sens est ambigu qui accaparent la pensée du patient, qui l'obsèdent un peu comme des ritournelles dont l'air revient, que l'on fredonne comme des refrains... et dont on ne peut se débarrasser.

– Il en va ainsi des « formules » de malédiction ou de protection qui surgissent à l'improviste et impérieusement à l'esprit du sujet. Ce sont tantôt des « commandements » tantôt des « serments » qu'il se donne à lui-même, et qui ne sont pas très différents des « pactes » que peuvent signer entre eux les pervers. Ce sont aussi des mots obscurs, des mots magiques ou des maîtres mots, des mots de passe ou « mots-ponts » qui manœuvrent le patient comme des leviers de commande, programmés selon des stratégies rationalisées, et qui mettent souvent la logique courante littéralement aux abois.

Une figure de « Commandeur » s'incarne dans le cruel capitaine Nemeczek, caricature d'un « génie du mal » que l'on croirait tiré de quelque roman fantastique, et qui n'est en fin de compte qu'un avatar de la figure paternelle. Figure fantomatique du père mort revenant, qui revit à la place qu'occupe freud pour le patient, alors que celle de l'« ami » pourrait y prendre le relais plus fraternel. Le spectre du père est toujours sur le point d'apparaître comme on le voit dans *Hamlet* ou *Don Juan,* revêtu d'un habit posthume, confectionné chez un tailleur de pierre, la voix résonnante de l'outre-tombe, sépulcrale, comme on dit, blanchie et glacée par le marbre funéraire. En somme la voix même du grand Autre.

Et les sentences tombent comme des verdicts, elles sont comme les arrêts d'une cour martiale imaginaire, jugement, condamnation et châtiment tout à la fois, elles sont les menaces et sanctions qui sont dictées par une suprême autorité qui gouverne le patient, qui le présument par avance criminel, coupable de ne pouvoir s'acquitter de la « dette », de ne pouvoir exécuter l'ordre, d'être contraint lâchement de reporter sa peine inexpiable.

L'on pense ici à cette atroce « machine à écrire » inventée par Kafka pour *la Colonie pénitentiaire :* la punition consiste à appliquer, au moyen de pointes qui s'enfoncent dans le corps du supplicié, en le gravant, le texte lui-même sanglant de l'inculpation.

Pour l'obsessionnel, que ce soit l'omora ou Ernest, l'ordre est toujours inexécutable, la dette toujours impayable, et c'est dans cette impossibilité de les réaliser que réside la torture obsédante qui les persécute. Le coupable reste coupable quoi qu'il fasse, sans pardon, sans rémission, et sans rachat.

– Je ne saurais trouver à redire à toutes ces considérations que la question t'inspire, mais je t'interromps pour te faire remarquer que c'est le masochisme « moral » qui est propre à l'obsessionnel, distinct de celui dit « féminin » que freud a dégagé par la suite, et pour lequel le coupable est comme un enfant qui serait puni, certes, mais pardonné ensuite.

– La question du masochisme reste sous-entendue dans le cas de l'omora et, avec elle, une certaine forme d'autopunition qui, comme l'on sait, accompagne parfois la paranoïa. L'obsessionnel sait bien que son « délire » n'est pas attribuable à un autre que lui-même, ou plutôt que cet « Autre » en lui-même ne le dupe pas complètement. Mais c'est à son insu que l'histoire de son père est le moteur, comme le frein, du circuit infernal de ses obsessions. Circuit de ses impossibilités qui sont liées par deux.

Impossible, en effet, d'obtempérer au commandement intérieur dont il se fait un « serment », qui, faute de pouvoir le tenir, rend le supplice des rats applicable à « tous », c'est-à-dire à son père défunt et à la dame, sa cousine vénérée. Supplice impossible quant à l'appliquer au premier parce qu'il est mort, et tout autant invraisemblable quant à la seconde personne, puisque ce genre de supplice ne se pratique plus depuis fort longtemps, en Autriche tout du moins. Reste alors l'injonction « Tu dois rendre 3 couronnes 80 au lieutenant David » pour rembourser le port du paquet contenant le nouveau lorgnon. Or David n'a rien payé, pas plus qu'Erlich comme il l'avait cru, c'est donc la postière qu'il faut tout simplement dédommager. Eh bien, cela se révèle tout aussi impossible : car le « serment », comme un pacte signé, stipule le nom de David, et le scénario qu'il lui faut imaginer pour s'y conformer devient d'une telle complication qu'il est celui d'un drame inextricable. Il n'y a donc plus qu'à attendre la sanction des rats, dans une terreur d'autant plus intense qu'elle est tout à fait absurde, d'une probabilité nulle, d'une impossible éventualité.

Impossibles également sont les phrases comminatoires qui lui viennent à l'esprit : « Ça il faut que je le raconte à mon père »; « Si mon père meurt, je me tue sur sa tombe »; « Il faut que tu te tranches la gorge »; « Non, ce n'est pas si simple que ça, il faut d'abord que tu tues la vieille » (la tante qui le prive de la présence de sa cousine); « Tu vas maintenant, à l'instant même, t'enfoncer un couteau dans le cœur »; « Si j'ai le désir de voir une femme nue, mon père mourra », et l'extraordinaire formule de protection qu'il s'est forgée sur le modèle que l'on connaît d'un mot d'esprit, le « mot magique » que freud s'empresse de déchiffrer sous sa forme d'aveu caché : « Gisellsamen », qui se présente tantôt comme « Glejisamen » ou « Glejsamen », ou « Glijesamen », auquel il lui faut ajouter « sans rats », comme il en irait d'une mesure restrictive pour la commande d'un menu diététique. Freud n'a aucune difficulté à trouver dans le *Witz* magique de l'omora le mot de la prière « Amen », ainsi soit-il, et le mot « Samen », qui signifie semence en allemand, ce qui révèle ainsi que le patient se masturbe en se représentant sa bien-aimée Gisela, même s'il se leurre lui-même en se donnant la formule censurée « Giselamen ».

Mais quelle n'est pas la surprise de freud lorsqu'une certaine Mme Gisela Fluss est mentionnée comme une connaissance du capitaine Nemeczek, les points d'exclamation des « Notes » en témoignent. Ce nom évoque pour freud celui de son premier amour d'adolescent, la sœur de son ami de Freiberg, Emil Fluss. Et l'on sait que la nostalgie de cette jeune fille le poursuivit de nombreuses années, comme Goethe le raconte pour lui-même, après avoir renoncé à son amour pour Frédérique Brion. Or Gisela, ou Gisa, ressemble au prénom hongrois Zsiga, qui est l'équivalent de Sigmund en allemand, et, en somme, il est aisé de voir que la syllabe GIS se retourne en SIG comme un palindrome. Après son propre abandon amoureux de Gisela Fluss, freud, vers dix-sept ans, abandonna aussi le prénom d'emprunt SIGISMUND, pour reprendre celui de SIGMUND qu'il avait reçu à sa naissance, perdant ainsi la syllabe sifflante IS.

Ce ne sont pas là les seuls traits d'analogie qui se découvrent entre l'analyse de l'omora et l'histoire personnelle de freud. On peut voir des coïncidences, par exemple, dans les prédictions oraculaires que les pères respectifs avaient proférées à l'endroit de leur fils : « On ne fera jamais rien de ce garçon-là », aurait dit Jakob, celui de freud; « Ce petit-là deviendra un grand homme ou bien un grand criminel », aurait dit celui de l'omora.

Quant aux idées de suicide qui sont évoquées dans le cours de ces trois premiers mois d'analyse, elles n'apparaissent pas moins de quinze fois dans la bouche de l'omora, et freud les prend au sérieux comme il se doit, bien qu'elles s'analysent d'elles-mêmes en tant que mesures de rétorsion à ses impulsions meurtrières qui feraient de lui un assassin de la plus basse espèce. Mais, dit-il, il ne lui est pas possible non plus de les mettre à exécution, car il ne supporte pas l'idée de sa mère se trouvant devant son cadavre ensanglanté. On le sait aussi, que freud ne peut que comprendre cette objection majeure, lui qui dira plus tard qu'il ne se sent pas le droit de mourir avant sa propre mère. Quant au lorgnon, freud avait dû penser que lui-même portait des lunettes, et l'omora n'en attribue-t-il pas aussi dans un fantasme à sa fille, qu'il suppose être « riche »? Car ce n'est pas pour ses beaux yeux qu'il devrait l'épouser, mais malgré les crottes qu'elle aurait à leur place, imagine-t-il, ce que freud interprète sans peine et grâce à son sens de l'humour.

– Mais que pourrais-tu dire de l'obsessionnel qui se trouve toujours devant une impossibilité, celle de passer à l'acte – et celui du suicide en est un –, mais aussi parce qu'il est habité sans cesse par le « doute »?

– Le mythe qui pèse sur l'omora récapitule le récit de l'histoire du père : c'est une légende pleine d'oracles et de serments qui constitue, à l'insu du patient, ce qu'Octave Mannoni appelle l'« appareil du destin », appareil qui relève d'un inconscient strictement verbal [7]. Le père de l'omora n'avait jamais pu rembourser une dette de jeu, et il avait failli à son désir amoureux en se mariant avec une femme riche, plutôt par intérêt donc. Or, non seulement les choses se répètent pour son fils, mais celui-ci hérite du même coup des péchés, ou des dettes, de son père, ce qui fait de lui un coupable doublement endetté, et doublement dans l'impossibilité de réparer toutes ces fautes ensemble, alors qu'elles se situent sur des plans différents et à des temps devenus anachroniques.

Dettes d'argent ou d'honneur et dettes d'amour morales ne sauraient en effet se confondre, mais elles compromettent l'unité narcissique du sujet, l'estime de lui-même, elles disloquent l'intégrité de son « moi ».

Ainsi le doute et l'incertitude s'entretiennent réciproquement, ils font rage inconsciente chez l'obsessionnel en le faisant édicter des « contre-ordres » aux commandements qui le harcèlent. L'idée lui vient donc aussi d'une sentence contraire : « tu ne céderas à aucun moment à une idée obsédante », le possédé devient alors dépossédé de sa propre raison.

Cette hésitation, comme une valse que l'on nommerait l'« obsédanse », se manifeste dans le paradoxe des formules impératives ou interdictrices qui ne sont pas éloignées de la dialectique mise en valeur par Mannoni à propos de l'imposture de Casanova le sceptique : « Je sais bien, mais quand même... »

La vacillation de l'omora le place dans une alternative qui est celle du « ou bien..., ou bien... », ainsi que Roland Chemama le fait particulièrement valoir dans son article « Quelques réflexions sur la névrose obsessionnelle [8] ». Il montre l'importance du système binaire qui fait de l'obsessionnel le jouet de doubles contraintes; « Il est de la nature du signifiant, écrit-il, de ne pouvoir être posé comme signifiant que par rapport à un autre signifiant. C'est cela qui doit nous faire poser comme essentiellement *binaire* le système du signifiant, ce que l'on peut appeler le savoir. » On peut remarquer à ce sujet que le vrai nom de l'omora, qui nous est révélé par les « Notes », est *Ernst Lehrs;* or le mot *Lehr(e)* allemand signifie « enseignement » et il se prononce comme *leer,* qui veut dire « vide », ce qui montre que la question du « savoir » est déjà posée, en quelque sorte, avec le nom du père.

Certaines phrases obsédantes commencent par un « si », qui équivaut à un « ou bien... »; il s'agit donc à chaque fois de supposition, d'une hypothèse qui plus précisément relève d'une dénégation de la réalité, mais qui « si » elle était vraie devrait entraîner un acte meurtrier et, de plus, sans rapport apparent avec la première proposition. Absurde donc. Ainsi les : « Si j'ai le désir de voir une femme nue, mon père mourra »; « Si mon père meurt, je me suiciderai sur sa tombe »; « Si j'épouse la dame, il arrivera un malheur à mon père » (dans l'au-delà); « Si tu te permets un coït, il arrivera un malheur à Ella (elle mourra) »; qui sont toutes des phrases de l'ordre d'une improbabilité absolue, soit d'une impossibilité, mais qui n'ont de réel qu'il n'y a de certitude que dans l'erreur. En effet, le bon sens courant donnerait la vérité possible des phrases en les inversant par leur contraire :

« Mon père est vraiment mort, il ne peut m'empêcher de voir une femme nue »; « Je suis resté en vie, après avoir enterré mon père »; « Je n'aurai pas à m'opposer à mon père quand j'épouserai la dame »; « Il n'arrivera rien à Ella (ma petite nièce), si j'épouse la dame qui est stérile et avec qui je n'aurai pas d'enfant ».

Ces inversions peuvent se lire comme les lapsus du patient qui lui font dire le contraire de ce qui convenait : comme

« Mes félicitations » au lieu de « Mes condoléances », ou « Que Dieu *ne* le protège » au lieu de « Que Dieu le protège ».

Pour que le mythe de l'obsessionnel puisse apparaître, il suffirait en somme d'en retourner le texte et d'en inverser par le contraire l'ordre logique et grammatical. Cela montre au passage certains rapports entre le mot d'esprit et la structure des tragédies. Le drame œdipien présente lui-même une forme d'humour qui peut être qualifié d'absurde : comment se fait-il qu'un homme, tué par hasard, soit le père du héros, comment se fait-il que la femme qu'il épouse soit, comme par hasard, sa mère? On ne peut voir là qu'une grande ironie du destin qui lui était dévolu à un moment où il ne pouvait rien en savoir. L'humour est encore plus grand de faire une métaphore de cette situation, en la transposant sur le petit garçon qui voudrait, sans le pouvoir, posséder sa mère, et croire que son père est jaloux au point de vouloir le châtrer. Et même les assises juridiques font état de ce que les cas de parricide ne sont pas ceux qui relèvent en même temps à chaque fois de l'inceste. Le mythe raconte des événements absurdes ou ridicules qui sont présentés comme impossibles ou interdits, de l'ordre de la fantasmagorie imaginaire. Cela fait alors que le sujet est en proie à des « lubies » qui l'obsèdent, et la punition qu'il croit mériter est la preuve inversée de ses désirs non réalisables.

– C'est une façon de présenter les choses qui, pour Ernst l'omora, ou Ernest aussi sans doute, ne montre pas comment la problématique du deuil intervient là, ni comment à ton avis la question se pose pour eux.

– Il est certain que toute la symptomatologie de l'obsessionnel va à l'encontre des mécanismes en jeu dans le « travail » ou le « procès du deuil ». Le chagrin qui s'accompagne de remords inexplicables ne passe pas malgré les années, le deuil est pris, comme freud le dit, pour une durée illimitée.

Là encore un autre genre d'absurdité fait rage : la mort d'un être proche vient ressusciter justement des désirs criminels que l'on avait refoulés de son vivant. Désirs d'amour incestueux ou désirs de haine meurtriers que l'on ne s'était pas permis du temps jadis et que l'on a oubliés. Ainsi Ernst Lehrs a-t-il aimé et haï sa sœur Hilga qui est morte quand il avait à peu près quatre ans, comme, avant l'âge de huit ans, il avait tenté d'« assassiner » son frère cadet dont il était jaloux. Lors de la mort de son père survenue bien des années plus tard, ces épisodes passés reprennent vie pour ainsi dire et participent à ce facteur déclenchant de la névrose actuelle.

Autrement dit, l'obsessionnel est aussi un endeuillé qui croit que la toute-puissance de ses désirs a provoqué par sa faute des catastrophes. La mort d'un être proche comme le père ou la mère, le frère ou la sœur, ou la simple disparition d'un « ami » en qui l'on avait confiance et qui s'est révélé un « faux ami », constitue un traumatisme comparable à celui d'une séduction sexuelle précoce et abusive que subissent parfois les enfants. Le doute s'installe alors dans des sentiments contraires entre lesquels le sujet ne peut plus rien décider : que ce soit entre l'amour et la haine, entre un homme et une femme, entre le bien et le mal, le bon ou le mauvais, l'homo- ou l'hétérosexualité, la femme riche et la femme pauvre, le côté droit ou le gauche, le pair ou l'impair, la vie ou la mort, etc.

– N'est-ce pas comme un partage permanent entre des forces qui s'équilibrent, sans que les unes arrivent à signer une victoire sur les autres?

– On peut imaginer que pour l'inconscient le mort n'est pas vraiment mort, il vit encore malgré l'évidence de sa disparition, il correspond en somme au mythe des vampires, il vient hanter le héros coupable, le poursuivre de son amour ou de ses reproches, l'accuser d'avoir réalisé ses vœux de mort, vœux d'autant plus puissants qu'ils avaient été réprimés. Le deuil est sans cesse à refaire chez l'obsessionnel, il consiste à retuer le mort dans l'espoir de faire taire l'obsession et de se libérer de son emprise. Pour mettre fin au rituel auquel est contraint de se livrer l'endeuillé, qui pratique un culte funèbre permanent, il faudrait qu'il puisse conjurer la colère supposée du mort, qu'il ne craigne plus sa vengeance, en un mot qu'il ne craigne plus d'être tué par le mort.

– Ce que tu veux souligner, si je comprends bien, c'est que les désirs sexuels s'accompagnent de désirs meurtriers, et le « procès de deuil », comme tu l'entends, révèle à chacun le criminel tel qu'en lui-même son désir l'avait changé.

– La tragédie qui se joue chez l'obsessionnel est celle de l'homicide ou du suicide. La dette qu'il croit avoir contractée envers son père viendrait compenser son désir parricide. La loi exige par définition un devoir du fils : celui de venger le père en son nom. C'est ce qu'on voit dans *le Cid* avec l'exemple de Rodrigue (Cid = tueur), et que l'on voit aussi chez Hamlet. Le premier s'acquitte sans vergogne du règlement de compte d'une figure paternelle, le second hésite à obéir à la volonté du père qui dans son cas est déjà mort, il tombe dans les atermoiements de la procrastination; son devoir est non seulement de tuer un rival du père, mais encore celui qui précisément a accompli ses propres vœux œdipiens d'inceste et de parricide, Claudius, qui a tué son père et épousé sa mère. En fait, on peut réunir les deux héros par le fait qu'ils découvrent chacun le drame de leur désir : celui, aussi, de se venger de leur père en devant tuer celui qui le représente, comme père de la fiancée, ou comme amant de la mère. Leurs places les situent dans une disposition topologique œdipienne, la loi à laquelle ils sont soumis : « tu tueras ton père pour coucher avec sa veuve ». On sait que la mère d'Hamlet s'est rapidement consolée de son veuvage, et que Chimène, elle, fait bien le deuil de son père.

Il n'y a pas à s'étonner de ce que la psychanalyse ait pu entraîner quelques répugnances, ou résistances, à montrer ce que justement l'on s'efforce d'ignorer, le sens absurde et ridicule de la loi du désir. D'une façon que l'on peut qualifier d'hallucinatoire, tout deuil doit être la réalisation d'un désir incestueux en même temps que meurtrier.

– En fait, freud le dit, la pensée obsessionnelle présente une forme elliptique qui place le sujet devant des paradoxes ou des contradictions; le désir, dit-on, est toujours barré par l'interdit qui justement le fonde.

– Ernst, l'omora encore, à qui son père avait reproché de « se mettre des idées dans la tête », avait imaginé de se faire un trou afin de vider le caillot qui devait l'embarrasser. Ce nouveau supplice rappelle à freud celui de l'« entonnoir de Nuremberg ». On pourrait voir par là que les mythes de l'Inquisition restent encore présents dans le langage, et ce n'est certes pas la « peste » que, par euphémisme, freud croyait apporter avec la psychanalyse en Amérique, mais, plutôt, un moyen de combattre les névroses. La réponse a été, pour ce pays et d'autres, un développement massif de l'emploi des « pesticides » et des « insecticides », laissant proliférer du même coup les cultes religieux et les idéologies mythiques, qui président encore aux destinées politiques des nations, et mettent la psychanalyse au service de ces dernières, ou l'interdisent purement et simplement.

– Tu as surtout parlé de l'exemple de l'omora tel que freud s'en est inspiré pour le cas de la névrose obsessionnelle, mais tu t'étais engagé aussi à me parler d'Ernest, ton patient, et j'attends que tu tiennes un peu plus ta promesse.

– Me voici pris moi-même à mon propre piège d'obsessionnalité, et je me trouve aussi devant le dilemme de devoir parler d'une personne qui pourrait se reconnaître à travers les détails tout à fait indiscrets que je serais amené à révéler sur sa vie privée la plus intime. Tu comprendras donc que je m'en tienne à des fragments plus ou moins déguisés de ses symptômes, qui, pouvant se retrouver dans la plupart des cas de son genre, me semblent les plus typiques.

– L'éthique psychanalytique n'obéit pas à un code déontologique comme certaines professions, et c'est au psychanalyste lui-même qu'il appartient de fixer les limites de ce à quoi il s'autorise, eu égard à ses patients. Mais certains dont le cas fait l'objet d'ouvrages monumentaux seraient en droit, sans doute, de réclamer leur part de « droits d'auteur », et, en somme, de signer un autre genre de contrat avec leur analyste.

– Pour Ernest donc je m'en tiendrai à trois de ses activités compulsionnelles, qui, à des degrés moindres, sont des bizarreries que l'on retrouve chez un grand nombre de personnes.

La première est en quelque sorte une habitude qui consiste, tout à coup, à obéir à une injonction à laquelle il ne peut pas se dérober. Il lui faut, soudain, dans la rue, le métro ou n'importe quel autre lieu, se mettre à marcher en mettant un soin rigoureux à éviter de poser les pieds sur les lignes qui sont sur le sol, que ce soit celles qui séparent les pierres ou les dalles, ou encore les craquelures qui délitent l'asphalte. Il lui faut donc observer, les yeux baissés, avec précaution, les coupures, les bordures, les frontières qui divisent l'écorce terrestre sur laquelle il circule. Mais à d'autres moments, d'une façon aussi péremptoire, il lui faut se livrer au cérémonial inverse, il doit faire tout le contraire, c'est-à-dire couper, ou mordre, de son pied les lignes qui se dessinent sur le sol.

Ses associations lui firent découvrir un jour, au cours d'une séance, que cette compulsion lui rappelait le jeu de la marelle du temps de son enfance. A l'intérieur d'un parcours tracé à la craie, on doit, comme tout le monde sait pour y avoir joué aussi, sauter à cloche-pied, en allant d'une case à l'autre, pour ramasser un caillou qu'on a préalablement lancé sur l'une des cases. Ainsi on va de l'aire de la Terre jusqu'à celle du Ciel.

La règle du jeu consiste à respecter, d'un commun accord avec les autres joueurs, des délimitations qui ont été tracées sur le sol. Il n'est donc pas permis de dépasser les limites.

Le parcours de la Terre au Ciel, bien évidemment, représente celui de la Vie, autrement dit du Destin. Or ce jeu ancien ressemble à divers titres à ceux auxquels se livraient les citoyens de la Grèce antique. Pour lire les augures, l'avenir de leur destinée, l'on pouvait utiliser la *rubeïa* (de *rubos,* le

« cube », ou le dé), ou encore la *petteïa* (de *pessoï* ou *pettoï*, qui est un objet, posé sur un tablier découpé en diverses sections, que l'on pousse de l'une à l'autre), ce qui correspond à deux formes de « jeux », ceux que l'on dit de « hasard », et ceux qui font appel à une stratégie d'anticipation, avec plus ou moins de certitude. Or, nous avons vu que la « dette » de l'omora tient à la « dette de jeu » que son père n'avait pas remboursée. On voit là l'articulation qui peut être faite entre le jeu et la loi du destin dans les croyances quasi religieuses aux mythes. La structure du jeu de la marelle se retrouve aussi bien dans les jeux de tapis vert des casinos, comme dans les jeux de cartes ou de pions, que l'on doit lancer au hasard, sur une roulette, ou avancer, sur des cases, ou placer, comme des figures de valeurs différentes, sur une table ou un tablier avec des cases.

Les limites que l'on doit respecter sont celles qui sont autorisées par la « Règle » du jeu, qui est comparable à celle de la Loi que nul n'est censé ignorer, comme chacun sait.

L'obsessionnel, comme Ernest, s'invente des lois qui sont les « commandements » imaginaires auxquels il doit obéir et qu'il ne peut finalement que transgresser, se mettant alors dans la position d'un coupable devenu « hors jeu », « hors la loi », un criminel, ce qui est la définition du héros selon freud.

La démarche précautionneuse de l'obsessionnel, que j'ai appelée l'obsédanse, est une compulsion qui vise à le détourner justement de ses désirs sexuels par une activité de remplacement, soit comme la mise en place d'une « manœuvre de diversion ».

Ce mouvement de va-et-vient, d'aller et retour, s'observe particulièrement bien chez le joueur qui, par la passion, n'en finit pas d'être repris par une volonté démoniaque qui le pousse à rejouer. On ne serait pas étonné de découvrir que la nouvelle d'Arthur Schnitzler – le fameux « double » de freud –, *les Dernières Cartes*, n'ait pas d'autre source d'inspiration de départ que l'histoire même qui arriva au père de l'omora.

– Donc tu laisses entendre que le jeu de la marelle, ou tout jeu, serait comme une diversion des désirs sexuels et un « divertissement » qui reproduit la loi des « interdits » ou des « tabous » qui est imposée dès la première éducation aux enfants : il est interdit de dépasser certaines limites, celles de l'inceste ou celles du meurtre par exemple, mais aussi celles d'accomplir la réalisation de ses désirs de toute-puissance illimitée, comme l'omora y avait cru.

– En évitant de franchir les limites tracées sur le sol, Ernest veut se prouver qu'il peut obéir aux lois, mais, bien entendu, c'est le contraire qu'il prouve, il considère les lois comme dérisoires, bonnes à être violées, « foulées aux pieds », comme le dit bien le langage courant. Il se dupe lui-même dans sa diversion et obéit quand même à la loi qui est celle de la masturbation qui consiste à « se toucher » soi-même, ce qui, dans sa croyance, est une activité ni plus ni moins que mortelle, je veux dire que, pour lui, l'acte sexuel est l'équivalent d'un meurtre. Le doute qui le pourchasse est destiné à le sauver de la catastrophe, entre « obéir » et « désobéir » aux règlements, il institue de fausses règles auxquelles il se fait croire qu'il va se conformer. Il établit donc un compromis entre ses désirs et la réalité, grâce au « jeu » de ses obsessions. Toute loi, fondée arbitrairement, cause le désir de la violer, que ce soit celle d'un jeu, ou celle des interdits sexuels.

– Mais que dis-tu alors des règles des sports qui réclament des concurrents de toujours dépasser les limites de leurs possibilités habituelles, tout en respectant les règlements de la compétition? N'y a-t-il pas là des rapports avec l'obsessionnalité?

– Certainement. Ernest, par exemple, joue au tennis jusqu'à l'épuisement de ses forces. Et, dans les divers sports que l'on pratique aujourd'hui, il est toujours question de « franchir » une barre, dans le saut d'un obstacle, ou, sur un parcours donné, d'aller le plus vite possible, en outrepassant les limites des exploits précédents et celles des coureurs en compétition.

L'omora aussi, nous raconte freud, par la rage de sa jalousie à propos de « Dick », son cousin, dont le nom signifie « gros », s'impose la torture d'une cure d'amaigrissement en pratiquant un « suicide indirect » consistant à gravir en courant des montagnes, sans chapeau et en pleine chaleur du mois d'août. En somme, tu dirais, je parie, qu'il doit courir comme un dératé...

On se trouve donc toujours en présence d'un obstacle dont le franchissement suppose une jouissance de la toute-puissance désirée, soit celle principalement de la mort. C'est en effet dans un « au-delà » de la vie que l'on peut imaginer une jouissance éternelle. L'obstacle n'est pas non plus sans rappeler ce qui traîne sur le sol pour l'omora, ainsi la pierre qui se trouve sur le parcours de sa fiancée, et qu'il déplace d'abord afin qu'elle ne puisse renverser sa voiture, pour la remettre au même endroit ensuite, afin de bien prouver qu'il avait des intentions criminelles.

Or, comme l'on sait, il est important qu'Ernest sache où il met les pieds, car en effet nul n'est assuré de ne pas se perdre en chemin, on évite les marécages ou les sables mouvants, mais, aussi, on craint de marcher sur un serpent ou d'éveiller l'attention en faisant craquer une branche de bois mort, en temps de guerre, on suit, pas à pas, le soldat précédent, on pose ses pieds dans la trace des siens, on prend garde de ne pas tomber dans la faille d'un terrain qui n'a pas encore été exploré, dont les limites, ou les frontières, ne sont pas encore définies. Un objet insolite, inconnu, posé sur le sol, devient suspect et la tendance, si l'on peut dire naturelle, est de le contourner.

– Ainsi en irait-il des lois, qui ne sont pas gênantes tant qu'on n'a pas à les rencontrer, et que l'on s'efforce plutôt de contourner que de renverser. Une loi, ou la règle d'un jeu, ou celle d'un sport, n'existe que pour limiter les désirs de toute-puissance, faire rappeler qu'il n'est pas possible d'être Dieu lui-même.

– En effet, Ernest avait, dans son enfance, une idée obsédante, à chaque fois qu'il engageait sa foi religieuse dans une décision importante, qui lui faisait dire : « J'ai donné mon âme au diable », ce qui lui faisait douter de pouvoir tenir ses promesses. De la même façon, croyait-il, qu'il pouvait rendre enceintes les fillettes qu'il regardait, par le seul fait de le penser, malgré l'horreur qu'il avait d'être reconnu comme coupable d'une telle éventualité tout à fait impossible.

L'obsessionnel se donne l'illusion de transgresser des lois imaginaires, parce qu'il a l'illusion d'obéir à une Loi impossible qui ne lui donne pas le droit d'être Dieu, et qui donc lui interdit de vivre sans être criminel.

Une autre des manies d'Ernest fut à un certain moment de sa vie d'éprouver le besoin de se laver les mains plusieurs fois par jour, voire plusieurs fois par heure. Pour un rien il lui fallait faire couler de l'eau sur ses mains, et de plus il devait se servir d'un linge qui n'était pas utilisé par d'autres que lui pour se sécher après cette purification. Évidemment, cela lui rendait la vie impossible et il finissait par rester assis sur un siège, dans un état de totale prostration. Là encore, il réussit à analyser lui-même cette compulsion éprouvante, qui finissait par lui mettre les mains en sang à force de les laver. Il savait que la raison de cette obligation tenait au fait qu'il avait touché la poignée ou le bouton d'une porte, ou la rampe d'un escalier, ou encore qu'il venait de serrer la main de quelqu'un. La pensée lui venait alors que ces objets ou cette main qu'il venait de toucher avaient pu être en contact, eux-mêmes, avec des mains qui auraient touché des organes génitaux. Or, il avait une horreur épouvantable à l'idée seule qu'il pourrait accomplir un péché mortel en se touchant lui-même, ou, indirectement, par voie de contamination purement symbolique, d'avoir touché ce qui aurait pu avoir un contact même involontaire avec les organes sexuels d'une autre personne. Il finit donc par comprendre lui-même que sa phobie du toucher n'était après tout qu'un désir inversé de toucher et de se toucher, en transgressant les interdits sexuels auxquels il avait profondément souscrit. Là encore, c'est dans les récréations des enfants que le modèle lui était apparu, avec celui qui consiste à « jouer à chat » en touchant la personne qui devient celle qui doit poursuivre l'autre et le toucher à son tour. La règle de ce jeu est encore plus proche de l'acte sexuel quand il faut les « yeux bandés » jouer à colin-maillard : sous le couvert de l'innocence ludique, il est possible ainsi de se livrer à des caresses qui normalement seraient déplacées.

– Mais freud ne parle-t-il pas de la compulsion du lavage des mains en prenant l'exemple bien connu du délire de Lady Macbeth? C'est, je crois, le chapitre sur « Ceux qui échouent devant le succès », ce qui rappelle « la peur de gagner chez les sportifs », et qui se trouve dans « Quelques types de caractères dégagés par la psychanalyse ».

– J'allais justement t'en parler, sans reprendre tout le détail de cette pièce qui raconte l'histoire d'un crime et de son châtiment.

Après avoir été l'instigatrice des crimes qui ont permis à Macbeth de s'emparer du trône royal, Lady Macbeth est prise de remords et elle a l'angoisse de voir se réaliser les prédictions des sorcières qui avaient dit : « Les fils d'un autre seront rois. » Voulant faire mentir le sort qui a été jeté, Lady Macbeth est décidée à mettre au monde un héritier mâle à qui la couronne usurpée pourrait être transmise. Or, elle est prise de crises de somnambulisme :

« *Le médecin :* Qu'est-ce qu'elle fait là?... Regardez comme elle se frotte les mains.

» *La dame de service :* C'est une habitude qu'elle a prise d'avoir ainsi l'air de se laver les mains. Je l'ai vue continuer à faire cela pendant un quart d'heure.

» *Lady Macbeth :* Il y a toujours une tache... Va-t'en, tache damnée!... Quoi, ces mains-là ne seront donc jamais assez propres?... Il y a toujours l'odeur du sang... Tous les parfums de l'Arabie ne rendraient pas suave cette petite main. Oh! Oh! Oh [9]! »

Alors, bien entendu, freud interprète ce symptôme comme la tache des crimes qui revient dans la main de Lady Macbeth de façon hallucinatoire, ce sont les remords de sa conscience coupable qui la travaillent. Or, nous le tenons de freud lui-même qu'un symptôme est surdéterminé, donc qu'il a toujours plus d'une signification. Nous savons aussi que c'est de stérilité que souffre le couple Macbeth, et Lady Macbeth en vient à haïr son propre sexe de ne pas pouvoir engendrer, de ne pas pouvoir la rendre enceinte. C'est donc l'autre partie du symptôme que l'on peut voir dans la tache de sang, celui du sang de ses règles qui vient lui montrer que, malgré son désir, elle n'attend pas encore d'héritier, et que la prophétie menace de se réaliser.

Cette tache en quelque sorte lui rappelle le vide de son sexe, qui devient, par obsession, le vide d'un abîme où elle se voit en train de sombrer, précipice où elle ne trouve plus rien pour la retenir et la sauver. Fureur et désespoir de voir que la fatalité du destin la mène à la perdition et à la punition de ses désirs de toute-puissance.

– Donc, on peut dire que ton patient, Ernest, aussi, comme Lady Macbeth, mais de façon inversée, craint d'accomplir un acte sexuel qui le rendrait coupable de faire un enfant qui trahirait ses désirs, il craint de rendre les petites filles enceintes par le seul pouvoir de sa pensée. Comme s'il y avait un pouvoir de pollution sexuelle par le simple contact avec des objets contaminés, ou par un simple regard.

– Tu te montres maintenant qualifié pour faire ce que l'on appelle des « contrôles » pour des analystes qui éprouvent le besoin de parler de leurs patients, et de s'assurer, ainsi, qu'ils ne se rendent pas coupables de quelque mauvaise interprétation dans le déroulement des séances avec certains d'entre eux. En effet, le simple fait de vouloir rendre compte de sa pratique permet bien des éclaircissements et des élaborations théoriques sur lesquelles on peut ensuite se repérer.

Avec Ernest, on peut découvrir ainsi que la conséquence de l'acte sexuel est l'apparition consécutive d'un enfant, comme preuve de la transgression de l'interdit porté sur la sexualité; ainsi, le désir sexuel est toujours accompagné de celui d'avoir un enfant en même temps que de la crainte d'en avoir un. Outrepassant les règles de la bienséance élémentaire de la contrainte sociale, lorsque deux personnes se sont livrées à des actes sexuels, quels que soient leurs précautions, leurs âges, ou même leurs sexes, l'enfant, attendu dans leur imagination, est toujours le fruit et l'expiation de leur péché, la sanction et le rachat. Bien que consciemment l'on s'efforce de dissocier la vie sexuelle de la procréation, le mythe se trouve les réunir d'une façon, elle, qui est inconsciente.

– Autrement dit, si les enfants élaborent des théories sexuelles, comme freud l'a observé, la sexualité pour ainsi dire élabore des enfants théoriques.

– Elle les compte même, car la troisième compulsion d'Ernest est celle qui consiste à procéder à des numérations, à une comptabilité permanente. Il est comme ce général qui n'arrête pas de compter ses canons, et qui, lorsqu'il trouve enfin le nombre exact qu'il lui fallait, prétend qu'il a dû se tromper, et doit une fois de plus vérifier l'effectif.

Ernest a, par exemple, l'habitude de tourner deux fois à sa droite pour une fois à sa gauche. Le soir, dans son lit, il doit éteindre sa lampe de chevet un nombre pair de fois. Comme il se trouve souvent dans l'incertitude de ce qu'il vient de faire, il doit, après un temps d'arrêt, un temps mort, qui est comme le temps d'une mort passagère, recommencer en repartant à zéro, en recomptant par paires : un, deux, puis trois, quatre, etc. Les nombres impairs en effet lui semblent maléfiques, et il ne peut s'endormir sur des chiffres qui feraient trois, cinq, sept, etc.

Dans la rue, il peut être saisi par une angoisse à la vue

d'un nombre terminé par un chiffre impair et il ne devient rassuré qu'après avoir vu un nombre pair qui vient effacer l'horreur du précédent. Cette prière secrète qu'il récite rituellement absorbe une grande part de son attention et de son énergie. C'est la conjuration d'une obsession permanente de la catastrophe, ou de la mort subite qui peut se présenter. Mais il a découvert que bien des personnes ont été affectées de troubles comparables aux siens.

D. A. F. de Sade, lorsqu'il était interné à Charenton, à l'âge de soixante-sept ans, a tenu son journal, dont la lecture montre l'obsession permanente de faire des remarques chiffrales à propos de nombres qui reviennent en lui faisant signe, d'une façon mystérieuse quant à leur signification, et dont lui-même semble être dans la plus grande perplexité quant à l'interprétation qu'il peut leur donner. On trouve par exemple des notations comme celles-ci, dont on a respecté la négligence orthographique et le style dépouillé de toute recherche :

« ... Le 19 vinrent trois personnes une mere et ses deux filles, diner avec nous, elles nous surprirent et voila encore le 19 et 3.

... J'en fis offrir par Md. a M. de C. qui le 1e(r) du mois n'en prit que 3 et en laissa 9 ce qui forme le plus beau 13 et 9 possible.

... Le 12 le docteur vient avec sa bonne, c'est sa 2(eme) visite, ils sont deux, il parle de 7 ou 8 ; voila encor le 2 avec le 7 mais nulle idée ce jour la.

... Le 14 M. de C. me dit quon rejouera la meme representation le 3 mars ce qui fait 17 jours apres l'autre et etablit par consequent un superbe 17 et 23 [10]. »

Le journal est rempli de ces préoccupations chiffrales, et il semble écrit avec la crainte de trahir son auteur s'il ne se dissimulait pas sous un code secret que lui seul peut déchiffrer, et, de plus, il parle de lui-même en s'attribuant le pseudonyme de « Moïse »...

Et le cas de la superstition de freud est bien connu aussi

pour les confessions qu'il en a laissées. On sait qu'il prévoyait par des calculs précis la date à laquelle sa mort s'annonçait comme fatidique. Ce n'est que lorsqu'il échappa à l'influence de son ami Wilhelm Fliess, son ami « numéralogique » comme il l'appelait, et qui l'avait convaincu de ses théories sur la périodicité, qu'il parvint à se dégager de ses croyances obsessives; surtout lorsque, voyant que les dates en question étaient dépassées sans qu'il lui fût rien arrivé, la prévision numérique se révéla de fait fausse.

Mais cette théorie de Fliess, fondée sur le cycle féminin de vingt-huit jours, met en jeu la question sexuelle et celle de la procréation de l'enfant comme étant liées par l'idée du comptage ou de la mathémanie. Il y a dans les mathématiques un souci de compter et de mesurer qui prend le résultat des opérations comme produit de la plus grande exactitude qui ne laisse aucun reste négligeable. Ainsi, la terre entière échappe bien peu aux explorations qui en mesurent toutes les dimensions, au point que rien ne doit manquer à l'investigation ni au recensement. Tout enfant qui vient de naître apparaît comme un être en plus à rajouter à une addition. Toute mort serait comme un en moins. C'est qu'aucune parcelle, aucun reste, aucun déchet ne doit exister par lui-même sans avoir été contrôlé, comptabilisé, de façon à être conservé ou évacué, afin que le compte soit tenu à jour, que rien ne soit laissé au hasard si redoutable, que tout soit maîtrisé afin de laisser place nette en ayant chassé l'angoisse de la mauvaise surprise. Illusion, comme on le pense bien, qui n'est que religieuse et obsessionnelle. Illusion funeste.

Cette mesuration du temps, ce quadrillage de l'espace, ce comptage des objets et des signes obéissent aux mêmes règles que celles des jeux dont la métaphore renvoie à la métaphore des lois qui gouvernent l'ordre humain du langage. On ne peut circuler, avec une certaine sécurité de moindre aléa, que si l'on respecte les bandes jaunes qui délimitent la ligne médiane des routes, par exemple : on ne doit pas mordre, mais longer la ligne qui sert de repère sur le terrain, c'est elle qui fait loi du jeu, elle qui commande, en même temps que les limitations de vitesse, ou autres, permettent un jeu optimal pour le passage fluide du flot des véhicules. Toute loi fait obsession conjuratoire contre les catastrophes, et donc vise à la conservation de la vie.

C'est ainsi qu'Ernest, dans son analyse, a finalement considéré que ses symptômes obsessionnels avaient effectivement une valeur de protection contre la toute-puissance de ses désirs qui, faute d'être réfrénés, risquaient de le faire sombrer dans un délire que lui-même suppose être celui de la psychose paranoïaque.

– Mais peut-on dire que, à cause de cette économie, il importe qu'Ernest ne guérisse pas?

– Mais il n'est pas à proprement parler malade, il est embarrassé par des formations obsessionnelles qu'il peut transposer sur un terrain d'activité plus productive pour lui, et réussir ainsi à se servir de son symptôme d'une façon qui ne risque pas de le « destructurer » en prétendant le changer en un autre qui le renverrait à une problématique tout aussi obsessionnelle et qui lui ferait croire, encore une fois, qu'il doit échapper aux forces obscures du destin.

– Mais freud, après avoir vu l'omora « fuir dans la bonne santé » avant d'avoir élucidé tout à fait son cas, déclare, dans une note de 1923, qu'il fut tué lors de la guerre de 1914-1918.

– S'il ne s'était pas senti guéri, en effet, il ne se serait pas senti disponible pour partir au front de la guerre et il aurait eu l'humiliation bien connue d'être considéré comme inapte. Au lieu de cela peut-on, sans craindre de se tromper beaucoup, imaginer la fin, comme pour tant d'autres jeunes gens, qui l'attendait devant les troupes ennemies?

Évoquons Verdun et le carnage de « toute-puissance » qui commande le combat. *Le Chemin des Dames,* qui n'est pas sans rappeler la dérision d'un jeu où il faut prendre des pions, ni celui qui fait hésiter l'obsessionnel entre deux femmes. S'était-il marié avec Gisa sa cousine, ou avait-il continué sa liaison avec une petite couturière? Nous ne le saurons sans doute jamais. Le voici dans les tranchées en face des lignes ennemies, le terrain est morcelé, les rats circulent le long des jambes des soldats aux pieds englués dans la boue. L'omora est là en faction, avec son lorgnon de myope, il voit soudain un soldat français qui se dirige vers lui le fusil pointé, il le vise, mais que se passe-t-il, son doigt reste gourd, raidi sur la détente, sa main se met à trembler, il est pris d'un immense doute et d'une angoisse à l'idée de devenir vraiment un criminel ou un héros, il tire et manque sa cible. Le Français, lui, posément, sans autre souci que d'atteindre un but, avec précision l'atteint du premier coup. Une fois de plus l'omora se trouve guéri, mais définitivement, de la peine qu'il avait de vivre.

– Je ne souhaite pas à Ernest de connaître la même situation.

– Voilà bien une phrase digne d'un obsessionnel.

## NOTES

1. Nous écrivons « freud » avec une minuscule, ainsi qu'il signait lui-même de son nom. *(N. d. l'A.)*
2. Dans S. Freud, *Cinq Psychanalyses,* Paris, PUF.
3. *Ornicar?,* n[os] 17-18, printemps 1979.
4. *Revue française de psychanalyse,* n° 4, tome XXV, juillet 1971.
5. *Le Verbier de l'homme aux loups,* Paris, Aubier-Flammarion, 1976.
6. Mouvement promu par une école de psychanalystes américains, qui s'est orientée vers le renforcement unitaire du moi.
7. *Clefs pour l'imaginaire ou l'Autre Scène,* Paris, Seuil, 1969.
8. *Ornicar?,* n° 3, mai 1975.
9. *Macbeth,* acte V, sc. II.
10. Sade, *Journal inédit,* Paris, Gallimard, 1970.

# 5. Sexologie ?

# Table ronde

*Raphaël Brossart, Geneviève Delaisi de Parseval*
*Pierre Jouannet, Willy Pasini, Jacques Waynberg*
et *Mike Kamionko, Luc Giribone*

GENEVIÈVE DE PARSEVAL : Ce qui nous a poussés à vous demander de venir, c'est que vous n'êtes pas forcément tous spécialistes de la sexualité masculine, mais vous voyez des hommes en consultation pour des troubles qui ont quelque chose à voir avec la sexualité, même si ces hommes ne viennent pas spécifiquement pour des troubles de la fonction sexuelle.

Vous pouvez peut-être dire pourquoi les hommes que vous recevez en consultation viennent vous voir. A quel titre?

PIERRE JOUANNET : Je suis médecin biologiste en milieu hospitalier. Les hommes que je vois consultent essentiellement pour des difficultés de procréation. D'autres sont demandeurs de contraception masculine, ils souhaitent soit une vasectomie soit une contraception réversible.

WILLY PASINI : Je suis professionnel de psychiatrie et psychanalyste à Genève. Je dirige une unité de psychosomatique et de sexologie sur le plan hospitalier. Je pense qu'il y a des consultations de sexologie, des consultations de contraception demandées par des hommes, et je dirai qu'il y a peut-être en plus les consultations de psychosomatique au sens large : demandes venant des services d'urologie, de dermatologie, de centres de paraplégiques, de tous les services, disons, d'un hôpital touchant au champ psychosomatique et sexologique. Et puis, parmi ceux qui viennent, il y a aussi des hommes qui sont en analyse.

RAPHAËL BROSSART : Je suis prétendument psychanalyste. Je crois que les psychanalystes ont affaire à la question sexuelle chez les personnes qui viennent les voir, et leur demander quelque chose. La sexualité est évoquée, pas toujours mais fréquemment, même si les psychanalystes se demandent parfois où se trouve la vie sexuelle de leurs patients, car ils sont relativement discrets sur leur vie sexuelle pendant un certain temps.

Là où la psychanalyse est concernée, c'est que, dans la question même de la sexuation, l'identité sexuelle de la personne qui vient les trouver n'est pas du tout certaine; elle a un côté aléatoire; des hommes vous disent : « Je ne me sens pas un homme, et je vais même vous dire, je me sens une femme, j'ai l'impression d'être une femme »; ou, au contraire, des femmes qui se disent : « Qu'est-ce qui ne va pas? Qu'est-ce qui ne va pas?... » Et puis, on s'aperçoit qu'elles ont beau avoir un corps de femme entièrement parfait, si je puis dire, du point de vue des apparences, il n'empêche que, psychiquement, dans la pensée, elles fonctionnent et elles se comportent quelquefois comme des hommes.

MIKE KAMIONKO : Non-spécialiste, observateur. *(Rires.)*

LUC GIRIBONE : Autre observateur.

G. DE P. : Je suis psychanalyste et je m'occupe de ce livre. C'est mon travail sur la paternité, d'une part, et l'écoute des couples infertiles, de l'autre, qui m'ont conduite à m'intéresser à la masculinité.

JACQUES WAYNBERG : Je travaille aussi bien en secteur hospitalier que privé. Je serai donc ici le seul sexologue exclusif puisque je ne vois que des hommes (et des femmes!) qui s'adressent à moi uniquement pour des troubles de la sexualité.

L. G. : Quels sont ces troubles? Qu'est-ce qui est considéré comme troubles par quelqu'un qui vient vous voir? Qu'est-ce qui ne va pas, en général?

J. W. : Il faut absolument prendre en compte des paramètres qui sont aléatoires et irrationnels, ceux des médias, par exemple. Je ne peux répondre à une question comme celle-là comme un cardiologue ou un dermatologue le ferait, parce qu'il aurait, après dix ans de pratique, un échantillonnage objectif de la pathologie dermatologique ou cardiologique d'une certaine population puisque, *a priori,* quelqu'un qui a des problèmes de peau ou de circulation du sang va voir le spécialiste en question.

Eh bien, les hommes ne vont pas voir un spécialiste de la sexualité s'ils n'ont pas des motivations qui s'ajoutent à leur souffrance personnelle.

J'ai un exemple très précis. Depuis un an et demi, on sait, par le truchement des médias, que je travaille particulièrement sur un problème : l'éjaculation prématurée. A tort ou à raison, nous estimons avoir trouvé un traitement médical qui fait gagner du temps aux gens et qui répond à leur désir d'être pris en charge médicalement, sans toucher aux fantasmes, sans toucher aux racines du problème. Nous sommes complètement complices de ce qui se noue dans cette relation très particulière médecin-malade : nous sommes en plein là-dedans, nous satisfaisons tout le monde.

Si je prenais les chiffres à l'état brut, je dirais qu'il y a une foule d'éjaculateurs prématurés qui consultent. Mais, en fait, s'ils consultent en masse, en ce moment (cela représente 60 % de ma pratique), c'est parce qu'ils y sont poussés par une information. Il y a deux ou trois ans (à la suite d'une émission de télévision à laquelle avait d'ailleurs participé Pasini), il y a eu une masse de demandes de prise en charge d'impuissance. Donc les problèmes que nous avons à prendre en charge à un certain moment ne reflètent pas forcément la pathologie, si vous voulez, qui circule, qui est en liberté.

Il faut aussi savoir quelle tranche de la population masculine lit, et sait aujourd'hui (dix ans après les débuts de la sexologie en France), qu'il y a des lieux où l'on peut parler de ça. Et on est très surpris de constater que beaucoup de gens ignorent encore aujourd'hui que ce sont des conversations qu'on peut avoir avec des spécialistes un petit peu formés.

En revanche, nous voyons très peu, surtout en milieu hospitalier, de problèmes qui doivent sûrement exister en plus grand nombre, comme des maladies beaucoup plus organiques, si vous voulez, comme celles qui passent par le biais des urologues parce que ce sont des problèmes que les sexologues, en tant que tels, n'ont pas mis en avant.

L. G. : Vous revendiquez, vous assumez la qualité de sexologue?

J. W. : Ça fait vingt ans que je travaille comme ça. Alors...

L. G. : Comment vous définiriez la sexologie?

J. W. : C'est l'étude de la fonction érotique.

L. G. : Comment définiriez-vous le type de thérapeutique que vous proposez, comme sexologue, aux gens qui viennent vous voir? Quel en est le ressort?

J. W. : Il est plus intéressant de parler de mes objectifs théoriques plutôt que des moyens par lesquels je passe, parce qu'ils sont provisoires pour l'instant.

L. G. : Je vais vous poser une question très simple. Est-ce que vous prescrivez des médicaments?

J. W. : Précédant cette question, il faut savoir si on se donne ou non le droit de la recherche de l'organicité. Si on estime que le sexologue s'occupe aussi de cette recherche de l'organicité, on peut aboutir à la prescription de médicaments ou, au contraire, on entre dans le jeu de la discussion de la pharmacologie. Je n'ai pas à en prescrire, moi, parce que, en ce moment, tous ceux qui avaient fait fortune à l'époque de nos prédécesseurs nous apparaissent inefficaces, que ce soit la pharmacopée psychiatrique, les vasodilatateurs ou les hormones. Tout cela nous paraît hors de proportion avec l'objet des consultations, et inefficace – hors de proportion parce qu'on ne connaît rien sur l'érection ou presque. Donc, pourquoi prescrire des médicaments dans l'espoir que ça va rendre les gens puissants?

L. G. : Qu'est-ce que vous voulez dire par « On ne connaît rien sur l'érection ou presque »?

J. W. : Qu'on ne sait rien!

L. G. : Le mystère dont vous parlez, c'est un mystère...

J. W. : Physiologique. A l'heure actuelle, un homme comme Wagner, de Copenhague, qui est un des noms importants dans la recherche physiologique de l'érection, me disait encore récemment qu'il allait recommencer des expériences sur l'animal. Il faut recommencer presque à zéro pour savoir ce qui se passe pour que la verge durcisse. Ces remarques mettent en cause le principe habituellement admis de la vasodilatation, et inclinent plutôt à penser à... une vasoconstriction. On a fait ingérer à des milliers et des milliers d'individus des vasodilatateurs en espérant les guérir de leur impuissance!

Donc, je ne pense pas être du genre à pontifier à partir d'un savoir physiologique parce qu'il me semble qu'il sera dépassé avant vingt ans, *grosso modo*. Qui peut aujourd'hui parler de l'orgasme féminin en termes biologiques?

Pour l'homme, la situation est la même, sauf peut-être en ce qui concerne l'éjaculation où nous pouvons disposer du travail des autres sur le plan anatomo-pathologique. Mais l'éjaculation du point de vue physique, non pas des gratifications émotives qu'elle engendre.

C'est ainsi que, de proche en proche, j'ai indiqué un traitement, par alpha-bloquants, de l'éjaculation prématurée.

Mais, en réalité, la question fondamentale, c'est de savoir si l'organicité fait le symptôme.

R. B. : Oui, le problème est là.

J. W. : Il y a deux catégories de sexologues :

Ceux qui sont médecins avant d'être sexologues, comme aujourd'hui par exemple les chirurgiens vasculaires ou les andrologues qui font des explorations très complexes de l'impuissance, et qui considèrent que leur travail, c'est de faire un diagnostic de cette impuissance en termes d'organicité : il y a des artères bouchées, des nerfs qui..., etc.; ils s'en tiennent là, c'est-à-dire que l'organicité fait le symptôme.

Et puis d'autres qui sont plus proches de ma sensibilité personnelle et qui considèrent effectivement que ce qui fait le symptôme, c'est le dire, donc c'est l'invisibilité totale.

G. DE P. : Mais enfin, est-ce que pour vous l'éjaculation précoce est un trouble relationnel?

J. W. : L'éjaculation prématurée est avant tout en effet un trouble de la communication érotique, mais fondé sur un problème concret de non-apprentissage du contrôle volontaire de l'excitation sexuelle.

Une définition biologique de l'érection est bien sûr possible, mais n'attendez pas de moi une explication neurophysiologique de cette partie de la fonction sexuelle que je connais mal. Je ne crois pas que qui que ce soit cherche à réduire la sexualité de l'homme à ses manifestations biologiques, ce serait absurde. La compréhension de la sexualité et de ses troubles ne pourra jamais se contenter d'analyses des mécanismes vasculaires nerveux ou moléculaires. Il ne faut cependant pas oublier que la fonction sexuelle a aussi une expression biologique qu'il est utile de connaître, qu'il est important de comprendre. Après tout, il existe aussi une pathologie organique de l'érection et de l'éjaculation.

W. P. : Je dirai, quant à moi, que la question de la sexualité masculine, on peut la lire de différentes manières. D'abord dans l'histoire de la psychologie médicale : la psychologie médicale, la médecine si vous voulez, s'est occupée d'abord de l'organe. Donc, on n'a pas parlé à ce moment-là de l'érection mais de la verge. Puis, on s'est occupé de l'« homme impuissant ». Ensuite, on s'est occupé de la relation médecin-malade, de la relation tout court, et on a parlé de la fonction relationnelle de la sexualité, ou de l'impuissance ou de l'éjaculation prématurée en termes relationnels. Enfin, on a abouti au dernier bout de la chaîne, c'est-à-dire au médecin. Et, au fond, on finit par dire que c'est la personnalité du médecin qui va ou ne va pas déterminer le symptôme du patient.

Cela me semble une illustration de l'histoire de la psychologie médicale appliquée à la sexologie. Mais je pense qu'il n'y a pas aujourd'hui de discussion suffisante sur les modèles conceptuels, alors qu'il y en a beaucoup sur les pratiques en sexologie. J'en ai indiqué un, mais on peut en prendre un autre qui soit analytique ou qui soit – que sais-je? – comportemental. Ensuite, les pratiques prennent un sens : que ce soient des vibromasseurs dans les thérapies de groupe ou des types de relaxation au niveau de l'inconscient. Mais elles n'ont de sens qu'à l'intérieur d'un modèle, et le malaise que je perçois, c'est que, justement, il y ait des malentendus sur le modèle.

L. G. : Quel serait, monsieur Waynberg, le modèle de votre définition de la fonction érotique – puisque c'est ainsi que vous avez défini la sexologie, au début? Comment articuleriez-vous le comportemental, le psychique, le physiologique?

J. W. : Si je l'avais trouvé, ce modèle, eh bien, vous le sauriez et nous serions sortis de l'impasse. *(Rires)* Non, je ne suis pas plus malin que les autres et j'ai le même sentiment qu'il nous manque des modèles théoriques, en effet, pour que l'on arrête d'improviser, quoi!

Ce à quoi nous pensons, nous, c'est-à-dire les collègues qui sont sensibles à la tentative de dépasser le savoir-faire pur et simple, c'est à un modèle un peu anthropologique, c'est-à-dire à une réflexion qui nous sorte vraiment, avec force, des modèles médicaux conventionnels.

A titre d'exemple, je peux indiquer ici que nous engageons désormais notre réflexion vers l'étude du comportement des singes et vers la paléo-anthropologie. C'est donner à la sexologie une autre dimension que le déchiffrage d'une simple demande d'impuissance ou de frigidité.

Est-ce que cela va déboucher sur une approche théorique? Je ne sais pas, parce qu'il va falloir y ajouter d'autres notions encore. C'est pourquoi je situe, en fait, aux alentours de l'an 2000, et même un peu au-delà, non pas l'âge d'or de la sexologie, mais sa véritable maturité à l'ordre des sciences humaines : je crois qu'il va nous falloir vingt ans pour élaguer, se distinguer des sciences qui nous sont très proches, et puis mieux savoir à quoi nous servons, où nous allons et de quoi nous parlons.

G. DE P. : J'aurais bien aimé, moi, partir d'un autre modèle, même s'il paraît un peu lointain à première vue... Il y a tout de même un abord phénoménologique des symptômes : des patients réels viennent consulter des médecins réels pour se plaindre d'un symptôme. Il y a quinze ou vingt ans, en effet, ils n'auraient probablement pas eu l'idée d'aller voir un médecin pour se plaindre d'éjaculation précoce ou d'absence de désir. Maintenant, des gens vont voir des urologues, des sexologues ou des andrologues – nouvelle spécialité – pour se plaindre de troubles. Sans prendre parti pour savoir si ce sont des troubles relationnels ou d'une autre nature, ces hommes éprouvent vraiment des troubles, et ces troubles-là sont reçus par les médecins en tant que tels. Et le médecin, suivant sa formation, son idéologie et sa pratique, leur offre une thérapeutique, soit une thérapeutique de comportement, soit les envoie chez l'analyste, soit leur propose des médicaments. Enfin, c'est quelque chose qui existe.

Il me semble qu'on peut parler d'un dysfonctionnement de la sexualité masculine, maintenant, qui évoque un peu le nombre de femmes qui, dans les décennies passées, découvraient qu'elles étaient frigides et qu'elles pouvaient aller voir un médecin. Avant, ça n'existait pas. Maintenant, il y a des hommes qui se rendent compte – peut-être grâce aux médias – qu'ils ont une « éjaculation précoce » ou que, lorsqu'ils éjaculent, ils n'en tirent peut-être qu'une jouissance très faible à côté de ce que raconte la littérature spécialisée : aussi vont-ils consulter. J'ai moi-même l'occasion, dans ma pratique, d'entendre de nombreux témoignages sur ce qu'on pourrait appeler une certaine « misère sexuelle masculine ». Vous qui recevez des patients pour des troubles de la sexualité ou pour des troubles d'ordre quelquefois psychiatrique..., ces hommes qui mettent ce type de symptômes en avant, alors qu'ils ne l'auraient pas fait il y a quelques années, qu'est-ce que vous en pensez?

R. B. : Ce ne sont pas des choses nouvelles, à mon avis. Qu'il y ait une incitation, là, c'est Foucault avec la vérité, à savoir qu'il faut tout dire. D'après lui, ça tient de la confession. Il faut tout dire, tout mettre sur le tapis. Et cette histoire de dire la vérité, ce n'est pas nouveau, d'après lui, et, contrairement à ce que l'on croit, nous subissons la pression de plusieurs niveaux d'incitation à dire les choses et à les avouer : on avoue son symptôme comme on avouait ses péchés au confessionnal. Vous voyez ce que je veux dire?

G. DE P. : C'est pour cela qu'on vient...

R. B. : Je crois que c'est une erreur de parler de la sexualité de l'homme indépendamment de celle de la femme, et vice versa, parce qu'elles ont à voir l'une avec l'autre. D'autre part, on fait une confusion entre la physiologie et le comportement parce que c'est certain que certaines personnes présentent réellement des malformations physiologiques, des malformations congénitales – ou génitales tout simplement : des femmes qui ont un vagin trop petit ou des hommes qui ont des organes génitaux mal formés; pour ces gens qui ont des infirmités, la sexualité devient extrêmement difficile.
Mais vous avez aussi des gens qui viennent se plaindre alors que, apparemment, physiologiquement, on a l'impression...

G. DE P. : Physiologiquement, c'est ce que l'on voit, seulement.

R. B. : Oui, je crois qu'on a tendance à demander au médecin quelque chose que sa formation médicale pure ne lui permet pas de donner au malade; alors que, s'il s'intéresse à des disciplines qu'on peut appeler « sexologie », il devient plus à même d'écouter des questions qui relèvent de l'histoire traumatique du sujet.

L. G. : Comment se passe la consultation de quelqu'un qui a des troubles sexuels? Qu'est-ce qu'on lui indique? Qu'est-ce qu'on lui dit?

R. B. : Qu'est-ce qu'on entend d'abord? Qu'est-ce qu'on comprend? Et peut-être, après, qu'est-ce qu'on répond? C'est vrai. Qu'est-ce qu'on entend? De quelle oreille entend-on?

C'est là l'aspect intéressant et difficile de cette discipline, parce qu'il peut arriver qu'un impuissant aille chez l'analyste sans savoir... qu'il est diabétique. Si je crois que son trouble relève de la psychanalyse, je fais une faute professionnelle, parce que j'aurais dû prendre une attitude plus concrète, poser des questions et, à cause de cette présomption de diabète, l'orienter chez un collègue médecin. Mais si je prends cette attitude très concrète, et que le patient souffre de son impuissance au sens existentiel – il se sent impuissant ou insuffisant en tant qu'être humain –, mon encadrement médical va le déprimer.

Alors, c'est à mon avis sans solution parce que c'est dangereux de mettre un impuissant diabétique sur un divan d'analyste – et j'en ai vu.

Donc, on ne peut pas simplement se mettre dans une écoute analytique avant d'entrer dans l'analyse proprement dite, comme quand quelqu'un vient me voir pour me demander une analyse; et de l'autre côté, on ne peut pas non plus médicaliser une plainte sexuelle parce qu'elle a aussi ce caractère défensif, c'est-à-dire ne pas parler de sa souffrance existentielle.

Je pense qu'on voit là la différence avec l'éthique de la sexologie. Pour moi, le sexologue est un personnage qui veut utiliser à la fois le registre médical et le registre analytique – ce qui me paraît contradictoire.

Et une équipe où il y a l'urologue, le psy, le gynéco et la conseillère conjugale...

J. W. : Et l'institution.

R. B. : ...et l'institution, me semble peut-être plus compatible avec ce type de demande, qui peut se situer à différents niveaux.

W. P. : Un chemin possible serait de dire, seul ou en équipe, qu'on prévoit trois séances de diagnostic : est-ce qu'il y a des causes organiques? est-ce qu'il y a des causes intrapsychiques, récentes ou anciennes? est-ce qu'il y a des causes relationnelles, familiales? On pourrait aussi dire : est-ce qu'il y a des causes sociales? Voilà un peu le schéma que nous essayons de suivre pour chaque patient.

G. DE P. : Est-ce qu'on ne pourrait pas entrer dans le détail? Par exemple, les causes intrapsychiques.

W. P. : Pour les causes intrapsychiques se pose une question d'école. Il y a vraiment deux mouvements différents. Ou bien on pense que la racine, la cause de tout symptôme réside avant tout dans un passé lointain, et on entre dans une lecture, je dirais, ancienne. Ou bien on prend une position de thérapeute d'orientation analytique. Certains thérapeutes parlent d'anxiété sexuelle, d'anxiété secondaire avec tendance diabétique; ou disent qu'il existe des symptômes, pas seulement psychosomatiques, qui relèvent d'un problème intrapsychique, je dirais, récent (on peut l'appeler « réactionnel »), qui est relayé par des circuits de surface (et nous ne pouvons pas alors employer les grands moyens), et disent qu'il existe aussi une problématique intrapsychique d'un autre type, qui, elle, remonte au passé. Je dirais que tous les niveaux génétiques d'un état psychologique sont en jeu.

C'est, à mon avis, un mythe qu'il faut mettre en cause, de dire qu'il y a un parallèle entre gravité du trouble psychique et gravité des symptômes sexuels. Un vieil héritage de la psychanalyse de la première période, c'est que les hystériques ont tous des problèmes sexuels et que plus on va vers la normalité plus la sexualité va bien. Or, des inhibés peuvent fonctionner bien mieux que des obsessionnels, qui sont peut-être mieux intégrés dans la vie mais qui auront des rituels plus ou moins tyranniques qui les empêcheront de vivre.

J. W. : Donc, vous pensez qu'il y a des gens qui ont peut-être des troubles mais ne s'en plaignent pas?

P. J. : Eh bien, oui, mais il se peut aussi que ceux qui s'en plaignent n'aient pas plus de problèmes que ceux qui ne s'en plaignent pas. Mais, comme vous disiez, celui qui dit son symptôme est déjà sur la voie de la guérison.

M. K. : Je voudrais répondre à ce que vous avez dit sur le rôle difficilement cernable du sexologue. Je pense que j'irais voir un sexologue à la fois parce que je ne voudrais ni tomber dans le panneau médical ni dans le panneau psychanalytique. Comme si je voulais me convaincre que le problème avait uniquement une racine quotidienne. Je pense qu'on peut s'en tenir à une position qui limite ce genre de problèmes à la vie quotidienne.

R. B. : Alors, vous pouvez voir le médecin de famille qui vous rassurera, ou le psychanalyste qui vous demandera pourquoi vous avez besoin de lui.

J. W. : Voilà un point très intéressant à relever. En consultation publique, il semblerait que les patients, en majorité de souche socioprofessionnelle plus modeste, sachent comment utiliser les ressources de la médecine libérale et plus particulièrement du médecin de famille.

Malgré tout, il est assez curieux de constater que si ces

patients consultent en milieu public, ce n'est pas vraiment pour faire des économies ni pour gagner du temps, mais, semble-t-il, parce qu'ils ne veulent pas, ils ne peuvent pas (ou ils ne souhaitent plus) parler de leurs problèmes sexuels et familiaux à leur médecin habituel.

C'est un constat un peu gênant à faire, mais l'absence de formation dans le domaine écarte de nombreux médecins d'une prise en charge de problèmes sexologiques, souvent mineurs du reste.

Et puis, il y a le problème de la discrétion, notamment à la campagne ou dans une petite ville de province, bien sûr.

G. DE P. : Est-ce que ce n'est pas qu'ils pensent qu'il n'est pas compétent?

J. W. : Bien sûr, mais il y a surtout, je crois, le souvenir ou la crainte que le médecin prenne les choses sur le ton de la plaisanterie. Il ne s'en souvient pas, mais il y a deux, trois ans, il a tout simplement donné une tape sur l'épaule en disant : « Ça va se passer tout seul. » Et ça, c'est resté là, gravé dans la mémoire.

W. P. : C'est ça. Et là alors, le sexologue serait une sorte de production perverse d'une insuffisance de la formation médicale. *(Rires.)*

R. B. : Ou d'une insuffisance de la formation psychanalytique.

L. G. : Monsieur Pasini, tout à l'heure, vous avez laissé en suspens la question qu'on vous avait posée. Vous avez évoqué le circuit psychanalytique, vous avez parlé d'un circuit de surface...

W. P : C'est là où le sexologue entre?

L. G. : Comment définiriez-vous exactement le statut d'une thérapeutique qui se passe dans ce circuit « de surface »?

W. P. : Le symptôme sexuel s'inscrit (donc peut être décodé) dans un ensemble de réactions, soit anxieuses soit dépressives, déclenchées par des événements plus récents de type organique, psychologique ou existentiel, sans être forcément la conséquence directe d'une névrose infantile. Sur une personnalité de base plus ou moins solide ou plus ou moins vulnérable, qui fonctionne, s'inscrivent des événements variés. Par exemple, prenez le cas des gens qui ont des organisations un peu phobiques, mais qui ne se débrouillent pas trop mal dans la vie, qu'aucune peur particulière n'empêche de traverser le pont, etc., mais, s'ils ont la phobie de la femme *(Rires)*, le symptôme sexuel prendra ce caractère réactionnel...

R. B. : On appelle ça des homosexuels! *(Rires.)*

G. DE P. : Pas toujours!

W. P. : Ils ont peur de mettre leurs précieux trucs là-dedans et... C'est un exemple de structures qui tiennent tant bien que mal, organisées comme nous tous, avec des défenses, mais que la sexualité ou certaines situations sexuelles mettent en difficulté.

Et puis il y a le changement des mentalités de l'après-mai 68. Combien de demandes de consultations ont été déclenchées par le changement de l'attitude féminine, et par le fait que la sexualité a pris un statut de phénomène public! On l'a écrit souvent : le rapport entre l'enfant et la sexualité s'est inversé. L'enfant était un phénomène public et la sexualité était un phénomène privé. Maintenant, l'enfant devient un choix privé du couple, et la sexualité devient un phénomène public, dont il faut répondre. Les femmes en parlent entre elles, les femmes racontent. Alors, le type qui a peur que les copains demandent comment ça s'est passé n'essaie plus, ou il essaie avec la peur de ne pas réussir.

Voilà un type de situation que je n'aborderai pas d'emblée en recherchant une névrose infantile; je dirais, il y a de l'anxiété sexuelle, et que c'est un (faux) problème.

G. DE P. : J'ai aussi l'impression que mai 68 a déclenché une avalanche d'informations auxquelles les gens n'avaient pas accès avant. Il y a eu accroissement de l'information sur les questions...

W. P. : La sexualité est entrée dans l'esprit du public. Alors, ce qui se passait dans le secret d'une alcôve avec une érection plus ou moins chancelante...

P. J. : Dans la honte! Pourvu que la femme n'en parle pas!

R. B. : Oui mais, si elle n'en parle pas, c'est qu'elle a honte d'en parler.

G. DE P. : Elles en parlaient à leurs confesseurs.

W. P. : En mai 68, en Italie, il y avait des centaines de milliers d'hommes, d'éjaculateurs précoces, qui disaient à leur femme : « Je t'aime tellement que je n'arrive pas à me retenir. » Et c'était vrai! *(Rires.)* A partir du moment où la femme en a parlé avec la copine et qu'elle est venue à la maison en disant : « Dis donc, ça ne peut pas durer plus longtemps. Si ça continue comme ça, je vais peut-être essayer avec Untel », nous voyons arriver l'homme en question. A une visite médicale, on voit qu'il n'y a pas de phimosis, que ses organes génitaux ne souffrent d'aucune malformation. Peut-être son désir est-il normal, son érection normale. On n'entre pas dans ces investigations délicates auxquelles Waynberg faisait allusion tout à l'heure. On voit que ce patient s'est plus ou moins bien débrouillé dans son passé.

G. DE P. : Il dit qu'il a deux enfants, qu'il est normal.

W. P. : Oui, on juge aussi sur la base de ces éléments-là. On voit que, s'il éjacule trop vite, ce n'est pas pour emmerder sa femme, pour prendre son plaisir en la laissant à mi-chemin, c'est-à-dire que ce n'est pas un conflit conjugal qui est le moteur du symptôme – ce qui arrive très rarement –, mais que le conflit en est plutôt une conséquence. Ce travail doit être fait dans ce que j'appelle les « trois séances d'orientation ». Conclusion : c'est un type anxieux, dont l'anxiété est devenue débordante à cause de son symptôme sexuel; l'anxiété sexuelle se greffe sur une structure anxieuse mais ne relevant pas de la psychiatrie.

Alors, c'est à ce moment-là qu'on peut penser à Masters and Johnson, à de nouvelles thérapies sexuelles, quelles qu'elles soient, relaxation, etc. Mais si l'angoisse déborde en dehors de la sexualité, il est clair qu'on ne va pas lui faire un truc du type : comprimez, relâchez.

Il y a des anxiétés sexuelles qui peuvent être relativement considérées en surface, et d'autres – le vaginisme chez les femmes – où on se dit que, si le symptôme persiste, c'est parce qu'il protège la personne contre quelque chose de beaucoup plus grave. Parfois, on est arrivé, je ne dis pas à garder le symptôme, mais à faire traîner un peu pour que les gens ne guérissent pas.

L. G. : Vous pouvez nous dire un mot, monsieur Waynberg, des thérapies sexuelles?

J. W. : Pour en revenir au fond du problème, l'inconfort du statut de sexologue est tout à fait authentique. Nous sommes un peu le généraliste du sexe, et nous devons travailler en équipe, après avoir formulé un premier diagnostic. Nous avons autour de nous des analystes, des spécialistes de la relaxation, etc.

Si on met de côté tous les éléments affectifs, sentimentaux, relationnels, etc., ...

R. B. : Mais comment les mettre de côté?

J. W. : Mais il y a tout de même quelque chose qu'on ne peut pas nier, c'est que la sexualité sur le cadavre, ça n'existe pas. Je veux dire que le corps la vit, la sexualité, quelque part. Il y a quand même une matière... vivante.

L. G. : Est-ce que le symptôme ne fait pas partie d'un tout?

J. W. : Oui, il fait partie d'un tout, mais ce qu'il faut savoir quand même, c'est qu'on doit prendre le problème par un bout, si j'ose dire, et qu'on doit suivre un itinéraire qui nous fait passer d'étape en étape et qu'il y a quand même des choix personnels, des sensibilités personnelles peut-être. On ne doit pas oublier non plus que la sexualité, dans sa fonction érotique, s'appuie aussi sur l'apprentissage de réflexes conditionnés et qu'un travail est possible au niveau du corps, du corps que j'allais dire « détaché »...

R. B. : C'est une forme de dressage, alors?

J. W. : Absolument! ...du corps détaché de sa fonction relationnelle et de son utilisation; ensuite, devient possible un dialogue érotique au deuxième ou au troisième degré.

C'est pourquoi un profane découvrant nos techniques thérapeutiques s'étonnerait sans doute. Comment pouvez-vous parler de protocole thérapeutique en proposant à des gens seulement de se regarder un peu dans les yeux, de se toucher, d'apprendre... Masters and Johnson, c'est une procédure d'éveil de la sensibilité et de redécouverte de tout cela. Reich agit, lui, avec beaucoup plus de force. Un dressage, en effet, du corps en quelque sorte.

Mais, au fond, si le sexuel n'avait pas ce caractère assez primaire, nous ne serions même pas là pour en parler. Si c'était une fonction biologique d'une complexité inouïe, il y a déjà des millions d'années que ce phénomène aurait disparu. C'est parce que c'est une fonction d'une naïveté et d'une simplicité étonnantes qu'on en est encore là, et il n'est pas nécessaire, on le sait bien, d'avoir un Q.I. à 140 pour faire l'amour. Les gens vivent avec une méconnaissance de leur corps, du corps de l'autre, une méconnaissance de leur sexualité propre. Ils ont été éduqués dans une absence totale d'éveil de leur sensorialité.

On est là dans la pratique sexologique avec des éléments, encore une fois, qui peuvent apparaître très rudimentaires au profane. On n'est pas – au début, en tout cas – dans le déchiffrage des relations conjugales très complexes ni dans le déchiffrage de toutes les résistances ou les inhibitions d'un individu.

L. G. : L'essentiel, c'est le tact dont vous devez faire preuve. Je dis le « tact ». Je ne sais pas si j'ai raison.

J. W. : Si, vous avez raison. Moi, je dis le « respect ».

L. G. : Si je vous entends bien, l'essentiel de votre pratique, c'est l'éveil, au fond, de ce qu'on appelle la « sensualité ».

J. W. : Oui. De la sensorialité, même.

L. G. : Vous pouvez me donner un exemple très précis de la façon dont les choses se passent?

J. W. : Ma conception de la pratique sexologique est que la cure doit rester une intervention d'urgence. Ce n'est pas sous-entendre, bien sûr, qu'il n'y a pas de problèmes graves (comme dans toute urgence médicale), mais le sexologue ne doit pas se donner les moyens d'aller au-delà d'une remise en route de la relation et de la sexualité. Il est spécialisé dans la gestion, si j'ose dire, des opérations érotiques, et non pas dans le décodage extrêmement pointilleux de leurs inhibitions.

Si nous allons au-delà des questions d'actualité face à un mariage non consommé, par exemple, ou un problème d'impuissance extrêmement complexe, nous dérapons vers la fonction du psychothérapeute, et j'estime que nous ne sommes plus ni efficaces ni crédibles.

A mon sens, l'intervention du sexologue ne doit pas dépasser une dizaine de séances. C'est un travail que je situe dans un laps de temps extrêmement court et de façon didactique très directe, très explicite. La difficulté que je trouve, en plus de celles évoquées tout à l'heure (ne pas passer à côté d'une histoire psychiatrique importante), c'est de tomber au bon moment. Tout le monde est exposé à avoir des problèmes sexuels dans sa vie. Il y a des moments de faiblesse pour tout individu. C'est pourquoi on ne peut pas donner de statistiques valables. Et il faut qu'un symptôme se « mature », en fait, et s'épuise pour que peut-être de nouvelles circonstances permettent à nouveau le renforcement de la personnalité ou tout simplement la redistribution des rôles – que sais-je? –, des circonstances qui permettent d'en sortir.

Et puis il y a les motivations de l'issue thérapeutique souhaitée, et les problèmes de désir. Enfin, il y a beaucoup de choses qui interviennent, qui font qu'on risque l'échec si on intervient au mauvais moment... Ce que j'appelle le « mauvais moment », c'est celui où aucun des deux partenaires ne veut vraiment que ça change. Alors, vous pouvez vous épuiser complètement à utiliser n'importe quelle procédure thérapeutique, cela ne sert à rien.

Notre thérapie est une intervention d'accompagnement du symptôme, jamais de guérison, d'indication, comme on l'évoquait tout de suite, de procédure d'éveil de la sensorialité et, naturellement, d'élucidation de tous les réseaux conflictuels et de tout ce qui fabrique de l'angoisse.

Mais – et là, le tact ou le respect sont importants – si jamais au deuxième ou au troisième entretien il ne s'est rien passé du tout, que je bute sur des résistances extraordinaires, qu'un conflit est complètement verrouillé et qu'on est dans le creux de la vague, j'attends. Et je dis au patient : « Ce n'est pas le moment parce que vous n'êtes pas prêt. »

G. DE P. : Là, vous nous parlez des couples?

J. W. : Oui, mais aussi à quelqu'un s'il est en face de moi.

W. P. : Je sais que vous êtes curieux de voir mes pratiques. Mes pratiques, vous allez voir, découlent directement d'une analyse de la demande. J'aurais une idée à proposer, un peu paradoxale, c'est que *toute demande sexologique est structurellement défensive :* la sexologie ne peut être qu'une demande écran, parce que la sexualité mobilise trop de résistances conscientes. On s'est retrouvé beaucoup plus à l'aise, justement, en abordant la question de cette façon plutôt qu'en essayant de dire : « Eh bien alors, qu'est-ce que vous voulez? Qu'est-ce que vous voulez changer? » etc., ce qui reviendrait à poser ça comme une sorte d'*a priori* qu'il y a des demandes spécifiquement sexuelles.

R. B. : Oui, mais encore les cas particuliers qui se présentent. Si, moi, je viens vous dire : « J'ai fait huit enfants à ma femme. Elle ne veut plus coucher avec moi », vous n'allez pas me dire que c'est une demande écran. Enfin, c'en est peut-être une, d'ailleurs, mais, en tout cas, c'est plutôt le médecin que j'irais voir mais pas vous. J'irais me faire vaso... ligaturer.

J. W. : Dans quels cas pratique-t-on la stérilisation?

P. J. : La demande s'inscrit dans une demande de contraception d'un homme ou d'un couple.

R. B. : Mais pourquoi les hommes?

P. J. : Les hommes que je vois ne se sont pas dit, un beau matin : « Tiens, si j'allais me faire vasectomiser! » Non, c'est souvent après plusieurs mois, après plusieurs années de réflexion qu'ils s'adressent à nous.

R. B. : Pour quelles raisons, en gros, vous pouvez – à moins que vous ne révéliez des secrets professionnels...?

P. J. : Parce qu'ils sont arrivés à un moment de leur vie où ils pensent que plus jamais ils ne voudront avoir d'enfant. Cette certitude que certains affichent est impressionnante.

G. DE P. : Ce sont plutôt les femmes qui demandent une ligature avant, en général.

P. J. : Les hommes qui choisissent la vasectomie sont bien informés. Ils savent que c'est une méthode simple, très efficace et sans complications particulières. Souvent, ils cherchent ainsi à résoudre un problème de contraception existant dans leur couple lié à des échecs ou à des complications rencontrés avec les méthodes habituelles de contraception. Il n'est pas rare que la consultation soit contemporaine d'une IVG ou d'une grossesse non désirée.

G. DE P. : Est-ce que vous pourriez parler des troubles de la sexualité associés aux problèmes de la fertilité?

P. J. : Non, je ne peux pas tellement en parler parce que...

G. DE P. : Parce qu'il y a tout de même cette grande équation qui traîne dans nos mentalités judéo-chrétiennes : fertilité = sexualité. Un certain nombre d'hommes ont des problèmes de fertilité ou, tout au moins, sont mis en cause par le corps médical ou par leur propre épouse...

R. B. : Il y a des hommes qui s'imaginent que leur sperme est infiniment plus prolifique que celui de la plupart des autres hommes.

G. DE P. : Eh bien oui.

R. B. : *Mais c'est faux.*

G. DE P. : Attendez, laissez-moi finir ma question.

P. J. : Je suis relativement étonné du peu de difficultés sexuelles exprimées par les hommes. Je ne sais pas si c'est aussi votre expérience, mais les hommes vasectomisés signalent peu de problèmes d'impuissance, ils n'ont pas de réactions négatives.

W. P. : Un travail d'un médecin à Bruxelles, à l'International Health Foundation, sur la sexualité des couples stériles, a montré qu'elle était meilleure que celle des couples féconds.

G. DE P. : Les couples stériles sont plus stables, en effet. Mais est-ce que leur sexualité est vraiment meilleure? Ils divorcent moins. C'est tout ce qu'on peut dire, il me semble.

J. W. : Où est-ce mentionné? dans un rapport?

W. P. : C'était une évaluation subjective demandée aux gens, portant aussi sur la qualité de leurs rapports et la satisfaction qu'ils en retiraient. Je ferai seulement une réserve : sur les formes de difficultés sexuelles liées aux pratiques pour le diagnostic et le traitement de la stérilité, c'est-à-dire la médicalisation de la sexualité dans les traitements diagnostics de la fertilité : prélever le sperme par rapport à certaines dates, etc. C'est vraiment de la programmation et, on peut bien le dire, la narcose de l'érotisme.

P. J. : L'impuissance peut aussi être liée à des problèmes relationnels, et donc à certaines dates. Elle peut, par exemple, être une manière de frustrer la femme de son désir de maternité. Il s'agit non pas de refuser à la femme le plaisir sexuel, mais le plaisir procréatif.

G. DE P. : Mais alors avez-vous remarqué une angoisse d'impuissance chez les hommes qui viennent se faire stériliser?

P. J. : Pas chez ceux qui viennent. Mais je pense que l'image sociale de la stérilisation en général peut en comporter.

G. DE P. : Je voudrais poser une question à laquelle il est souvent répondu de façon contradictoire. Elle porte sur le rôle du fantasme dans la sexualité masculine. Certains analystes qui reçoivent des hommes présentant une plainte sexuelle – éjaculation précoce, anorgasmie, absence de désir, etc. – disent que ces hommes n'ont pas (ou très peu) de fantasmes et que, lorsqu'on leur demandait d'associer sur leurs symptômes, ils n'ont rien à dire, pas de rêves à rapporter, qu'ils viennent simplement avec leur symptôme en disant : « Voilà mon symptôme. C'est tout. A part ça, tout va bien. » Bref, des consultations ennuyeuses à périr, disent-ils.

Alors qu'une femme frigide, par exemple, associe, elle, très volontiers sur sa frigidité, raconte sa relation avec sa mère, ses fantaisies, etc.

Or, d'autres analystes – et notamment Durandeaux dans l'article qu'il a écrit pour ce livre – disent au contraire que, d'après leur expérience, les hommes fantasment beaucoup à propos de leur vie sexuelle ou du dysfonctionnement de leur vie sexuelle.

Qu'en pensez-vous, notamment si l'on compare les hommes et les femmes?

J. W. : A mon avis, le sexologue ne doit solliciter un matériel fantasmagorique que s'il sait qu'il en a besoin pour former son diagnostic et surveiller éventuellement l'évolution de son patient.

R. B. : Quand quelqu'un vient vous voir, vous fait une demande, il y a une situation, et cette situation est tout de même érotique. Vous avez une valeur érotique aux yeux de la personne qui vient.

J. W. : Absolument.

R. B. : Il est en position relationnelle de transfert, dirons-nous. Les gens qui se font arracher une dent ont un transfert avec le dentiste. De même, toute personne qui se fait examiner le corps : que ce soit l'oreille ou le doigt, il y a un acte de séduction.

On vous demande une séduction é-ro-ti-que. Vous êtes présumé savoir quelque chose que lui veut ignorer.

J. W. : Oui, je ne le conteste pas.

G. DE P. : Je voudrais parler, ne disons pas du contre-transfert du médecin, puisqu'on n'est pas dans une thérapie, mais de sa contre-attitude. L'ennui est une contre-attitude.

R. B. : Bien sûr.

J. W. : Oui, c'est sûr qu'en consultation hospitalière et que j'en suis à mon septième éjaculateur prématuré...

W. P. : Il y a des éléments qui dépassent cette affaire d'ennui – je veux dire le problème du principe de réalité. L'histoire de l'ennui, par exemple, vient sans doute du fait que pas un de ces hommes qui consultent pour un problème sexuel n'a ce type de pensée opératoire, c'est-à-dire que c'est une pensée concrète.

Il n'est pas rare de voir des ulcéreux qui ne viennent pas pour leur ulcère mais, en fait, pour impuissance. Et puis, en faisant l'investigation, vous voyez qu'ils craignent cet ulcère en même temps. Et c'est par hasard, en demandant à cet homme s'il prend des médicaments, parce que telle ou telle substance pourrait éventuellement le rendre impuissant, qu'il dit : « Oui, j'ai un ulcère depuis dix ans mais je n'ai pas pensé que c'était important. »

C'est-à-dire que ce type de patients qui ont ce genre de pensée opératoire ont tout intérêt à apporter leur demande avec une étiquette parfaitement défensive, comme on disait tout à l'heure.

Et le fantasme, ce n'est pas qu'il n'existe pas : il est inconscient et il est très, très...

G. DE P. : Bien verrouillé.

W. P. : C'est ça. Et c'est vrai qu'au premier degré ce sont des patients ennuyeux, à moins qu'on ne soit intéressé à l'aspect défensif de leur demande comme un aspect vivant, c'est-à-dire que ce n'est pas parce qu'ils n'apportent pas de fantasmes. Autrement, nous devrions être comblés par tous les hystériques et périr d'ennui avec tous les opérationnels !

W. P. : Il me semble que la pathologie se situe soit dans le corps soit dans l'imaginaire. Ce sont les deux voies royales. On peut faire une investigation sur la sensorialité ou sur la motricité. Reich a développé la motricité mais il a oublié la sensorialité. Par exemple, l'éjaculateur prématuré est un homme chatouilleux, neuf fois sur dix. On peut faire tout un travail thérapeutique sur l'éjaculation prématurée en travaillant sur les chatouilles!

Ou bien on peut faire un travail sur l'imaginaire. Il est clair que si on dit à ce genre de patients : « Et votre imaginaire? » ça ne peut pas aller très loin. Mais si on les oblige à choisir entre Woody Allen et le cow-boy des publicités de Malborough... on entre déjà dans leur monde fantasmatique. Et puis vous leur demandez quel est le dernier film qu'ils ont vu, etc. Ce sont des techniques d'investigation du monde imaginaire, différentes de l'écoute analytique.

G. DE P. : Oui, mais y a-t-il quelque chose de différent entre l'homme et la femme? Les femmes sont-elles moins ennuyeuses à écouter, à symptomatologie égale?

W. P. : Cela dépend. Je comparerai ces hommes-là aux femmes qui ont mal au ventre, qui ont des algies pelviennes, des algies périnéales...

G. DE P. : Donc, la traduction symptomatologique serait différente?

W. P. : Statistiquement, les pensées opératoires des femmes sont des plaintes relatives à leur douleur. Les plaintes des hommes sont d'ordre sexologique. L'homme fonctionne-t-il sous le régime du plaisir et la femme sous le régime de la douleur? C'est gênant, hein!

G. DE P. : Intéressant...

W. P. : Les hommes qui viennent dire qu'ils ont mal aux testicules, par exemple...

R. B. : Qu'est-ce que vous faites du traumatisme chez l'homme violeur, par exemple, ou chez celui pour qui un acte sexuel va au contraire de son désir profond et le traumatise?

Je dirai, à la limite, que tout acte sexuel a une valeur traumatisante dans la mesure où c'est une répétition d'un traumatisme ancien.

W. P. : C'est un paradigme de dire qu'il s'agit de répétition. La question, ce n'est pas de savoir si l'inconscient existe ou non et, donc, si le traumatisme ancien existe ou non, mais dans quelle mesure l'inconscient (donc l'ancien) va interférer sur la pathologie actuelle, c'est-à-dire quelle est la force du passé et de l'inconscient par rapport aux autres éléments de la réalité actuelle.

R. B. : Et pour évaluer cette économie présente, il faut un travail extrêmement long et fastidieux qu'à mon avis on ne peut obtenir en quelques entretiens, sauf par miracle : par exemple, Freud a guéri Mahler d'un problème sexuel en un après-midi.

Il y a un mot qui répond à votre question, c'est un mot dont on ne connaît pas la signification, c'est le mot « désir ». Il y a des gens qui désirent être soulagés de leur désir sans faire ce qu'il faut. Enfin, de toute façon, le désir est insoulageable puisque, dès qu'un désir est satisfait, il y en a un autre qui revient.

W. P. : J'allais le dire.

L. G. : Est-ce qu'il vous arrive d'avoir le sentiment que ce que le patient exprime dans le registre des troubles génitaux est en fait une question de désir? C'est-à-dire que son désir n'est pas là.

W. P. : Absolument. Il y a deux choses : le désir du patient et le désir de sa femme.

J'ai vu ce matin un dentiste qui vient avec sa femme. Ils sont en guerre parce qu'il lui a demandé la sodomie. Elle répond : « C'est une perversion. » Et ils viennent pour me demander qui a raison! Mon réflexe a été d'évaluer la signification personnelle et la signification relationnelle du symptôme. C'est-à-dire, du point de vue personnel : pourquoi, lui, il a envie de ça? *Est-ce qu'il en a besoin ou est-ce qu'il en a envie?* Est-ce un besoin ou est-ce un désir? Est-ce qu'il lui faut cela pour ne pas être impuissant? (Ce sont des choses qu'on voit.) Elle répond : « Non, il ne fonctionne pas mal, mais les copains lui ont dit que c'était sympa, alors pourquoi pas? » Mais il ne me donne pas l'impression d'être homosexuel. Et puis, elle, un peu calviniste sur les bords, qui dit : « Mais ma maman m'a dit que ça fait mal! » J'ai eu l'impression qu'il s'agissait d'une lutte de pouvoir entre eux pour savoir qui avait le droit de dire la bonne règle. Je leur ai dit : « Il y a une normalité médicale, il y a une normalité subjective. L'une et l'autre... » Je les ai un peu renvoyés à cette normalité subjective et je pourrai répondre la semaine prochaine, s'ils veulent.

L. G. : Est-ce que vous tombez souvent sur de la perversion?

W. P. : Là aussi, il y a la normalité subjective et la normalité médico-légale. Si un homme a une érection uniquement en violant les petites filles, je regrette, mais mon identité de médecin entre en ligne de compte et je ne peux pas avoir une écoute libre.

G. DE P. : Si tu prends un exemple moins extrême...

W. P. : Bon. Prenons le cas de quelqu'un qui disait des grossièretés à sa femme pendant qu'ils faisaient l'amour. Elle avait peur que les voisins entendent. Alors, ça l'a bloquée. D'ailleurs, il paraît que les voisins ont protesté. *(Rires.)* Va-t-on dire que ce type est pervers, sadique, scatologique? Ne faut-il pas dégager, à l'intérieur du couple, la dimension du jeu de la dimension dramatique?

Là, je me suis un peu aventuré dans ce champ que Jacques Waynberg avait déjà mentionné tout à l'heure, c'est-à-dire celui des interventions du médecin praticien de sexologie.

Mais, dans d'autres cas, derrière ce type de demande, vous avez des pans névrotiques ou pervers bien plus solides. Derrière un anéjaculateur, la toute grosse névrose obsessionnelle avec même parfois des fantasmes persécutoires. Dans ce cas, vous n'allez pas dire : « Eh bien, c'est très bien de ne pas éjaculer. »

R. B. : Je voudrais vous interroger sur un texte de Freud qui s'appelle « Le rabaissement le plus communément répandu de la vie sexuelle ». La chose la plus répandue, c'est le clivage entre la tendresse et la sensualité; l'acte sensuel serait pour la plupart quelque chose qui aurait tendance à faire déprécier l'objet sexuel. Il faut avoir, dit Freud, déjà caressé plusieurs fois l'imagination qu'on a couché avec sa mère, avec sa sœur, et ainsi de suite, qu'on a accompli des actes pervers et imprévisibles pour pouvoir être libre dans sa vie sexuelle.

W. P. : J'ai une copine qui disait : « Il n'y a que les voyous qui baisent bien. »

R. B. : Et les femmes le savent très bien.

W. P. : Vous avez des gens qui ont ce fantasme (c'est un des fantasmes communs) : l'analogie symbolique sperme-urine.

Ils ne peuvent pas éjaculer pour ne pas souiller la femme aimée. C'est leur fantasme, mais il faut le leur prouver.

R. B. : Voilà, ils ne savent pas.

W. P. : Ils ne le savent pas. Alors, il faut d'abord le mettre en mots, et ensuite, éventuellement – ce qui relève plus de la sexologie que de la psychanalyse –, placer cela dans un registre ludique plutôt que dramatique, le délivrer de cet instinct de mort destructeur que les gens lient à leurs fantasmes.

Alors, moi, je crois que l'intervention du sexologue, ce n'est pas simplement de dire : « Ils n'ont pas de fantasmes », mais d'inscrire ces fantasmes souvent inconnus du patient dans une histoire ou dans un registre qui n'ait pas ce caractère dramatique.

Si les gens peuvent commencer à rigoler et à jouer, cela veut dire qu'ils ont acquis la maîtrise de leurs perversions.

J. W. : Je veux simplement ajouter, par rapport au risque que vous évoquiez tout à l'heure de confondre génitalité et sexualité, que les gens viennent peut-être avec une génitalité qui ne fonctionne pas et que notre travail de thérapeutes peut être de leur inspirer un autre contenu à leurs conduites sexuelles.

Ce n'est pas le sexologue qui fait cette confusion. Mais, souvent, les patients arrivent avec, comme langage, comme symptômes, une évocation qui reste très génitale, et, comme le jeu, comme l'éveil de la sensorialité, l'érotisme peut être une sorte de levier thérapeutique.

L. G. : Le rôle du sexologue serait-il de corriger les fantasmes?

J. W. : Si on se satisfait, en tant que thérapeutes, de l'évocation des fantasmes comme on les voit dans les journaux, c'est-à-dire celui qui raconte ce qu'il aimerait faire ou à quoi il pense quand il fait l'amour, c'est d'une naïveté qui n'est pas professionnelle.

Le monde fantasmatique n'est pas là. Quand on parle de fantasmes à un analyste, il sait les risques qu'il y a à soulever ce matériau. Donc, le problème du fantasme est authentique, mais ce n'est pas à nous de le soulever : c'est au psychothérapeute, à l'analyste.

W. P. : Waynberg définit là la fonction du sexologue d'une manière très délimitée, dans le cadre d'une dizaine de séances. Ces personnes, nous ne les voyons pas, d'ailleurs. Elles vont chez le médecin légiste.

G. DE P. : Admettons qu'un homme ait un problème sexuel. Vous le remettez sur les rails, c'est-à-dire que vous rétablissez ce circuit qui s'appelle érection-pénétration-éjaculation. Admettons qu'il y ait quelque chose qui cloche dans ce circuit. Vous faites ce qu'il faut, par exemple avec une thérapie comme la vôtre, et puis ça remarche. Bon. Vous avez fait votre métier. Mais est-ce que c'est cela, la réussite?

J'ai personnellement très souvent entendu une crainte qui est presque une plainte, qui pose une question, si vous voulez, sociale, c'est que beaucoup d'hommes qui fonctionnent normalement, soit qu'ils aient toujours fonctionné normalement soit qu'ils aient eu un pépin et qu'ils fonctionnent à nouveau normalement, finalement, ne ressentent pas grand-chose comme jouissance. Cette équation éjaculation = jouissance n'est pas forcément vraie. La conception mécaniciste n'a pas l'air d'être très exacte...

J. W. : D'accord, mais je pars d'un principe qui est formel peut-être : c'est qu'aucune intervention thérapeutique ne peut fabriquer des fantasmes. On ne fabrique pas du fantasme par une sorte de suralimentation érotique.

G. DE P. : Mais la jouissance...

J. W. : On ne fabrique pas de la jouissance.

G. DE P. : Pourtant, si on va voir un sexologue, c'est bien pour jouir.

J. W. : Je les décourage très vite d'espérer qu'avec moi ils vont apprendre à jouir, au sens fort du mot.

R. B. : Mais la souffrance...

J. W. : La problématique de la consultation sexologique va évoluer parce qu'on a effectivement fait porter à cette profession trop d'espérances. Certaines choses sont réparables à notre niveau parce que la fonction érotique est quelque chose qui « fonctionne » par définition. Cette fonction a des racines, un minerai, des matières premières. Or, ces matières premières sont malheureusement un peu comme les ovules chez la petite fille : toute la vie durant, ils ne peuvent que mûrir ou disparaître, mais il ne s'en crée jamais de nouveaux.

Ce n'est pas l'élucidation, la verbalisation qui va faire que, physiquement, quelqu'un qui a grandi dans un univers fantasmatique extrêmement rigide, contraignant, défendu, va se trouver, après dix séances au grand maximum (plutôt cinq, six), à la tête d'un appareil fantasmatique « génial ».

Il faut quand même admettre une sorte d'inégalité minimale irréductible de tous les êtres devant la fonction érotique.

On dit : « Méfiez-vous. On est éduqués... On est contre-éduqués sur le plan sexuel. » Alors, que peut-on faire puisque c'est trop tard? Voilà l'axiome fondamental : c'est trop tard, c'est fini.

Après l'âge de deux ans et demi à trois ans, j'estime que 85 % du matériel fantasmatique est déjà en place.

Que peut-on faire pour que ce soit vivable? Eh bien, il faut s'intéresser à l'autre, y passer du temps, travailler sur d'autres secteurs de la sensorialité. « Est-ce que vous vous intéressez à votre corps? à la musique, à la peinture? » On peut aller très loin, parler de la relation avec l'environnement. On peut inspirer des réflexes nouveaux dans la vie, un style relationnel peut-être nouveau. On joue sur 10 % de la vie des gens, de leur vie fantasmatique, pas plus, si jamais on estime à 90 % ce qui est profondément ancré.

Donc, je ne recherche pas, je ne guéris pas. J'essaie d'accompagner des gens qui sont dans une sorte d'embouteillage, de circulation difficile du désir. Mais le désir! Qu'est-ce qu'on peut en faire si le désir est épuisé?

R. B. : Mais vous êtes psychanalyste, alors!

G. DE P. : Absolument! Oui, on le dirait, malgré vos dénégations!

J. W. : Mais je ne guéris pas.

R. B. : La psychanalyse non plus, rassurez-vous!

G. DE P. : La petite différence, c'est peut-être que...

J. W. : La différence, c'est que, moi, je vois très, très peu mes patients. Et curieusement, je les vois quelquefois après plusieurs années. Mais les consultations sont très dures. Certains patients viennent, plusieurs années après, et me disent : « On en a pris plein la gueule. On était très, très fâchés. »

R. B. : En psychanalyse aussi. Vous pouvez les voir pendant deux mois, puis ils disent : « Cela va très bien. Au revoir. » Et quelquefois, ils reviennent deux ans après.

G. DE P. : Mais, Jacques Waynberg, dans votre expérience de sexologue, est-ce que vous constatez une différence dans la nature de la demande que vous font les hommes et les femmes ?

J. W. : L'accumulation depuis dix ans maintenant de tous ces témoignages et de toutes ces histoires entraîne une redistribution de nos idées théoriques, même si on ne sait pas encore trop comment la formuler.

On est de fait un peu déçus et troublés par le niveau d'aptitude érotique masculin. Mais peut-être y a-t-il là aussi un fait culturel : on n'apprend pas aux hommes à être sensibles, à s'intéresser aux parfums, au corps, aux couleurs, que sais-je ? Si bien que, quand on veut enrichir la sensualité de quelqu'un, si ce quelqu'un est un homme, on a vraiment beaucoup de travail en perspective ! Et l'un des obstacles est culturel puisqu'il s'agit d'inspirer une sensorialité qui, à la limite, confine à la féminité.

P. J. : Je ne sais pas si c'est différent avec une femme, mais je pense qu'il est important de prendre conscience de nos limites en matière de connaissance de la sensualité, d'expression de la sensualité masculine. Il est des cas où c'est la pathologie qui, de manière assez étonnante, nous fournit les éléments les plus significatifs à la réflexion. Nous savons comment la stérilité masculine nous a obligés à discuter de nouvelles formes, de nouvelles expressions, de nouveaux vécus de la paternité. C'est particulièrement spectaculaire dans les cas d'insémination artificielle. De la même façon, des situations pathologiques peuvent conduire à de nouvelles expressions, à de nouvelles formulations de la sexualité.

Reprenons l'exemple de la génitalité qui, pour bien des hommes, est la seule façon d'envisager la sensorialité dont vous parliez. Il est des hommes pour qui elle n'existe plus : les paraplégiques. Ils ont perdu toute capacité physique, toute sensibilité à ce niveau, et on constate qu'ils arrivent alors à développer une sexualité qui se situe « au-dessus de la ceinture ». C'est vrai que, pour eux, certaines sensations sont du domaine de l'imaginaire, mais il s'agit aussi, je crois, d'une expression corporelle de la sexualité avec une sensualité, avec une capacité de développer de nouvelles formes de jouissance.

W. P. : Avant le « faire », il y a aussi, au niveau du corps, quelque chose qui est de l'ordre du « comprendre ». Quand on dit « le corps », on ne désigne pas une alternative à la parole et au fantasme, mais, pour ce qui touche au corps, il existe, comme avec les oignons, des couches différentes... On a beaucoup parlé de la sensorialité; on a dit que la femme était avantagée par rapport à l'homme. Je suis tout à fait d'accord. Mais je dirai que cette lecture du corps devrait s'élargir aux autres couches, à la motricité, au squelette, à la stabilité, à la viscéralité : on peut, pour un impuissant ou un éjaculateur précoce, faire une sorte de lecture psycho-corporelle. Si vous dites de faire quelques pas à un éjaculateur précoce, vous verrez qu'il marche sur la pointe des pieds, les genoux raides, qu'il est chatouilleux et que, deux fois sur trois, il bégaie : cinquante centimètres au-dessus de son sexe, il exprime aussi son symptôme sexuel.

J'ai deux psychomotriciens dans l'équipe (deux analystes mais qui sont psychomotriciens) qui font ce type de lecture et d'intervention. Il s'agit d'intégrer la génitalité dans l'ensemble de la corporalité.

Je voulais ajouter un mot à ce que Geneviève de Parseval venait de dire. Il est vrai que l'homme a été coincé dans la motricité : obligé d'être athlète ou guerrier, il a évacué la sensorialité, qu'on a déléguée à la femme, et la femme, comme les moines du Moyen Age l'ont fait pour la culture antique, l'a gardée culturellement quelque part et nous la ressort maintenant.

Dans cette lecture du corps, il faut du reste s'apercevoir

que c'est parfois une carence de la motricité qui est à la base des symptômes sexuels. La motricité et l'agressivité : il y a beaucoup d'impuissants qui sont des gars sensibles mais qui, justement, ont de la peine à intégrer la motricité dans leur corps, c'est-à-dire qu'ils n'arrivent pas à intégrer un versant moteur dans leur image personnelle, avec une composante agressive liée à un fantasme d'érection-pénétration...

G. DE P. : Pénétration-décharge.

W. P. : Oui, par exemple, un impuissant peut avoir le fantasme de faire l'amour avec lui-même.

Chez les femmes, vous pouvez trouver une sensorialité excessive : les hystériques ne génitalisent pas précisément parce qu'elles ont érotisé leur sensibilité un peu partout : elles ont un corps-phallus.

Certaines techniques psycho-corporelles apprennent à ces femmes à condenser leur énergie vers la zone génitale, tandis que les hommes font l'apprentissage d'un processus d'expansion : au lieu d'avoir toute leur excitation au bout de leur sexe, ils font l'apprentissage, par des exercices respiratoires (vous avez cité Reich tout à l'heure), d'un processus d'expansion sans explosion.

J. W. : Donc la violence psychique du désir peut être un frein, un handicap dans la relation sexuelle.

R. B. : Que pensez-vous de la possibilité du divorce? Prenons le cas d'un homme doux comme un agneau ou comme un enfant, extrêmement sensible, qui serait marié avec une femme qui serait une brute... Est-ce que vous en arrivez à conseiller le divorce?

W. P. : D'abord, il y a pas mal de couples qui fonctionnent très bien sur ce mode.

R. B. : C'est peut-être le couple idéal, finalement! Le sadomasochisme, ça marche très bien.

W. P. : Mais si c'était dans le sens inverse...

R. B. : Mais c'est pareil : les rôles sont interchangeables puisque le doux, dans le fond, est un agressif.

J. W. : J'en arrive à me dire que le type d'entretiens que j'ai avec mes interlocuteurs me permet d'être assez directif. Je peux leur dire : « Ce n'est pas la peine d'avoir ma caution médicale pour camoufler le difficile mais nécessaire aveu de l'urgence de la séparation. Il faut travailler jusqu'au terme de ce qui est en route, c'est-à-dire envisager le divorce. »

Il y a des patients qui se sont séparés après la première consultation. Je le sais et je l'accepte. D'autres thérapeutes ne le savent pas parce qu'ils veulent le camoufler, mais la consultation n'a servi qu'à cela.

W. P. : Personnellement, j'essaie (mais c'est une ambition plus ambiguë) d'utiliser le paradoxe dans quelques cas où l'impuissance est l'expression d'un symptôme relationnel. Si on demande aux gens pourquoi ils ne divorcent pas, parfois ils se fâchent. « Mais on n'est pas venus vous voir pour ça! » Et ils repartent tout à fait réconciliés sur le dos du thérapeute.

G. DE P. : C'est peut-être le but recherché!

W. P. : C'est une prescription paradoxale qui marche. Cela m'est arrivé deux fois. On peut dire : « Si vraiment vous ne vous entendez pas, pourquoi restez-vous ensemble? »

R. B. : « Quelle chance vous avez d'avoir une femme qui vous bat tous les soirs! »

G. DE P. : Ou : « C'est tout à fait excellent de ne pas avoir d'enfants, continuez. C'est tellement mieux comme ça », à un couple stérile.

W. P. : Voilà. C'est une prescription paradoxale. Mais, avant d'en arriver à la précision du paradoxe, il faut de nouveau comprendre le sens relationnel du symptôme.

Une secrétaire de l'hôpital m'amène son mari dans le bureau. Elle s'assoit, les deux coudes sur mon bureau, son mari un mètre derrière, et me dit : « Il faut me le réparer. » Elle voulait qu'on lui mette une prothèse parce que, catholique intégriste, elle prétendait être lésée parce qu'il ne bandait plus. Son mari disait : « Qu'est-ce que tu veux? Dis-moi ce que je peux faire. »

A la deuxième séance, on a compris que cette femme, en fait, commandait tout – les vacances, le budget, etc. La seule chose qu'elle ne pouvait commander, c'était l'érection. Aussi avait-il trouvé, par son impuissance, la parade.

R. B. : Ça va jusqu'au meurtre, cette histoire! *(Rires.)* C'est inquiétant!

W. P. : Connaissant les techniques originales de Waynberg et de son équipe, je pense que vous devriez l'interroger sur certaines de ses utilisations de l'audio-visuel, par exemple.

J. W. : Nous pratiquons des procédures discursives, verbales, des thérapies corporelles et, à l'exemple des Anglo-Saxons, nous utilisons aussi l'audio-visuel.

De fait, en France, peu de confrères sont formés à l'utilisation de l'image. On est souvent mal équipé et, de plus, cet usage n'entre pas dans notre tradition médicale.

Les possibilités offertes par le magnétoscope aujourd'hui permettent de simplifier considérablement l'utilisation de documents audio-visuels en thérapie. Nous avons produit, par exemple, tout récemment trois courts métrages centrés sur le corps féminin, la relation de tendresse dans le couple et un « rapport sexuel ». A vrai dire, c'est moins le caractère documentaire, ou si l'on préfère explicite, des images qui est utile ici, que la tonalité émotionnelle de l'ensemble. On insiste, avec des documents de ce type, sur les aspects dont il a été question pendant la ou les séances précédentes. On visualise les choses et on provoque une discussion.

Il y a plusieurs manières de faire. On peut laisser un film se dérouler tout entier face au couple qui est tout seul devant l'écran, ou bien on peut n'en faire passer que cinq ou dix minutes puis leur dire : « Vous avez compris ce dont nous voulons parler. Voilà quelques exemples. Il ne faut pas, bien sûr, les prendre à la lettre. » Ce qui relance la discussion, le risque étant évidemment celui d'une identification, d'une imitation obsessionnelle de modèles : on met donc la main droite sur l'épaule gauche, etc.!

Mais je reste extrêmement prudent et modeste en ce qui concerne mon influence sur l'enrichissement fantasmatique des patients.

G. DE P. : Oui, mais vous dites : « Je suis un professionnel de la sexologie. Voilà ce que je fais », et, en même temps, vous soulignez qu'un des problèmes de notre société, c'est une certaine pauvreté de l'imaginaire. Vous faites, en somme, comme tous les thérapeutes. Je crois qu'on ne sait jamais l'impact de ce qu'on fait.

J. W. : Oui, c'est sûr.

L. G. : Ce qui fonde la sexologie comme discipline, si on vous suit, c'est tout de même cette distinction entre le comportement sexuel, d'un côté, et puis, de l'autre, ce qui est de l'ordre de l'imaginaire, du fantasme, etc.

Mais, et c'est ce qui m'embête dans cette approche du

problème, le comportement n'est-il pas fonction du fantasme? Comment peut-on penser une intervention se situant exclusivement au niveau du comportement?

J. W. : C'est que, le plus souvent, je m'adresse à des interlocuteurs dont la pathologie personnelle est *a priori* négociable avec de petits moyens. Si vous voulez une autre formulation, c'est de la médecine douce.

Au fil des années, nous nous sommes rendu compte que nous étions sur ce terrain extrêmement lourd de l'inconscient et de tout ce qui l'environne, l'environnement structurel, que certaines choses sont inamovibles. Il nous a fallu abandonner du terrain. Mais je ne crois pas que nous disparaîtrons complètement parce qu'il y a quand même des troubles pour lesquels nous pourrons employer tout notre savoir-faire, essayer de sentir ce qui se passe, ce qui ne se passe pas, comment on pourrait comprendre, comment on pourrait travailler au niveau du corps et quel est le savoir qui manque pour que ça fonctionne.

Mais le tiers de ma clientèle ne me consulte pas une deuxième fois : les consultations sont très denses (ou peut-être complètement emmerdantes)!

W. P. : Même chose : 40 % de mes patients ne viennent pas une troisième fois. Or, je travaille dans un service universitaire et je suis quand même connu. Donc, l'aspect défensif de cette demande est extrêmement important : les gens viennent demander un médicament, ou un truc, mais ils ne veulent pas changer de régime.

G. DE P. : Mais s'ils ne reviennent pas, c'est peut-être que vous entrez dans ce jeu-là?

J. W. : Non, on n'y entre pas.

W. P. : Si on leur proposait un médicament en leur disant : « Essayez et revenez la fois d'après », ils reviendraient.

J. W. : Oui, ils reviendraient. Ils ne viennent pas parce qu'on n'en donne pas.

G. DE P. : Vous dites que, au lieu d'entrer dans le jeu, vous respectez ses défenses.

W. P. : Je voudrais faire une nuance – connaissant un peu le travail de Waynberg – entre fantasme et imaginaire érotique, qui nuancerait sa position : il ne veut pas entrer dans le monde du fantasme, au sens du fantasme inconscient de l'univers analytique. Mais, pour les fantasmes conscients, il y a une pédagogie qui fait partie de son travail.

J. W. : Tout à fait. C'est la raison pour laquelle nous utilisons l'audio-visuel.

R. B. : Et, en même temps, telle réaction devant l'audio-visuel donne des indications pour la suite.

W. P. : Si vous présentez un film technique sur l'éjaculation prématurée, il n'est pas rare que les gens vous disent : « Mais c'est fou ce que c'est barbant ! » Alors, vous pouvez aborder la pathologie du temps : ces patients ont toujours le sentiment d'être en retard, et c'est la raison pour laquelle ils éjaculent trop vite. A ce moment-là, on n'est plus dans une thérapie sexuelle mais dans une thérapie du temps subjectif.

R. B. : Là, vous faites intervenir une dimension symbolique, à mon avis. L'homme dont vous parlez ne peut pas « franchir le pas », dans la vie courante. Et pourquoi franchirait-il ce pas?

W. P. : Les films sexuels ne servent pas, en effet, à montrer une position de plus, mais à développer ce monde imaginaire, qui autrement ne passerait pas. Si vous dites au patient : « Est-ce que vous êtes pressé dans la vie? » vous n'obtiendrez rien d'intéressant. Mais, si vous lui faites verbaliser sa réaction après le film, vous verrez tout d'un coup apparaître des dimensions symboliques sous le prétexte d'une consultation sexologique.

J. W. : Mais il y a, parmi les praticiens, une grande diversité de pratiques : thérapies brèves, interventions de dynamique de groupe, etc.

Mais je crois qu'avec le temps les choses se clarifieront, qu'il faut néanmoins être très prudent, pour des raisons qu'on évoquait tout à l'heure, c'est-à-dire qu'on ne sait quand même pas entièrement ce qu'on fait et ce qu'on dit, et puis parce qu'on est placé dans un environnement occupé par d'autres professions, qui peuvent d'ailleurs prendre notre relais.

W. P. : Il faut savoir qu'en même temps il existe une complicité entre l'angoisse exprimée par le patient et l'ambition affichée par le médecin. De ce fait, je suis un peu plus pessimiste que toi : beaucoup de thérapeutes ont envie de montrer qu'ils ont un « plus » à apporter.

J. W. : C'est très net en chirurgie.

W. P. : Voilà. C'est le modèle médical. Ce n'est pas ce que tu veux, je suppose.

R. B. : C'est la course au prestige, là!

W. P. : Nombre de gens angoissés font la course, eux, au nouveau médicament, à la nouvelle prothèse. Alors, cela crée une complicité forte, d'où le fait que l'attitude de réserve du médecin, qui est, en somme, assez semblable à l'attitude analytique, va se heurter... Parce que beaucoup de ces patients qui fuient vivent cette attitude d'attente comme un manque, comme une castration, si vous voulez; ils la court-circuitent en allant voir le médecin qui leur dit : « D'accord, on vous met une pompe, et ça va vous allonger votre sexe de deux centimètres. »

J. W. : Ils viennent chercher un miracle.

W. P. : Certains utilisent des appareils très perfectionnés pour faire dresser le pénis. Il y a une semaine, un fétichiste, impuissant avec les femmes, et masochiste, veut fonder une famille, et le chirurgien veut lui mettre une prothèse. Il est venu, apparemment par hasard, chez moi et je me suis dit : « Mais qu'est-ce qu'il va faire de cette prothèse? » Je téléphone au chirurgien qui me dit : « Je préfère mettre la prothèse d'abord et l'envoyer en psychothérapie après. » Bref, la bonne conscience... Il y a vraiment une commercialisation de la chirurgie de l'impuissance.

Certains viennent demander des prothèses parce qu'ils ne parviennent pas à accomplir les performances de leurs rêves ou bien parce que, à quarante ans ou cinquante ans, ça ne marche pas aussi bien qu'auparavant...

L. G. : Avez-vous le sentiment que, lorsque quelqu'un vient vous voir, c'est pour les raisons (qu'il met peut-être en avant) de défaut de jouissance, ou que c'est en réalité parce qu'il lui semble (l'érection, par exemple, étant un acte symbolique) qu'il fait défaut à son identité sexuelle?

J. W. : Il y a les deux. Il y a aussi quand même le besoin de jouir.

R. B. : Comme si les gens qui bandent tous les jours ou plusieurs fois par jour n'étaient pas insatisfaits aussi et comme s'ils n'avaient pas de problèmes sexuels!

J. W. : Ne serait-ce que dans la mésentente.

W. P. : A Genève, j'ai eu, dans un premier temps, des demandes fonctionnelles – d'éjaculation prématurée, d'impuissance, etc. Actuellement, les demandes tournent, manifestement, *autour du désir et des troubles d'identité.* La modification de la demande psychosexuelle est donc tout à fait évidente. Il y a encore quelques Latins qui consultent parce qu'ils ont une éjaculation prématurée, mais les autres consultent parce qu'ils n'ont pas envie; *ils n'ont plus envie de faire l'amour.* Ils vivent une perte d'identité sexuelle; à la limite, l'impuissance sert à vérifier l'identité virile, mais au sens existentiel, pas au sens génital. Tout se passe comme si ce type de patient, au moment où il récupère sa puissance, ce n'était pas pour l'utiliser. Il ne supporte pas de ne pas l'avoir, mais le fait de l'avoir n'implique pas qu'il va l'utiliser. Comme si encore, au moment où il récupérait sa puissance, se posait le problème de savoir quoi en faire!

R. B. : C'est de l'épargne. C'est une économie d'investissement, qui est tout simplement la difficulté d'investir..., enfin, de mettre la sexualité, par exemple, à la place de l'amour.

W. P. : Moi, je comparerais cela avec le traitement de la stérilité. Combien de gens font tout ce qu'ils peuvent pour avoir un enfant; ils font monts et merveilles pour être enceint ou enceinte et, au moment où ils le sont, les angoisses se développent. Lorsqu'il faut acquérir quelque chose auquel ils ont droit et qu'ils n'ont pas, ils font des efforts invraisemblables. Mais au moment où ils aboutissent, se catapultent les angoisses de comment gérer cette possibilité... Au moment où ils deviennent puissants, se pose le problème de quoi en faire.

R. B. : Dans un registre juridique, on pourrait dire que ce à quoi on a droit, quand on l'a, c'est quand même une usurpation.

W. P. : Pourquoi?

R. B. : Eh bien, il s'imagine qu'il est privé de ce à quoi il a droit et, pour lui, ce à quoi il a droit, c'est justement ce qui ne lui est pas permis. Donc, au moment où il l'a, il apprend que c'est une joie complètement imaginaire.

J. W. : Dans nos consultations, je fais de plus en plus intervenir des notions qui n'ont rien à voir avec le mot à mot de la demande. Par exemple, je fais intervenir très tôt la notion de liberté dans l'interrogatoire et dans la discussion, en disant : « Mais vous avez le droit de ne pas avoir... » Enfin, j'ai en face de moi un homme qui n'a pas envie avec une femme qui n'a pas envie non plus, etc. (effectivement, ce problème du désir), et je leur dis : « Et alors? »

G. DE P. : C'est bien la peine d'aller chez un sexologue, alors!

J. W. : « Comment cela? Vous n'auriez pas le droit de ne pas avoir envie et il faut absolument que vous ayez trois rapports par semaine? »

R. B. : « Non, je veux désirer le désir. »

J. W. : Ce n'est pas une obligation.

R. B. : « Je veux désirer le désir. »

J. W. : Exactement. Les entretiens commencent ainsi. Je dis aussi quelquefois : « A quoi ça sert? » Non seulement : « A quoi ça sert l'érection que vous souhaitez? » mais : « Qu'est-ce que vous allez en faire? » Alors, ça, déjà...

G. DE P. : Ça doit jeter un froid!

J. W. : Et une autre question qui revient au cours de nos entretiens, c'est : « Qui va s'en servir? Est-ce que quelqu'un en veut, de cette érection? »

G. DE P. : Vous êtes sûr que vous êtes vraiment sexologue? Question très naïve : Est-ce que vous êtes très représentatif des sexologues? En tout cas, français? Je ne dis pas européens...

J. W. : Je ne sais pas. Je refuse un patient sur deux. Il y a des gens à qui je dis exprès : « Je n'ouvre pas de dossier. De quoi vous plaignez-vous? Mais qu'est-ce que c'est que ces histoires? A quoi ça sert? » Et ils reviennent un an après, en disant : « Ça a un peu avancé. Vous nous aviez dit qu'il fallait que ça avance un petit peu. Alors, on a avancé », etc. Il y en a 20 % qui reviennent, ce qui me laisse quand même penser que, dans ces consultations extrêmement brèves et très dures, il faut brancher tous les « radars » pour être capable de surplomber l'entretien et aboutir... au respect du symptôme.

A l'heure actuelle, la grande vogue, c'est au contraire la médicalisation, avec toute sa stéréotypie de guérisseurs.

C'est pourquoi je crois qu'il y aura une vraie place pour la sexologie dans vingt ans, une sexologie qui sera une approche très solidaire de tout un savoir, disons... « pluridisciplinaire ».

W. P. : La différence entre sexologie et psychanalyse, qui ont certains points de contact du point de vue historique, c'est que la sexologie se définit par rapport à l'objet d'étude, alors que la psychanalyse se définit par rapport à un modèle de compréhension et de fonctionnement. C'est la force et la vulnérabilité de la sexologie, parce que la sexologie peut avoir une lecture multiple : technique, systémique ou comportementale, ou médicale ou analytique.

C'est là où le travail d'équipe est, pour moi, indispensable parce qu'un seul thérapeute ne peut pas utiliser tous ces codes différents. L'analyse – qui est une autre partie de mon travail – me pose, à ce niveau psychologique, moins de problèmes parce que ce n'est pas l'objet qui définit alors ma manière d'être, mais une métapsychologie analytique : on est dedans ou on n'est pas dedans.

J. W. : La gageure, c'est toute la culture qu'il faut avoir!

W. P. : Oui. En ce sens, je pense que la sexologie en tant que culture, c'est peut-être un espoir pour dans vingt ans; mais, en même temps, la sexologie en tant que science opératoire me paraît très en danger parce qu'elle n'a pas derrière une métapsychologie suffisante.

J. W. : Je dis toujours que ce n'est pas gagné, qu'il faudra dix ou vingt ans pour voir s'il y a vraiment légitimité de tout cela.

W. P. : Je suis beaucoup plus pessimiste à cause du relatif échec de la psychologie médicale dans l'enseignement de la médecine. C'est là l'enjeu. Si la psychologie médicale devient une manière légitime de faire la médecine, ce modèle sexologique trouve son terrain.

J. W. : Ce n'est pas très facile à enseigner.

W. P. : Non, mais est-ce qu'il y a des crédits? Est-ce qu'il y a des examens de psychologie médicale? En Allemagne et en Suisse, ces examens sont obligatoires.

G. DE P. : On s'intéresse toujours beaucoup plus au pathologique qu'au normal. Le normal, c'est mille fois plus diversifié. Il y a une espèce d'énorme efflorescence dans la normalité qui est difficile à « mettre en équations ».

W. P. : Comment veux-tu que les gens aient une pensée vis-à-vis de la sexualité en tant que terrain d'études ouvert, s'ils ne savent pas s'occuper de la psychologie d'un diurétique, de la psychologie d'un hypertendu?

J. W. : Ils seraient obligés de faire un effort, de s'interroger sur eux-mêmes.

G. DE P. : Et les femmes?

J. W. : Eh bien, il y a une injustice patente puisque, avec les hommes, on peut se livrer à la recherche de l'organicité parce qu'on a un éventail d'explorations dont la fiabilité est très élevée, et on a de plus en plus les moyens de pouvoir dire à quelqu'un que le corps participe dans telle mesure à son problème. Chez la femme, on ne peut rien mesurer.

Or, on sait quand même que l'organicité compte aussi dans l'anorgasmie, dans la frigidité. Les problèmes vasculaires sont aussi importants chez la femme que chez l'homme, même si ça ne se voit pas.

G. DE P. : Il n'est pas inintéressant, pour la discussion de ce soir, de signaler que tous les progrès ont été faits pour les hommes parce que c'était plus facile!

# *Les auteurs*

Jean Belaisch, andrologue et gynécologue, auteur de *Comment vaincre la stérilité* (Paris, Alta, 1981).

Raphaël Brossart, psychanalyste, auteur d'articles sur le syndrome de l'asthénie de Ferjol.

Marc Chabot, philosophe, auteur de *Chroniques masculines* (Québec, Pantoute, 1980).

Geneviève Delaisi de Parseval, psychanalyste, auteur de *La Part du père* (Paris, Seuil, 1981). Responsable de l'ouvrage.

Jacques Durandeaux, psychanalyste, auteur de *Poétique analytique* (Paris, Seuil, 1982).

Roger-Henri Guerrand, historien, auteur de *La Libre Maternité* (Paris, Casterman, 1971).

Agnès Oppenheimer, psychanalyste, auteur de *Le Choix du sexe* (Paris, PUF, 1980).

Thomas Trahant, violoniste.

Patrick Valas, médecin psychanalyste, membre de l'École de la Cause freudienne, auteur de *Œdipe, reviens, tu es pardonné* (Paris, Point Hors Ligne, 1984).

Ont participé à la table ronde, outre Geneviève de Parseval et Raphaël Brossart :

Pierre Jouannet, médecin, biologiste de la reproduction masculine.

Willy Pasini, professeur de psychiatrie à la faculté de Genève; médecin de l'Unité de gynécologie psychosomatique et de sexologie.

Jacques Waynberg, sexologue.

Mike Kamionko, observateur de sexe masculin.

Luc Giribone, autre observateur, également de sexe masculin.

[illegible], [illegible] et [illegible], auteur de [illegible] (Paris, [illegible], [illegible]).

[illegible], psychanalyste, auteur d'articles sur les textes [illegible] de Freud.

[illegible], psychanalyste, auteur de [illegible] [illegible], Institut [illegible] (1960).

[illegible], psychanalyste, auteur de [illegible] (Paris, Seuil, 1981) [illegible].

[illegible], psychiatre et psychanalyste, auteur de [illegible] (Paris, [illegible]).

[illegible], auteur de [illegible] (Paris, [illegible], 1971).

[illegible], psychanalyste, auteur de [illegible] (Paris, P.U.F., 1970).

[illegible]

[illegible], médecin psychanalyste, membre de l'École de la [illegible], auteur de [illegible] (Paris [illegible], 1980).

[illegible]

[illegible] de la reproduction [illegible]

[illegible], professeur de [illegible] à la Faculté de [illegible] [illegible].

[illegible]

[illegible]

[illegible]

# Table

## Introduction



## 1. Histoire



## 2. Témoignages



## 3. Physiologie



## 4. Psychanalyse

## 5. Sexologie ?

CET OUVRAGE A ÉTÉ COMPOSÉ ET ACHEVÉ D'IMPRIMER
PAR L'IMPRIMERIE FLOCH À MAYENNE
DÉPÔT LÉGAL : SEPTEMBRE 1985. N° 8898 (23064).